Para todos os garotos que já amei

JENNY HAN

Para todos os garotos que já amei

Tradução de Regiane Winarski

Copyright © 2014 by Jenny Han
Publicado mediante acordo com Folio Literary Management LLC
e Agência Riff

TÍTULO ORIGINAL
To All the Boys I've Loved Before

PREPARAÇÃO
Marina Vargas

REVISÃO
Milena Vargas

DIAGRAMAÇÃO
Filigrana

CIP-BRASIL. CATALOGAÇÃO-NA-FONTE
SINDICATO NACIONAL DOS EDITORES DE LIVROS, RJ

H197p

    Han, Jenny
      Para todos os garotos que já amei / Jenny Han ; tradução
Regiane Winarski. - 1. ed. - Rio de Janeiro : Intrínseca, 2015.
    320 p. ; 21 cm.

    Tradução de: To all the boys I've loved before
    ISBN 978-85-8057-726-6

    1. Ficção americana. I. Winarski, Regiane. II. Título.

15-21313
                      CDD: 813
             CDU: 821.111(73)-3

[2015]

Todos os direitos desta edição reservados à
EDITORA INTRÍNSECA LTDA.
Av. das Américas, 500, bloco 12, sala 303
22640-904 – Barra da Tijuca
Rio de Janeiro — RJ
Tel./Fax: (21) 3206-7400
www.intrinseca.com.br

Para Susan — irmãs Han para sempre

EU GOSTO DE PRESERVAR COISAS. NÃO COISAS IMPORTANTES, COMO baleias, pessoas ou a natureza. Coisas bobas. Sinos de porcelana, do tipo que se compra em lojas de lembrancinhas. Cortadores para massa de biscoito que nunca vou usar, porque, afinal, quem precisa de um biscoito com formato de pé? Fitas para o cabelo. Cartas de amor. De todas as coisas que guardo, acho que posso afirmar que as cartas de amor são meus bens mais preciosos.

Guardo-as em uma caixa de chapéu azul-petróleo, que minha mãe comprou para mim em um brechó no Centro. Não são cartas que outra pessoa escreveu para mim; não tenho nenhuma assim. São cartas que eu escrevi. Uma para cada garoto que amei — cinco ao todo.

Quando escrevo, não reprimo nada. Escrevo como se ele nunca fosse ler. Porque não vai mesmo. Cada pensamento secreto, cada observação cuidadosa, todos os sentimentos que guardei dentro de mim, coloco tudo na carta. Quando termino, fecho o envelope, escrevo o endereço e coloco dentro da caixa de chapéu azul-petróleo.

Não são cartas de amor no sentido mais estrito da palavra. Minhas cartas são de quando não quero mais estar apaixonada. São cartas de despedida. Porque, depois que escrevo, aquele amor ardente para de me consumir. Posso tomar o café da manhã sem me preocupar se ele também gosta de banana com cereal; posso cantar músicas românticas sem estar cantando para ele. Se o amor é como uma possessão, talvez minhas cartas sejam meu exorcismo. As cartas me libertam. Ou pelo menos deveriam.

1

JOSH É O NAMORADO DE MARGOT, MAS ACHO QUE EU PODERIA dizer que minha família toda é apaixonada por ele. É difícil saber quem o ama mais. Antes de ele ser namorado de Margot, era só Josh. E estava sempre por perto. Eu digo "sempre", mas acho que isso não é bem verdade. Ele se mudou para a casa ao lado da nossa cinco anos atrás, mas parece que faz muito mais tempo.

Meu pai adora Josh porque ele é menino, e meu pai vive cercado de meninas. Estou falando sério: ele passa o dia todo cercado por mulheres. Meu pai é ginecologista e obstetra, e também pai de três filhas, então são só garotas, garotas, garotas o dia inteiro. Ele compartilha com Josh o amor por quadrinhos, e os dois também saem juntos para pescar. Meu pai tentou nos levar para pescar uma única vez, mas eu chorei quando meus sapatos ficaram sujos de lama, Margot chorou quando o livro dela molhou, e Kitty chorou porque ainda era um bebê.

Kitty adora Josh porque ele joga cartas com ela e não fica entediado. Ou pelo menos finge não ficar entediado. Eles fazem acordos: se eu ganhar a próxima rodada, você tem que preparar um sanduíche de creme de amendoim crocante com pão torrado, sem a casca, para mim. Essa é Kitty. Em algum momento o creme de amendoim crocante acaba, e Josh diz que é uma pena, mas ela terá que escolher outra coisa. Porém, Kitty enche tanto o saco dele que ele sai e compra, porque Josh é assim.

Se eu tivesse que dizer por que Margot o ama, provavelmente diria que é porque todos nós amamos.

Estamos na sala, e Kitty está colando figuras de cachorros em uma cartolina enorme. Tem papel e pedaços de papel cortado por toda a parte ao redor dela. Cantarolando baixinho, ela diz:

— Quando papai me perguntar o que quero de Natal, vou dizer: "Pode escolher qualquer uma dessas raças e estamos quites."

Margot e Josh estão no sofá; eu estou deitada no chão, assistindo à tevê. Josh fez uma tigela grande de pipoca, e estou concentrada em comê-la, de punhado em punhado.

Começa um comercial de perfume: uma garota corre pelas ruas de Paris usando um vestido frente única roxo, fino como papel de seda. O que eu não daria para ser essa garota de vestido fino como papel de seda correndo por Paris na primavera! Eu me sento tão de repente que engasgo com um grão de milho que não estourou. Entre acessos de tosse, digo:

— Margot, vamos nos encontrar em Paris nas minhas férias!

Já posso me imaginar girando com um *macaron* de pistache em uma das mãos e um de framboesa na outra.

Os olhos de Margot se iluminam.

— Você acha que papai vai deixar?

— Claro, é cultura. Ele tem que deixar.

Mas eu nunca viajei de avião sozinha. E também nunca saí do país. Será que Margot iria me buscar no aeroporto ou eu teria que encontrar o albergue sozinha?

Josh deve ter visto a preocupação repentina no meu rosto, porque diz:

— Não se preocupe. Seu pai vai deixar se eu for com você.

Eu me alegro.

— É! Podemos ficar em albergues e comer pão e queijo o dia inteiro.

— Podemos visitar o túmulo do Jim Morrison! — diz Josh.

— Podemos ir a uma *parfumerie* e criar nossos próprios perfumes! — digo, e Josh ri com deboche.

— Hã, tenho certeza de que "criar nossos próprios perfumes" em uma *parfumerie* custaria a mesma coisa que uma semana no albergue. — Ele cutuca Margot. — Sua irmã tem mania de grandeza.

— Ela é a mais elegante de nós três — concorda Margot.

— E eu? — choraminga Kitty.

— Você? — Eu faço um som debochado. — Você é a garota *menos* elegante da família Song. Tenho que implorar para você lavar os pés à noite, e nem estou falando de tomar banho.

O rosto de Kitty se contrai e fica vermelho.

— Eu não estava falando disso, sua pateta. Estava falando sobre Paris.

Faço um gesto distraído com a mão.

— Você é nova demais para ficar em um albergue.

Ela vai até Margot e sobe no colo dela, apesar de ter nove anos e ser grande demais para ficar no colo das pessoas.

— Margot, você vai me deixar ir, não vai?

— Talvez pudesse ser uma viagem de férias em família — sugere Margot, beijando a bochecha dela. — Você, Lara Jean e papai poderiam ir juntos.

Eu franzo a testa. Não era essa a viagem para Paris que eu estava imaginando. Por cima da cabeça de Kitty, Josh faz movimentos labiais: "Conversamos depois." Eu faço um sinal discreto de positivo.

Mais tarde, na mesma noite, Josh já foi embora. Kitty e nosso pai estão dormindo. Margot e eu ficamos na cozinha. Ela está sentada à mesa, no computador; sento ao lado dela, fazendo bolinhas de massa de biscoito e passando na canela e no açúcar. Decidi preparar biscoitos como uma oferta de paz para Kitty. Mais cedo, quando fui dar boa-noite, ela me deu as costas e não quis falar comigo porque ainda está convencida de que vou tentar cortá-la da viagem a Paris. Meu plano é colocar um prato ao lado de seu travesseiro, para ela acordar com o cheiro de biscoitos recém-assados.

Margot está quieta demais, e então, do nada, ela olha para mim e dispara:

— Terminei com Josh hoje. Depois do jantar.

A bola de massa de biscoito cai dos meus dedos na tigela de açúcar.

— Já estava na hora — completa ela.

Os olhos de Margot não estão vermelhos; acho que ela não chorou. Sua voz está calma e firme. Qualquer pessoa que olhasse para ela pensaria que está tudo bem. Porque Margot sempre parece bem, mesmo quando não está.

— Não entendo por que você precisava terminar com ele. Você não é obrigada a terminar só porque vai para a faculdade.

— Lara Jean, eu vou para a Escócia, não para a Universidade da Virgínia. Saint Andrews fica a mais de seis mil quilômetros daqui. — Ela empurra os óculos para ajeitá-los no nariz. — Qual seria o sentido?

Não consigo acreditar que Margot está falando isso.

— O sentido é que é o Josh. Josh, que ama você mais do que qualquer garoto já amou uma garota!

Margot revira os olhos. Ela acha que estou sendo dramática, mas não estou. É verdade, Josh a ama tanto assim. Ele jamais olharia para outra garota.

— Sabe o que mamãe me disse uma vez? — indaga ela, de repente.

— O quê?

Por um momento, esqueço Josh. Porque, não importa o que eu esteja fazendo, se Margot e eu estivermos no meio de uma discussão ou se eu estiver prestes a ser atropelada por um carro, sempre vou parar para ouvir uma história sobre minha mãe. Qualquer detalhe, qualquer lembrança que Margot tenha, eu também quero ter. Mas estou melhor do que Kitty. Ela não tem nenhuma lembrança da nossa mãe que não tenha vindo de nós. Contamos tantas histórias para ela, tantas vezes, que passaram a ser dela. "Lembram aquela vez…", começa Kitty. E aí, conta a história como se tivesse estado presente e não fosse apenas um bebezinho.

— Ela me aconselhou a não ir para a faculdade namorando. Disse que não queria que eu fosse aquela garota chorando ao telefone com o namorado e dizendo não para as oportunidades, em vez de sim.

A Escócia é o sim de Margot, acho. Distraidamente, pego um punhado de massa de biscoito e enfio na boca.

— Você não devia comer massa de biscoito crua.

Eu a ignoro.

— Josh nunca impediria você de fazer alguma coisa. Ele não é assim. Lembra quando você decidiu concorrer a presidente do corpo estudantil e ele ajudou na campanha? Josh é seu maior fã!

Quando falo isso, os cantos da boca de Margot se curvam para baixo, e eu me levanto e a abraço. Ela afasta a cabeça e sorri para mim.

— Eu estou bem — garante ela. Mas não está, eu sei que não.

— Não é tarde demais, sabe. Você pode ir até lá agora e dizer a ele que mudou de ideia.

Margot balança a cabeça.

— Acabou, Lara Jean. — Ela a solto, e ela fecha o laptop. — Quando vai sair a primeira fornada? Estou com fome.

Eu olho para o timer magnético em formato de ovo na geladeira.

— Mais quatro minutos. — Sento à mesa e digo: — Não ligo para o que você diz, Margot. Esse não é o fim de vocês dois. Você o ama demais.

Margot balança a cabeça.

— Lara Jean — começa, com sua voz paciente, como se eu fosse uma criança, e ela, uma mulher sábia de quarenta e dois anos.

Coloco uma colherada de massa de biscoito debaixo do nariz dela, que hesita antes de abrir a boca. Dou para ela como se ela fosse um bebê.

— Espere para ver, você e o Josh vão voltar logo, logo.

Mas, enquanto falo, sei que não é verdade. Margot não é o tipo de garota que termina e volta por impulso; quando decide uma coisa, é aquilo mesmo. Sem enrolação, sem arrependimento. É como ela disse: acabou, simplesmente acabou.

Eu queria (e esse é um pensamento que tive muitas, muitas vezes, tantas que até perdi a conta) ser mais parecida com Margot. Porque às vezes parece que nunca vai acabar para mim.

Mais tarde, depois de lavar a louça e colocar os biscoitos em um prato ao lado do travesseiro de Kitty, vou para o quarto. Não acendo a luz. Vou até a janela. A luz de Josh ainda está acesa.

Para todos os garotos que já amei

2

NA MANHÃ SEGUINTE, MARGOT ESTÁ FAZENDO O CAFÉ E EU ESTOU colocando o cereal nas tigelas, então digo a coisa em que passei a manhã toda pensando.

— Você sabe que papai e Kitty vão ficar muito chateados, não sabe?

Quando Kitty e eu estávamos escovando os dentes, pouco antes, fiquei tentada a contar tudo, mas ela ainda estava com raiva de mim pelo que eu disse ontem, então fiquei quieta. Ela nem mencionou os biscoitos, embora eu saiba que os comeu, porque só sobraram migalhas no prato.

Margot solta um suspiro profundo.

— Então devo ficar com Josh por causa de você, do papai e da Kitty?

— Não, só estou avisando.

— Ele não viria muito aqui, depois que eu fosse embora.

Eu franzo a testa. Não passou pela minha cabeça que Josh pararia de vir aqui em casa depois que Margot viajasse. Ele já tinha o costume de vir bem antes de eles virarem um casal, não vejo por que iria parar.

— Talvez ele venha — digo. — Ele adora a Kitty.

Ela aperta o botão para ligar a cafeteira. Eu a observo com muita atenção, porque Margot sempre fez o café, e, agora que ela vai embora (só faltam seis dias), é melhor eu aprender. De costas para mim, ela responde:

— Talvez eu nem conte para eles.

— Hã, acho que eles vão perceber quando ele não aparecer no aeroporto, Gogo. — Gogo é meu apelido para Margot. — Quantas xícaras de água você botou aí? E quantas colheradas de pó de café?

— Vou anotar tudo para você — garante Margot. — No caderno. Temos um caderno ao lado da geladeira. Foi ideia de Margot, claro. Nele estão todos os números importantes, os horários do nosso pai e das caronas de Kitty.

— Não se esqueça de colocar o número da nova tinturaria.

— Já coloquei. — Margot corta uma banana para colocar no cereal; cada fatia é perfeitamente fina. — Além do mais, Josh não iria ao aeroporto com a gente. Você sabe o que eu acho de despedidas.

Margot faz uma careta como quem diz: *Argh, emoções.*

Eu sei.

Quando Margot decidiu fazer faculdade na Escócia, eu me senti traída. Apesar de saber que isso ia acontecer, porque é claro que ela faria faculdade em algum lugar distante. E é claro que ela faria faculdade na Escócia e estudaria antropologia, porque ela é Margot, a garota dos mapas, dos livros de viagem e dos planos. É claro que ela nos deixaria um dia.

Ainda estou com raiva, ao menos um pouco. Só um pouquinho. Obviamente, sei que não é culpa dela. Mas ela vai para tão longe, e sempre dissemos que seríamos as irmãs Song para sempre. Margot primeiro, eu no meio e Kitty por último. Na certidão de nascimento, ela é Katherine; para nós, é só Kitty.

Somos as três irmãs Song. Éramos as quatro garotas Song com minha mãe, Eve Song. Evie para meu pai, mamãe para nós, Eve para o resto do mundo. Song é, era, o sobrenome dela. Nosso sobrenome é Covey, com a sílaba tônica no final. Mas o motivo de sermos as irmãs Song, e não as irmãs Covey, é que minha mãe dizia que seria uma garota Song para o resto da vida, e Margot acredita que nós também deveríamos ser. Todas temos Song como nome do meio, e nossa aparência é mais de Song do que de Covey, de qualquer modo, mais coreana do que caucasiana. Pelo menos, Margot e eu; Kitty se parece mais com nosso pai, tem o mesmo cabelo castanho-claro. As pessoas dizem que eu me pareço mais com ela, mas acho que é Margot, com as maçãs do rosto altas e os olhos escuros, quem se parece

Para todos os garotos que já amei

15

mais. Faz quase seis anos, e às vezes parece que ela estava aqui ontem. Às vezes parece que só existiu nos meus sonhos.

Ela havia encerado o piso naquela manhã; estava brilhando, e a casa cheirava a limão e limpeza. O telefone começou a tocar na cozinha, ela foi correndo atender e escorregou. Bateu a cabeça no chão e ficou inconsciente, mas depois acordou e disse que estava bem. Foi o intervalo lúcido. É assim que chamam. Pouco tempo depois, reclamou de dor de cabeça, foi se deitar no sofá e não acordou mais.

Foi Margot quem a encontrou. Ela só tinha doze anos, mas cuidou de tudo: ligou para a emergência, ligou para nosso pai e me deixou cuidando de Kitty, que só tinha três anos. Eu liguei a televisão para Kitty, no quarto de brinquedos, e fiquei com ela. Foi tudo o que fiz. Não sei o que teria feito se Margot não estivesse lá. Apesar de ela ser só dois anos mais velha do que eu, eu a admiro mais do que a qualquer outra pessoa.

Quando descobrem que meu pai é viúvo e tem três filhas, as pessoas balançam a cabeça, admiradas, como se dissessem: *Como ele consegue? Como cuida de tudo sozinho?* A resposta: Margot. Ela é organizada por natureza, com suas etiquetas, seus planejamentos e suas divisões em fileiras regulares e perfeitas.

Margot é uma boa garota, e acho que Kitty e eu estamos seguindo seu exemplo. Nunca colei, nem fiquei bêbada, nem fumei um cigarro, nem mesmo tive um namorado. Nós brincamos com papai e dizemos o quanto ele tem sorte de sermos tão boas, mas a verdade é que nós é que tivemos sorte. Ele é um ótimo pai. E se esforça muito. Nem sempre nos entende, mas tenta, e é isso que importa. As três irmãs Song têm um pacto silencioso: tornar a vida o mais fácil possível para nosso pai. Por outro lado, talvez não seja tão silencioso assim, porque quantas vezes já ouvi Margot dizer: "Shhh, fique quieta, papai está cochilando antes de ter que voltar para o hospital" ou "Não incomode papai com isso, você não consegue resolver sozinha?".

Já perguntei a Margot como ela acha que seriam as coisas se nossa mãe não tivesse morrido. Será que passaríamos mais tempo com o

lado coreano da família, e não só o Dia de Ação de Graças e o Ano-
-Novo? Ou...

Margot acha que não faz sentido ficar imaginando. Nossa vida é
essa; especular não vai mudar nada. Ninguém pode nos dar respostas.
Eu tento, tento muito, mas é difícil aceitar esse jeito de pensar. Estou
sempre imaginando e especulando sobre outros caminhos.

Nosso pai e Kitty descem na mesma hora. Margot serve uma xícara de
café para ele, e eu coloco leite no cereal de Kitty. Ponho a tigela na
frente dela, mas Kitty me ignora, pega um iogurte na geladeira e o leva
para a sala, para comer vendo tevê. Ela ainda está chateada.

— Vou ao mercado mais tarde, então façam uma lista do que
precisarem — pede papai, tomando um grande gole de café. — Acho
que vou comprar uns bifes para o jantar. Podemos usar a grelha do
quintal. Compro um para Josh também?

Olho para Margot. Ela abre a boca, depois a fecha.

— Não, compre só o suficiente para nós quatro — diz, por fim.

Lanço para ela um olhar de reprovação, mas ela me ignora. Nunca vi Margot perder a coragem antes, mas acho que, nas questões do
coração, não dá para prever como uma pessoa vai se comportar.

Para todos os garotos que já amei

3

ESTAMOS NOS ÚLTIMOS DIAS DE VERÃO. NOSSOS ÚLTIMOS DIAS com Margot. Talvez não seja tão ruim ela ter terminado com Josh; assim temos mais tempo só para nós, as irmãs. Tenho certeza de que ela deve ter pensado nisso. Tenho certeza de que era parte do plano.

Estamos saindo do nosso bairro de carro quando vemos Josh passar correndo. Ele entrou para a equipe de atletismo no ano passado, e agora está sempre correndo por aí. Kitty grita o nome dele, mas as janelas estão fechadas, e não ia adiantar mesmo, porque ele finge não ouvir.

— Vamos dar a volta — pede Kitty para Margot. — Talvez ele queira vir com a gente.

— Este dia é só das irmãs Song — digo a ela.

Passamos o resto da manhã na Target, comprando coisas de última hora: mix de nozes e frutas secas com mel para o voo, desodorante e elástico de cabelo. Deixamos Kitty empurrar o carrinho, para ela poder fazer aquele negócio de dar uma corridinha e subir na parte de trás como se estivesse conduzindo uma carruagem. Mas Margot só a deixa fazer isso umas duas vezes antes de mandá-la parar, para não irritar os outros clientes.

Em seguida, voltamos para casa e almoçamos salada de frango com uvas verdes, e então está quase na hora da competição de natação de Kitty. Preparamos sanduíches de presunto e queijo e salada de frutas e levamos o laptop de Margot para assistirmos a uns filmes, porque competições de natação podem demorar bastante. Também fazemos um cartaz com a inscrição *Vai, Kitty!*. Desenho um cachorro nele. Papai acaba não conseguindo chegar à competição a tempo porque está fazendo um parto, e, quando se trata de desculpas, essa é uma das melhores. (Era menina, e escolheram o nome Patricia Rose, em homenagem às duas avós. Meu pai sempre descobre os nomes para mim. É a primeira coisa que pergunto quando ele chega em casa depois de um parto.)

Kitty está tão empolgada por ter ganhado dois prêmios de primeiro lugar e um de segundo que se esquece de perguntar por Josh até estarmos no carro, voltando para casa. Ela está no banco de trás com a toalha enrolada no cabelo como um turbante e as fitas do prêmio penduradas nas orelhas como brincos. Então se inclina para a frente e diz:

— Ei! Por que Josh não foi à competição?

Posso ver Margot hesitar, então respondo por ela. Talvez a única coisa em que eu seja melhor do que Margot é em mentir.

— Ele teve que trabalhar na livraria hoje. Mas queria muito ter vindo.

Margot estica a mão por cima da caixa de câmbio e aperta a minha com gratidão.

Kitty faz beicinho.

— Essa foi a última competição da temporada! Ele prometeu que ia me ver nadar.

— Foi de última hora — explico. — Ele não conseguiu fugir do trabalho porque um dos colegas teve uma emergência.

Kitty assente, contrariada. Por mais nova que seja, ela entende de emergências.

— Vamos tomar sorvete — declara Margot, de repente.

Kitty se alegra, e a emergência imaginária de Josh é esquecida.

— Isso! Quero uma casquinha! Posso pedir casquinha com duas bolas? Quero de menta com pedaços de chocolate e de amendoim crocante. Não, tutti-frutti e brownie. Não, espere...

Eu me viro no banco.

— Você não consegue terminar as duas bolas e a casquinha. Talvez até consiga comer as duas bolas, mas não a casquinha.

— Consigo sim. Hoje eu consigo. Estou *morrendo* de fome.

Para todos os garotos que já amei

— Tudo bem, mas é melhor você comer tudo.

Eu balanço o dedo para ela e falo como se fosse uma ameaça, o que a faz revirar os olhos e rir. Quanto a mim, vou pedir o de sempre: cereja com pedaços de chocolate e casquinha recheada.

Margot entra no drive-thru e, enquanto esperamos nossa vez, eu digo:

— Aposto que não tem essa sorveteria na Escócia.

— Não deve ter mesmo — responde ela.

— Você só vai voltar aqui no Dia de Ação de Graças.

Margot olha direto para a frente.

— Natal — corrige ela. — O feriado de Ação de Graças é curto demais para um voo tão longo, lembra?

Kitty faz beicinho.

— O Dia de Ação de Graças vai ser um saco.

Eu fico em silêncio. Nunca tivemos um Dia de Ação de Graças sem Margot. Ela sempre prepara o peru, os brócolis gratinados e as cebolas cremosas. Eu faço as tortas (de abóbora e de noz-pecã) e o purê de batatas. Kitty experimenta tudo e arruma a mesa. Não sei assar peru. Além disso, nossas duas avós estarão presentes, e Nana, a mãe do nosso pai, gosta mais de Margot. Ela diz que Kitty a deixa exausta e que eu sou sonhadora demais.

De repente, entro em pânico e fica difícil respirar. Não estou dando mais a mínima para o sorvete de cereja com pedaços de chocolate. Não consigo imaginar um Dia de Ação de Graças sem Margot. Não consigo imaginar nem a próxima segunda-feira sem ela. Sei que a maioria das irmãs não se dá bem, mas sou mais próxima de Margot do que de qualquer outra pessoa no mundo. Como poderemos ser as irmãs Song sem Margot?

4

Minha amiga mais antiga, Chris, fuma, fica com garotos que não conhece e já foi suspensa duas vezes. Em uma delas, teve que comparecer ao tribunal por evasão escolar. Eu nem sabia o que era evasão escolar antes de conhecê-la. Se quiser saber, é quando você falta tanta aula que fica muito encrencado.

Tenho certeza de que, se Chris e eu nos conhecêssemos hoje, não seríamos amigas. Somos tão diferentes quanto duas pessoas podem ser. Mas nem sempre foi assim. No sexto ano, Chris gostava de papéis de carta, festas do pijama e de passar a noite acordada vendo filmes do John Hughes, como eu. Mas, no oitavo ano, ela começou a fugir depois que meu pai dormia para se encontrar com garotos que tinha conhecido no shopping. Eles a traziam de volta antes do amanhecer. Eu ficava acordada a noite toda, morrendo de medo de ela não conseguir chegar antes de o meu pai acordar. Mas ela sempre voltava a tempo.

Chris não é o tipo de amiga com quem se conversa todas as noites ou almoça todos os dias. Ela é como um gato de rua, vem e vai quando quer. Não fica presa a um lugar ou uma pessoa. Às vezes, fico dias sem ver Chris, e de repente, no meio da noite, ouço uma batida na janela do quarto e é ela, empoleirada na magnólia. Eu já deixo a janela destrancada só por precaução.

Chris e Margot não se suportam. Chris acha Margot muito estressada, e Margot acha que Chris é meio bipolar. Ela acha que Chris me usa; Chris acha que Margot me controla. Acredito que as duas estão um pouco certas. Mas o mais importante é que Chris e eu nos entendemos bastante, e isso conta bem mais do que as pessoas pensam.

★ ★ ★

Chris me liga quando estamos a caminho de casa; ela diz que a mãe está insuportável e que vai passar umas horinhas lá em casa e será que temos algo para beliscar?

Chris e eu estamos na sala dividindo um pote com restos de nhoque quando Margot chega, depois de deixar Kitty no churrasco de fim de temporada da equipe de natação.

— Ah, oi. — Em seguida, ela vê o copo de Coca Diet de Chris na mesa de centro sem o descanso de copo. — Será que você pode usar o porta-copos, por favor?

Assim que Margot sobe a escada, Chris exclama:

— Meu Deus! Por que sua irmã é tão babaca?

Coloco um descanso de copo debaixo do copo dela.

— Você está achando todo mundo babaca hoje.

— É porque todo mundo é. — Chris revira os olhos para o teto e exclama: — Ela precisa relaxar mais!

Do quarto, Margot grita:

— Eu ouvi isso!

— Era o objetivo! — responde Chris, raspando o último nhoque do pote.

Eu suspiro.

— Ela vai embora logo, logo. Passou tão rápido...

Chris dá uma risadinha debochada.

— E Josh vai, tipo, acender uma vela para ela todas as noites até ela voltar para casa?

Eu hesito. Apesar de não ter certeza se ainda é um segredo, tenho *certeza* de que Margot não iria querer que Chris soubesse de sua vida pessoal. Então apenas respondo:

— Não sei.

— Espere aí. Ela deu um pé na bunda dele?

Com relutância, assinto.

— Mas não fale nada para ela. Ela ainda está muito triste.

— Margot? Triste? — Chris cutuca as unhas. — Margot não possui emoções como o resto de nós, humanos.

— Você só não a conhece direito. Além do mais, nem todo mundo pode ser como você.

Ela abre um sorriso largo. Chris tem incisivos afiados, o que faz com que sempre pareça meio faminta.

— É verdade.

Chris é emoção pura. Grita por qualquer coisa. Ela diz que às vezes é preciso extravasar as emoções no grito; se você não fizer isso, elas gangrenam. Outro dia, ela gritou com uma senhora no mercado por pisar sem querer no pé dela. Acho que ela não corre perigo nenhum de suas emoções gangrenarem.

— Só não consigo acreditar que ela vai embora.

De repente, sinto vontade de chorar.

— Ela não está *morrendo*, Lara Jean. Não precisa ficar toda sentimental. — Chris puxa um fio solto no short vermelho. Ele é tão curto que, quando ela está sentada, dá para ver a calcinha, que é vermelha para combinar com o short. — Na verdade, acho que vai ser bom para você. Já estava na hora de você começar a cuidar da própria vida e parar de ouvir tudo que a rainha Margot diz. Você vai começar o segundo ano, garota. É agora que a coisa fica boa. Beije uns garotos, viva um pouco!

— Eu já vivo bastante — digo.

— É, no asilo.

Chris dá uma risadinha, e eu olho com raiva para ela.

Margot começou a trabalhar como voluntária na Comunidade de Aposentados Belleview quando tirou a carteira de motorista; o trabalho dela era organizar o *happy hour* dos residentes. Eu ajudava às vezes. Nós servíamos amendoins em tigelas e bebidas, e às vezes Margot tocava piano, mas normalmente era Stormy quem cuidava disso. Stormy é a diva de Belleview. Ela bota ordem no galinheiro. Gosto de ouvir as histórias dela. E da sra. Mary; ela pode não ser tão boa de papo por causa da demência, mas me ensinou a tricotar.

Para todos os garotos que já amei

Tem um novo voluntário lá agora, mas sei que, para os residentes de Belleview, quanto mais gente melhor, porque a maioria recebe poucas visitas. Eu devo voltar logo; sinto falta de ir lá. E não gosto nem um pouco de ver Chris debochando disso.

— Aquelas pessoas viveram mais do que todos que conhecemos juntos — digo a ela. — Tem uma senhora, Stormy, que trabalhou na USO! Ela recebia cem cartas por dia de soldados apaixonados por ela. E um veterano que perdeu a perna uma vez mandou uma aliança de diamante!

Chris parece interessada de repente.

— Ela ficou com a aliança?

— Ficou — admito.

Eu acho errado ela ter ficado com a aliança, já que não tinha intenção de se casar com ele, mas ela a mostrou para mim, e era linda. Tinha um diamante cor-de-rosa, muito raro. Aposto que vale muito dinheiro agora.

— Essa Stormy parece ser foda — diz Chris, a contragosto.

— Que tal você visitar Belleview comigo? — sugiro. — Podemos ir para o *happy hour*. O sr. Perelli adora dançar com as garotas novas. Ele vai ensinar você a dançar o foxtrote.

Chris faz uma cara horrível, como se eu tivesse sugerido um passeio pelo lixão da cidade.

— Não, obrigada. Que tal *eu* levar *você* para dançar? — Ela indica o teto com o queixo. — Agora que sua irmã está indo embora, podemos nos divertir de verdade. Você sabe que eu sempre me divirto.

É verdade, Chris sempre se diverte. Às vezes até um pouco demais, mas é diversão de qualquer jeito.

5

NA NOITE ANTERIOR À PARTIDA DE MARGOT, NÓS TRÊS ESTAMOS no quarto dela ajudando-a a guardar as últimas coisas. Kitty está organizando os itens de banho, arrumando tudo direitinho na nécessaire. Margot tenta decidir que casaco levar.

— Será que levo o sobretudo e casaco acolchoado ou só o sobretudo? — ela me pergunta.

— Só o sobretudo. Você pode usá-lo para ocasiões formais ou informais. — Estou deitada na cama dela, orientando o processo de arrumação das malas. — Kitty, aperte a tampa do hidratante.

— O pote é novinho, a tampa já está bem apertada! — resmunga ela, mas aperta mesmo assim.

— Faz mais frio na Escócia do que aqui — diz Margot, dobrando o casaco e o colocando em cima da mala. — Acho que vou levar os dois.

— Não sei por que você perguntou se já sabia o que ia fazer — retruco. — Aliás, você disse que vinha para casa no Natal. Ainda vem, não vem?

— Só se você parar de ser tão chata — responde Margot.

Sinceramente, Margot nem está levando tanta coisa. Ela não precisa de muito. Se fosse eu, já teria colocado o quarto todo nas malas, mas Margot não. O quarto dela parece o mesmo. Quase.

Ela se senta ao meu lado, e Kitty se senta ao pé da cama.

— Tudo está mudando — digo, suspirando.

Margot faz uma careta e passa o braço sobre meus ombros.

— Nada está mudando, não de verdade. Somos as irmãs Song para sempre, lembra?

Nosso pai está de pé à porta. Ele bate na moldura, embora a porta esteja aberta e dê para ver claramente que é ele.

— Vou começar a colocar as coisas no carro — anuncia.

Observamos da cama quando ele leva uma das malas para o andar de baixo, depois volta para pegar outra.

— Ah, não precisam se levantar. Não se deem o trabalho — diz ele, seco.

— Não se preocupe, não vamos — nós três cantarolamos.

Durante a última semana, nosso pai entrou em modo de arrumação de primavera, mesmo não sendo primavera. Está se livrando de tudo que encontra: da máquina de pão que nunca usamos, de CDs, de cobertores velhos, da antiga máquina de escrever da nossa mãe. Vai doar tudo. Um psiquiatra provavelmente veria uma ligação entre isso e a partida de Margot para a faculdade, mas não consigo explicar por quê. Seja lá o que for, é irritante. Tive que enxotá-lo da minha coleção de unicórnios de cristal duas vezes.

Eu deito a cabeça no colo de Margot.

— Então você vem mesmo passar o Natal em casa, certo?

— Certo.

— Eu queria poder ir com você — diz Kitty, fazendo beicinho.

— Você é mais legal que a Lara Jean.

Dou um beliscão nela.

— Viu? — reclama ela.

— Lara Jean vai ser legal se você se comportar — diz Margot.

— E vocês duas têm que tomar conta do papai. Não deixem que ele trabalhe todos os sábados. Lembrem que ele tem que levar o carro para a vistoria mês que vem e não se esqueçam de comprar filtro para a cafeteira. Vocês sempre esquecem o filtro.

— Sim, sargento — Kitty e eu dizemos em coro.

Procuro tristeza, medo ou preocupação no rosto de Margot, ou algum sinal de que ela esteja apreensiva por estar indo para tão longe, de que vai sentir nossa falta tanto quanto vamos sentir a dela. Mas não vejo nada.

Nós três dormimos no quarto de Margot naquela noite.

Kitty adormece primeiro, como sempre. Fico deitada no escuro ao lado dela com os olhos abertos. Não consigo dormir. A ideia de que a partir de amanhã à noite Margot não vai mais dormir neste quarto me deixa tão triste que mal consigo suportar. Odeio mudanças mais do que quase qualquer outra coisa.

No escuro, Margot pergunta:

— Lara Jean… você acha que já se apaixonou? De verdade?

Ela me pega desprevenida; não tenho uma resposta na ponta da língua. Enquanto ainda estou tentando pensar em uma, ela já está falando de novo:

— Eu queria ter me apaixonado mais de uma vez. Acho que as pessoas devem se apaixonar pelo menos duas vezes no ensino médio…

Ela solta um suspiro e dorme. Margot adormece assim mesmo: um suspiro sonhador e ela parte para a terra do nunca, do nada.

Acordo no meio da noite, e Margot não está na cama. Kitty está encolhida ao meu lado, mas não Margot. Está escuro como breu; só o luar entra pelas cortinas. Saio da cama e vou até a janela. Prendo a respiração. Lá estão eles: Josh e Margot, de pé na entrada da garagem. O rosto de Margot está virado para longe dele, na direção da lua. Josh está chorando. Não encostam um no outro, e há espaço suficiente entre eles para eu saber que minha irmã não mudou de ideia.

Solto a cortina e volto para a cama, onde Kitty rolou mais para o meio. Eu a empurro um pouco para deixar espaço para Margot. Queria não ter visto aquilo. Foi íntimo demais. Real demais. Era para ser um momento só deles. Se houvesse um jeito de apagar aquela imagem da memória, eu o faria.

Deito de lado na cama e fecho os olhos. Como deve ser ter um garoto tão apaixonado que chora por você? E não qualquer garoto. Josh. Nosso Josh.

Em resposta à pergunta de Margot: sim. Acho que já me apaixonei de verdade. Mas só uma vez. Por Josh. Nosso Josh.

Para todos os garotos que já amei

6

VOU CONTAR COMO OS DOIS FICARAM JUNTOS. DE CERTA FORMA, EU soube primeiro por Josh.

Faz dois anos. Josh e eu estávamos na biblioteca durante o intervalo. Eu estava fazendo o dever de matemática; Josh estava me ajudando porque é muito bom com números. Nossas cabeças estavam inclinadas sobre a página, tão perto que eu conseguia sentir o cheiro do sabonete que ele tinha usado naquela manhã. Irish Spring.

E aí ele disse:

— Preciso do seu conselho. Estou gostando de uma garota.

Por uma fração de segundo, achei que era eu. Achei que ele ia dizer que era eu. Tive esperanças. Era o começo do ano letivo. Nós tínhamos nos encontrado quase todos os dias daquele verão, algumas vezes com Margot, mas quase sempre sozinhos, porque Margot estagiava na fazenda Montpelier três vezes por semana. Nós nadamos muito. Eu estava com um bronzeado lindo. Então, por uma fração de segundo, achei que ele ia dizer meu nome.

Mas vi o jeito como ele corou, notei seu olhar sonhador, e soube que não era eu.

Fiz uma lista mental de garotas de quem ele poderia estar gostando. Era uma lista curta. Josh não andava com muitas garotas; ele tinha um melhor amigo, Jersey Mike, que se mudara de Nova Jersey no ensino fundamental, e seu outro melhor amigo, Ben, e só.

Podia ser Ashley, aluna do segundo ano, do time de vôlei. Ele já tinha dito que ela era a garota mais bonita do segundo ano. Em defesa de Josh, fui eu que o obriguei a fazer isso: perguntei quem era a garota mais bonita de cada ano. Como mais bonita do primeiro ano, ele escolheu Genevieve. Não fiquei surpresa, mas senti uma pontada no coração.

Podia ser Jodie, a universitária da livraria. Josh estava sempre dizendo como ela era inteligente, como era culta porque tinha estudado na Índia e agora era budista. Rá! Eu sou descendente de coreanos; fui eu que ensinei Josh a comer com hashis. Ele comeu *kimchi* pela primeira vez na *minha* casa.

Eu estava prestes a perguntar quem era a garota quando a bibliotecária se aproximou e ralhou com a gente para que fizéssemos silêncio, então voltamos ao dever, e Josh não tocou mais no assunto, e eu não perguntei. Na verdade, acho que nem queria saber. Não era eu, e para mim nada mais importava.

Não pensei nem por um segundo que a garota de quem ele gostava fosse Margot. Não porque eu não a visse como uma garota desejável. Ela já tinha sido convidada para sair por caras de um certo tipo: garotos inteligentes que fariam dupla com ela na aula de química e competiriam com ela para presidente do corpo estudantil. Em retrospecto, não era tão surpreendente Josh gostar de Margot. Ele também era esse tipo de cara.

Se alguém me pedisse para descrever Josh, eu diria que ele é normal. Parece o tipo de cara de quem se esperaria que fosse bom com computadores, o tipo de cara que chama quadrinhos de graphic novels. Tem cabelo castanho. Não um castanho especial, só castanho. Olhos verdes que ficam meio castanhos no meio. Josh é magro, mas forte. Sei porque torci o tornozelo uma vez perto do antigo campo de beisebol e ele me carregou até em casa. Ele tem sardas, o que o faz parecer mais novo do que realmente é. E uma covinha na bochecha esquerda. Sempre gostei daquela covinha. Deixa o rosto dele menos sério.

O que me surpreendeu, o que me chocou, foi Margot gostar dele também. Não por causa de quem ele era, mas por causa dela. Eu nunca tinha ouvido Margot falar sobre garotos, nem uma vez. Eu era a irmã leviana, a tagarela, como minha avó paterna diria. Não Margot. Minha irmã estava acima disso tudo. Existia em um plano superior onde essas coisas (garotos, maquiagem, roupas) não importavam.

Para todos os garotos que já amei 29

E foi bem repentino. Margot chegou tarde da escola naquele dia, em outubro; com as bochechas rosadas do ar frio e montanhoso da Virgínia, o cabelo preso em uma trança, e um cachecol enrolado no pescoço. Margot ficara trabalhando em um projeto na escola, era hora do jantar e eu tinha feito frango ao parmesão e espaguete com molho de tomate.

Ela entrou na cozinha e anunciou:

— Tenho uma coisa para contar para vocês.

Os olhos dela estavam brilhando muito; eu me lembro dela desenrolando o cachecol do pescoço. Kitty fazia o dever de casa na mesa da cozinha, papai estava a caminho e eu cozinhava o molho de tomate.

— O quê? — Kitty e eu perguntamos.

— O Josh gosta de mim.

Margot deu de ombros, satisfeita; os ombros quase chegaram às orelhas.

Fiquei paralisada. Em seguida, soltei a colher de pau.

— Que Josh? Nosso Josh?

Eu não conseguia nem olhar para ela. Estava com medo de ela perceber.

— É. Ele me esperou depois da aula hoje para poder me contar. Ele disse… — Margot riu com pesar. — Ele disse que eu sou a garota dos sonhos dele. Dá para acreditar?

— Uau — falei, e tentei demonstrar felicidade, mas não sei se consegui. Tudo que eu sentia era desespero. E ciúme. Um ciúme tão denso e negro que achei que ia sufocar. Então, tentei de novo, dessa vez com um sorriso. — Uau, Margot!

— Uau! — repetiu Kitty. — Então vocês estão namorando?

Eu prendi a respiração enquanto esperava a resposta.

Margot pegou um pouco de parmesão com os dedos e colocou na boca.

— É, acho que sim.

Então sorriu, e seus olhos ficaram calorosos e brilhantes. Foi quando entendi que ela também gostava dele. Muito.

Naquela noite, escrevi minha carta para Josh.

Querido Josh…

Chorei muito. De repente, acabou. Acabou antes mesmo de eu ter uma chance. O importante não era Josh ter escolhido Margot. Era Margot tê-lo escolhido.

E foi isso que aconteceu. Chorei até meus olhos ficarem inchados; escrevi a carta; deixei a história toda para trás. Não penso nele desse jeito desde então. Ele e Margot são almas gêmeas. Foram feitos um para o outro.

Ainda estou acordada quando Margot volta para a cama, mas fecho os olhos e finjo dormir. Kitty está aconchegada ao meu lado.

Ouço alguém fungar e espio Margot com um olho. Ela está de costas para nós; os ombros tremendo. Ela está chorando.

Margot nunca chora.

Agora que vi Margot chorar por ele, acredito mais do que nunca: ainda não acabou.

7

No dia seguinte, levamos Margot ao aeroporto. Do lado de fora, colocamos as malas dela no carrinho de bagagens. Kitty tenta subir nele e dançar, mas nosso pai a tira de lá na mesma hora. Margot insiste em ir sozinha, como disse que faria.

— Margot, pelo menos me deixe despachar suas malas — insiste papai, tentando manobrar o carrinho de bagagens ao redor dela. — Quero ver você passar pela segurança.

— Vou ficar bem — repete ela. — Já viajei de avião sozinha. Sei despachar uma mala. — Ela fica na ponta dos pés e abraça nosso pai. — Prometo ligar assim que chegar lá.

— Ligue todos os dias — sussurro.

O nó na minha garganta está ficando maior, e algumas lágrimas já escapam dos meus olhos. Eu tinha esperança de não chorar, porque sabia que Margot não choraria, e é solitário chorar sozinha, mas não consigo evitar.

— Não ouse nos esquecer — ameaça Kitty.

Isso faz Margot sorrir.

— Eu nunca conseguiria.

Ela abraça cada um de nós mais uma vez. Eu fico por último, como já imaginava.

— Tome conta do papai e de Kitty. Você está no comando agora.

Não quero soltá-la, então aperto com mais força; ainda estou esperando e torcendo por um sinal, uma indicação de que ela vai sentir nossa falta tanto quanto nós vamos sentir a dela. Então ela dá uma gargalhada, e eu a solto.

— Tchau, Gogo — digo, secando os olhos com a barra da blusa.

Todos ficamos olhando quando ela sai empurrando o carrinho com a bagagem até o balcão do check-in. Estou chorando muito, secando as lágrimas com as costas da mão. Papai abraça Kitty e a mim.

— Vamos esperar até ela passar pela segurança — diz ele.

Quando termina o check-in, Margot se vira e olha para nós pelas portas de vidro. Levanta uma das mãos e acena, depois segue para a fila da segurança. Nós a observamos, pensando que talvez se vire mais uma vez, mas ela não faz isso. Ela já parece tão longe de nós. A Margot que só tira nota dez, independente até o fim. Quando for minha vez de ir embora, duvido que consiga ser tão forte quanto Margot. Mas, pensando bem, quem é?

Choro durante todo o caminho para casa. Kitty diz que sou mais bebezona do que ela, mas se estica do banco de trás, segura minha mão e a aperta, e sei que ela também está triste.

Apesar de Margot não ser uma pessoa barulhenta, a casa parece silenciosa demais. Vazia, de alguma forma. Como vai ser quando eu for para a faculdade, daqui a dois anos? O que papai e Kitty vão fazer? Odeio pensar nos dois voltando para casa e dando de cara com um lugar vazio e escuro, sem mim e sem Margot. Talvez eu não vá para longe; talvez até continue morando em casa, ao menos no primeiro semestre. Acho que seria a coisa certa a fazer.

Para todos os garotos que já amei

8

Naquela tarde, Chris liga e pede para eu me encontrar com ela no shopping, pois quer minha opinião sobre uma jaqueta de couro, e disse que tenho que ir lá ver pessoalmente. Fico orgulhosa por ela me pedir conselhos de moda, e seria bom sair de casa e não ficar mais triste, mas tenho medo de dirigir sozinha até o shopping. Eu (e qualquer pessoa, na verdade) me considero uma motorista tensa.

Pergunto se ela não pode me mandar uma foto, mas Chris me conhece muito bem.

— Nada disso. Venha até aqui, Lara Jean. Você nunca vai melhorar se não tomar coragem e dirigir.

E é isso o que estou fazendo: estou indo para o shopping no carro de Margot. Tenho carteira de motorista e tudo, só não sou muito confiante. Meu pai saiu comigo para treinar milhares de vezes, Margot também, e me saio bem com eles no carro, mas fico nervosa quando dirijo sozinha. Tenho horror a mudar de faixa. Não gosto de tirar os olhos do para-brisa, nem por um segundo. E também não gosto de ir muito rápido.

Mas o pior é que tenho uma tendência a me perder. Os únicos lugares aonde consigo chegar com certeza absoluta são a escola e o supermercado. Nunca precisei aprender o caminho para o shopping porque Margot sempre nos levava até lá. Mas tenho que melhorar, porque agora ficarei responsável por levar Kitty para os lugares de carro. Embora, na verdade, Kitty seja melhor com os caminhos do que eu; ela sabe ir para um monte de lugares. Mas não quero que ela precise me dizer como chegar a algum lugar. Quero me sentir a irmã mais velha; quero que ela relaxe no banco do passageiro com a certeza de que Lara Jean vai levá-la para onde ela precisa ir, como eu me sentia com Margot.

Claro, eu poderia usar um GPS, mas me sentiria idiota pegando instruções para chegar ao shopping, aonde já fui um milhão de vezes. Deveria ser intuitivo, fácil, sem nem precisar pensar. Mas me preocupo a cada curva, questiono todas as placas; vou para o norte ou para o sul? Viro à direita aqui ou na próxima? Nunca precisei prestar atenção.

Mas está tudo bem até agora. Estou ouvindo rádio, cantarolando junto e até dirigindo só com uma das mãos no volante. Faço isso para fingir confiança, porque quanto mais eu finjo, mais deve parecer verdade.

Tudo está indo tão bem que pego um atalho. Sigo por um bairro que margeia a rodovia e, enquanto passo por lá, me questiono se foi uma boa ideia. Depois de alguns minutos, as coisas não parecem mais tão familiares, e percebo que devia ter virado à esquerda em vez de à direita. Contenho o pânico que invade meu peito e tento dar a volta.

Você consegue, você consegue.

Há um cruzamento com uma placa de PARE. Não vejo ninguém, então sigo em frente. Quando percebo o carro à minha direita; já é tarde demais.

Começo a gritar que nem louca. Sinto gosto de cobre na boca. Estou sangrando? Mordi a língua fora? Checo, e ela ainda está lá. Meu coração está disparado; meu corpo todo parece úmido e grudento. Tento respirar fundo, mas parece que não consigo respirar.

Sinto as pernas tremendo quando saio do carro. O dono do outro carro já está do lado de fora, inspecionando a lataria com os braços cruzados. Ele é velho, mais velho do que meu pai, tem cabelo grisalho e está usando um short com estampa de lagostas vermelhas. Não aconteceu nada com o carro dele; o meu está com um amassado enorme na lateral.

— Você não viu a placa? — pergunta ele. — Estava mandando mensagem no celular?

Eu balanço a cabeça; minha garganta está fechando. Só não quero chorar. Tudo vai ficar bem se eu não chorar...

Para todos os garotos que já amei

Ele parece perceber isso. O franzido irritado da testa começa a diminuir.

— Bem, meu carro parece bem — comenta, com relutância. — Você está bem?

Eu assinto.

— Sinto muito.

— Vocês, jovens, precisam ser mais cuidadosos — diz o homem, como se eu não tivesse dito nada.

O nó na minha garganta está ficando maior.

— Sinto muito mesmo, senhor.

Ele solta um resmungo.

— Você devia pedir para alguém vir buscá-la — diz o homem. — Quer que eu espere?

— Não, obrigada.

E se ele for um assassino em série ou um pedófilo? Não quero ficar sozinha com um estranho.

Ele vai embora.

Assim que o homem vai embora, me ocorre que eu talvez devesse ter ligado para a polícia enquanto ele ainda estava aqui. Uma pessoa não deve sempre ligar para a polícia quando se envolve em um acidente de carro, independente da gravidade? Tenho quase certeza de que disseram isso na autoescola. Então é mais um erro que cometi.

Eu me sento no meio-fio e fico olhando para o carro de Margot. Só estou com ele há duas horas e já bati. Apoio a cabeça no colo e abraço as pernas. Meu pescoço está começando a doer. É então que as lágrimas começam a sair. Meu pai não vai ficar feliz. Margot não vai ficar feliz. Os dois provavelmente vão concordar que não devo mais dirigir pela cidade sem supervisão, e talvez estejam certos. Dirigir um carro é muita responsabilidade. Talvez eu ainda não esteja pronta. Talvez nunca esteja. Talvez até quando eu for velha minhas irmãs ou meu pai terão que continuar me levando de carro para os lugares, porque sou uma inútil.

Pego meu celular e ligo para Josh. Quando ele atende, digo:

— Josh, você pode me fazer um f-f-favor?

Minha voz sai tão trêmula que fico com vergonha.

E é claro que ele percebe, porque ele é Josh. Fica alerta na mesma hora.

— O que aconteceu?

— Acabei de me envolver em um acidente de carro. Nem sei onde estou. Você p-p-pode vir me buscar?

— Você se machucou? — pergunta ele.

— Não, estou bem. Só estou...

Se eu disser mais uma palavra, vou chorar.

— Que placas você está vendo? Que lojas?

Eu inclino o pescoço para olhar.

— Falstone — digo. Olho para a caixa de correio mais próxima. — Estou na Falstone Road, 8.109.

— Estou indo. Quer que eu fique no telefone com você?

— Não, tudo bem.

Eu desligo e começo a chorar.

Não sei há quanto tempo estou sentada chorando quando outro carro para na minha frente. Levanto o rosto e vejo que é o Audi preto com janelas escuras de Peter Kavinsky. Ele abaixa o vidro da janela do motorista.

— Lara Jean, você está bem?

Eu assinto e faço um sinal, dizendo para ele seguir viagem. Ele fecha a janela, e acho que vai realmente embora, mas Peter só estaciona. Sai do carro e começa a examinar o meu.

— Que merda — diz. — Pegou as informações do seguro do cara?

— Não, não aconteceu nada com o carro dele. — Furtivamente, seco as bochechas com o braço. — Foi culpa minha.

— Você tem serviço de reboque?

Eu faço que sim.

— Já ligou para lá?

Para todos os garotos que já amei

— Não. Mas tem alguém vindo.

Peter se senta ao meu lado.

— Há quanto tempo você está sentada aqui, chorando sozinha?

Eu viro a cabeça e seco o rosto de novo.

— Não estou chorando.

Peter Kavinsky e eu éramos amigos bem antes de ele ser Kavinsky, quando ainda era só Peter K. Éramos do mesmo grupo no fundamental. Os garotos eram Peter Kavinsky, John Ambrose McClaren e Trevor Pike. As garotas eram Genevieve, eu e Allie Feldman, que morava no mesmo quarteirão que eu, e, às vezes, Chris. Quando éramos crianças, Genevieve morava a duas quadras da minha casa. É engraçado como boa parte da infância depende da proximidade. Como a escolha da melhor amiga está diretamente relacionada com a proximidade das casas; como a pessoa que se senta ao seu lado na aula de música depende do quanto seus nomes estão próximos na chamada. Era uma questão mais relacionada à sorte do que a qualquer outra coisa. No oitavo ano, Genevieve se mudou para outro bairro, e continuamos amigas. Ela sempre nos visitava, mas alguma coisa estava diferente. Quando chegou o ensino médio, Genevieve mudou. Ela ainda era amiga dos garotos, mas o grupo acabou. Allie e eu continuamos amigas até ela se mudar, no ano passado, mas sempre havia alguma coisa um pouco humilhante nisso, como se fôssemos as duas fatias que sobraram do pão e juntas formássemos um sanduíche seco.

Não somos mais amigos. Genevieve e eu, Peter e eu. E é por isso que é tão estranho ficar sentada ao lado dele no meio-fio, como antigamente.

O celular dele toca, e Peter o pega no bolso.

— Tenho que ir.

Eu fungo.

— Para onde você estava indo?

— Para a casa da Gen.

— Então é melhor ir logo — digo. — Genevieve vai ficar furiosa se você se atrasar.

Peter debocha, mas se levanta bem rápido. Eu me pergunto como é ter tanto poder sobre alguém. Acho que não quero isso; é muita responsabilidade ter o coração de uma pessoa nas mãos. Ele está entrando no carro quando, como se tivesse acabado de lembrar, se vira e pergunta:

— Quer que eu ligue para o reboque?

— Não, tudo bem — respondo. — Mas obrigada mesmo por ter parado. Foi muito legal da sua parte.

Peter sorri. Eu me lembro disso em Peter, do quanto ele gosta de ser elogiado.

— Está se sentindo melhor?

Eu assinto. E estou mesmo.

— Que bom — diz ele.

Ele tem a expressão de um Garoto Bonito de outra época. Poderia ter sido um belo soldado da Primeira Guerra Mundial, bonito o bastante para uma garota esperar por ele durante anos, tão lindo que ela seria capaz de esperar para sempre. Ele podia estar usando a jaqueta vermelha do time da escola e dirigindo um Corvette com a capota abaixada, uma das mãos no volante, indo buscar a namorada para irem à discoteca. A beleza natural de Peter parece saída de um filme antigo. Tem alguma coisa nele que as garotas adoram.

Meu primeiro beijo foi com ele. É tão estranho pensar nisso agora. Parece que foi há uma eternidade, mas tem só quatro anos.

Josh chega um minuto depois, quando estou mandando uma mensagem de texto para Chris avisando que não vou conseguir chegar ao shopping. Eu fico de pé.

— Você demorou!

— Você disse 8.109. Aqui é o 8.901!

Com confiança, eu insisto:

— Não, eu com certeza falei 8.901.

— Não, você disse 8.109. E por que você não atendeu o telefone? — Josh sai do carro e, quando vê a lateral do meu, seu queixo cai. — Puta merda. Você já chamou o reboque?

Para todos os garotos que já amei

— Não. Você pode fazer isso?

Josh liga, e nos sentamos no carro dele, no ar-condicionado, enquanto esperamos. Quase vou para o banco de trás, mas então eu lembro. Margot não está mais aqui. Já andei no carro dele tantas vezes, mas acho que nunca me sentei no banco da frente.

— Hã... você sabe que a Margot vai matar você, né?

Eu viro a cabeça tão rápido que meu cabelo bate no rosto.

— A Margot não precisa saber, não diga nada a ela!

— Quando eu falaria com ela? Nós terminamos, lembra?

Eu franzo a testa.

— Odeio quando as pessoas fazem isso, quando você pede para elas guardarem segredo e, em vez de responderem sim ou não, elas dizem: "Para quem eu contaria?"

— Eu não disse "Para quem eu contaria?"!

— Só responda sim ou não, e de verdade. Não fique impondo condições a torto e a direito.

— Não vou contar nada para Margot — diz ele. — Vai ficar só entre nós. Eu prometo. Tudo bem?

— Tudo bem.

E ficamos em silêncio, nenhum dos dois diz uma palavra. Só ouço o som do ar frio nas saídas de ventilação.

Sinto o estômago embrulhar quando penso em como vou contar para o papai. Talvez eu devesse dar a notícia com lágrimas nos olhos, para ele ficar com pena de mim. Ou eu poderia dizer alguma coisa como: tenho uma notícia boa e uma ruim. A boa é que estou bem, não sofri nem um arranhão. A ruim é que arrebentei o carro. Talvez "arrebentei" não seja a palavra certa.

Estou refletindo sobre que palavra usar quando Josh diz:

— Então só porque a Margot e eu terminamos você também não vai mais falar comigo?

Josh parece estar brincando com amargura ou estar amargo de brincadeira, se é que existe uma combinação assim.

Olho para ele, surpresa.

— Não seja idiota. É claro que ainda vou falar com você. Só não em público.

Esse é o papel que represento com ele. O de irmãzinha irritante. Como se eu fosse igual a Kitty. Como se ele não fosse só um ano mais velho. Josh não abre um sorriso, só fica com cara de triste, então eu bato a testa na dele.

— Estou brincando, bobão!

— Ela contou para você que ia terminar? Sempre foi o plano dela? — Como eu hesito, ele acrescenta: — Pode falar. Eu sei que ela conta tudo para você.

— Nem tudo. Pelo menos, não dessa vez. Sério, Josh. Eu não sabia nada sobre isso. Juro.

Faço uma cruz sobre o coração.

Josh fica em silêncio por um tempo. Então morde o lábio.

— Talvez ela mude de ideia. É possível, não é?

Não sei se é mais cruel responder sim ou não, porque ele vai sofrer de qualquer jeito. Porque, embora eu tenha 99,9999 por cento de certeza de que ela vai voltar com ele, tem uma pequenina chance de que não, e não quero deixá-lo cheio de esperanças. Então não digo nada.

Ele engole em seco, e o pomo de adão sobe e desce.

— Não, você está certa. Quando Margot toma uma decisão, nunca volta atrás.

Por favor, por favor, por favor, não chore.

Apoio a cabeça no ombro dele e digo:

— Nunca se sabe, Josh.

Ele apenas olha para a frente. Um esquilo sobe correndo o grande olmo no jardim. Sobe, desce e torna a subir. Nós dois ficamos observando.

— A que horas o avião dela pousa?

— Ainda vai demorar.

— Ela… ela vem para o Dia de Ação de Graças?

— Não. A faculdade não para nessa época. É a Escócia, Josh. Eles não comemoram feriados americanos, sabe?

Estou provocando ele de novo, mas não de coração.

— É verdade — responde ele.

— Mas ela vem para o Natal.

Nós dois suspiramos.

— Eu ainda posso visitar vocês?

— Kitty e eu?

— Seu pai também.

— Nós não vamos a lugar nenhum — digo com tranquilidade.

Josh parece aliviado.

— Que bom. Eu odiaria perder vocês também.

Quando ele diz isso, meu coração acelera e eu me esqueço de respirar, e fico tonta por um segundo. E então, tão rápido quanto chegou, a vertigem e a estranha palpitação no meu peito desaparecem, e o reboque chega.

Quando paramos na porta da minha casa, ele diz:

— Você quer que eu vá com você quando for contar para seu pai?

Eu me animo, mas lembro que Margot disse que estou no comando agora. Tenho quase certeza de que assumir a responsabilidade pelos próprios erros faz parte de estar no comando.

9

PAPAI NÃO FICA FURIOSO, NO FIM DAS CONTAS. FAÇO TODO O DISCURSO da notícia boa/ruim, e ele só suspira e diz:

— O importante é você estar bem.

O carro precisa de uma peça especial que vamos ter que importar de avião de Indiana ou Idaho, não consigo lembrar. Enquanto isso, vou dividir o carro com meu pai e pegar o ônibus para a escola ou pedir carona para Josh, o que já era meu plano.

Margot liga mais tarde, à noite. Kitty e eu estamos vendo tevê, e eu grito para papai vir rápido. Ficamos sentados no sofá passando o telefone entre nós para falarmos com ela.

— Margot, adivinha o que aconteceu hoje! — grita Kitty.

Desesperada, balanço a cabeça para ela. *Não conte a ela sobre o carro,* peço, movendo os lábios. Faço uma expressão de aviso.

— A Lara Jean... — Kitty faz uma pausa provocadora — brigou com o papai. É, ela foi má comigo, e papai mandou ela ser legal, e eles acabaram brigando.

Pego o telefone da mão dela.

— Nós não brigamos, Gogo. A Kitty só está sendo irritante.

— O que vocês comeram no jantar? Fizeram o frango que descongelei ontem à noite? — pergunta Margot. A voz dela parece tão distante.

Aumento o volume do telefone.

— Sim, mas isso não importa. Você já se acomodou no seu quarto? É grande? Como é sua colega de quarto?

— Ela é legal. É de Londres e tem um sotaque muito chique. O nome dela é Penelope St. George-Dixon.

— Nossa, até o nome dela é chique — digo. — E o quarto?

— O quarto é parecido com o do alojamento que vimos na Universidade da Virgínia, só que mais velho.

— Que horas são aí?

— É quase meia-noite. Cinco horas a mais que vocês, lembra?

Cinco horas a mais que *vocês*, como se ela já estivesse considerando a Escócia seu lar, e ela foi embora há menos de um dia!

— Já estamos com saudade — digo.

— Eu também.

Depois do jantar, mando uma mensagem de texto para Chris para ver se ela quer vir aqui para casa, mas ela não responde. Deve ter saído com um dos seus casinhos. Não tem problema. Eu precisava mesmo botar meu *scrapbook* em dia.

Eu tinha esperanças de terminar o *scrapbook* de Margot antes de ela ir para a faculdade, mas como qualquer pessoa que já fez *scrapbooks* sabe, Roma não foi construída em um dia. Um *scrapbook* pode demorar mais de um ano para ficar pronto.

Coloco o CD de uma banda feminina da Motown para tocar e espalho o material ao meu redor, em um semicírculo. Meu furador de coração, folhas e mais folhas de papel de *scrapbook*, fotos que cortei de revistas, pistola de cola quente e minhas fitas adesivas decoradas e coloridas. Lembranças como o folheto de quando vimos *Wicked* em Nova York, recibos, fotos. Fitas, botões, adesivos, enfeites. Um bom *scrapbook* tem textura. Fica grosso, irregular e não fecha direito.

Estou trabalhando em uma página dedicada a Josh e Margot. Não ligo para o que Margot diz. Eles vão voltar, eu sei. E, mesmo que não voltem em breve, Margot não pode simplesmente apagá-lo da sua história. Ele foi uma parte muito importante do último ano dela. E, tipo, da vida dela. A única concessão que estou disposta a fazer é que tinha separado minha fita adesiva de coração para essa página, mas posso usar uma fita quadriculada comum. Mas, quando a uso nas fotos, percebo que as cores não combinaram direito.

Então vou em frente e uso a fita de coração. E, enquanto balanço no ritmo da música, uso o molde de coração para cortar uma foto dos dois no baile de formatura. Margot vai adorar.

Estou colando com cuidado uma pétala seca da rosa que Margot usou no pulso no dia do baile quando meu pai bate na porta.

— O que você vai fazer agora à noite? — pergunta ele.

— Isso — digo, colando outra pétala. — Se continuar nesse ritmo, acho que consigo acabar até o Natal.

— Ah. — Meu pai não se move. Só fica ali na porta, me vendo trabalhar. — Bem, vou ver aquele novo documentário do Ken Burns daqui a pouco, caso você também queira assistir.

— Talvez — respondo, mas só para ser gentil. Vai dar muito trabalho levar todo o meu material lá para baixo e preparar tudo de novo. Estou em um bom ritmo agora. — Por que não começa sem mim?

— Tudo bem. Vou deixar você em paz.

Papai desce a escada.

Levo quase a noite toda, mas termino a página de Josh e Margot, e fica bem bonita. Em seguida vem uma página das irmãs. Para essa, uso o papel florido como fundo e colo uma foto de nós três de muito tempo atrás. Mamãe que tirou. Estamos de pé junto ao carvalho na frente de casa, com nossas roupas de igreja. Todas usam um vestido branco e laços cor-de-rosa idênticos no cabelo. A melhor coisa da foto é que Margot e eu estamos sorrindo e Kitty está tirando meleca.

Abro um sorriso. Kitty vai ter um ataque quando vir essa página. Mal posso esperar.

Para todos os garotos que já amei

10

MARGOT DIZ QUE O SEGUNDO ANO É O MAIS IMPORTANTE, O MAIS trabalhoso, um ano tão crucial que tudo mais na vida depende dele. Portanto, concluo que é melhor eu aproveitar ao máximo o prazer da leitura antes do início das aulas, na semana que vem, quando o segundo ano começa oficialmente. Estou sentada nos degraus da frente, lendo um romance de espionagem britânico dos anos 1980 que comprei por setenta e cinco centavos na liquidação do sebo.

Estou chegando na parte boa (Cressida precisa seduzir Nigel para conseguir os códigos de espionagem!) quando Josh sai de casa para pegar a correspondência. Ele também me vê; levanta a mão como se fosse só acenar, mas acaba decidindo vir falar comigo.

— Ei, macacão legal — diz ele, ao se aproximar pela entrada da garagem.

É azul-claro desbotado com girassóis e de amarrar no pescoço. Comprei em um brechó com setenta e cinco por cento de desconto. E não é um macacão.

— Isto é um *macaquinho* — corrijo Josh, voltando a ler.

Tento esconder a capa com a mão de forma discreta. A última coisa de que preciso é Josh pegando no meu pé por ler um livro ruim quando estou apenas tentando aproveitar uma tarde relaxante.

Posso senti-lo me observando, de braços cruzados, esperando alguma coisa. Eu levanto o rosto.

— O que foi?

— Quer ir ao cinema hoje? Tem um filme da Pixar passando. Podemos levar a Kitty.

— Tudo bem, me manda uma mensagem de texto quando for passar aqui — respondo, virando a página do livro.

Nigel está desabotoando a blusa de Cressida, que se pergunta quando o sonífero que ela colocou no vinho dele vai fazer efeito, mas ao mesmo tempo deseja que não seja rápido demais, porque Nigel beija muito bem.

Josh estica a mão e tenta ver o que estou lendo. Dou um tapa na mão dele, mas é tarde demais.

— O coração de Cressida disparou quando Nigel passou a mão em sua coxa coberta pela meia-calça. — Josh dá uma gargalhada. — Que diabos você está lendo?

Minhas bochechas ardem.

— Ah, não enche.

Rindo, Josh se afasta.

— Vou deixar você com Cressida e Noel então.

Ele já virou de costas quando eu grito:

— Ei! O nome dele é *Nigel*!

Kitty fica feliz da vida de sair com Josh. Quando ele pede à atendente da *bombonière* para colocar a manteiga na pipoca em camadas (embaixo, no meio e no topo), nós duas assentimos em aprovação. Kitty se senta entre nós, e ri tanto nas partes engraçadas que balança as pernas. Ela é tão leve que o assento fica fechando. Josh e eu trocamos sorrisos por cima da cabeça dela.

Sempre que Josh, Margot e eu íamos ao cinema, Margot também se sentava no meio. Assim podia cochichar com nós dois. Ela não queria que eu me sentisse excluída porque tinha namorado, e eu, não. Minha irmã se preocupava tanto com isso que no começo eu ficava com medo de ela ter percebido alguma coisa. Mas ela não é de guardar nada nem enfeitar a verdade. Só é uma irmã mais velha muito boa. A melhor.

Houve ocasiões em que me senti de fora de qualquer jeito. Não de uma forma romântica, mas como amiga. Josh e eu sempre fomos amigos. Mas, quando ele abraçava Margot pela cintura na fila da pipoca, ou quando conversavam baixinho no carro, eu me sentia como

Para todos os garotos que já amei

a criança no banco de trás que não consegue ouvir o que os adultos estão dizendo, como se eu fosse invisível. Eles me faziam desejar ter alguém com quem sussurrar no banco de trás.

É estranho estar no banco da frente. A vista não é tão diferente do banco de trás. Na verdade, tudo parece bom e normal e igual, o que é um consolo.

Chris me liga mais tarde, quando estou pintando as unhas do pé de tons diferentes de rosa. O som ao fundo está tão alto que ela precisa gritar.

— Adivinha!

— O quê? Não consigo ouvir!

Estou pintando o dedinho de um tom pêssego chamado "Puro poema".

— Espera. — Posso ouvir Chris indo para outro lugar, porque tudo fica mais tranquilo. — Consegue me ouvir agora?

— Consigo, bem melhor.

— Adivinha quem terminou com quem.

Passei para um tom de rosa da moda que parece corretor branco com uma gota de vermelho misturada.

— Quem?

— A Gen e o Kavinsky! Ela deu um pé na bunda nele.

Arregalo os olhos.

— Nossa! Por quê?

— Parece que conheceu um universitário naquele emprego de recepcionista que ela arrumou. Aposto que estava traindo Kavinsky o verão todo. — Um garoto chama o nome de Chris, que se despede: — Tenho que ir. É a minha vez na bocha.

Chris desliga sem dizer tchau, o que é bem a cara dela.

Conheci Chris por meio de Genevieve. Elas são primas por parte de mãe. Chris costumava ir para a casa dela quando éramos pequenas, mas ela e Gen já não se davam bem desde aquela época. Brigavam por causa de qual Barbie tinha direito a ficar com o Ken, porque só tinha um Ken. Eu nem tentava brigar pelo Ken, embora ele, tecnicamente, fosse meu. Bem, de Margot. Na escola, algumas pessoas não sabem que Gen e Chris são primas. Elas não se parecem nem um pouco. Gen é pequena e tem braços torneados e cabelo louro cor de margarina. Chris também é loura, mas oxigenada, e é mais alta e tem ombros largos de nadadora. Mesmo assim, há uma similaridade entre elas.

Chris ficou bem louca durante o primeiro ano do ensino médio. Ia a todas as festas, se embebedava, ficava com garotos mais velhos. Naquele ano, um garoto do segundo ano do time de lacrosse contou para todo mundo que fez sexo com Chris no vestiário masculino, e nem era verdade. Genevieve obrigou Peter a ameaçar dar uma surra nele se ele não contasse a verdade para todo mundo. Eu achei uma atitude bem legal, mas Chris insistiu que Gen só fez isso para as pessoas não acharem que ela era parente de uma vagabunda. Depois desse dia, Chris parou de andar com a gente e começou a sair com um pessoal de outra escola.

Ela ainda tem aquela reputação do primeiro ano. Ela age como se não se importasse, mas sei que se importa, pelo menos um pouco.

Para todos os garotos que já amei

11

No domingo, papai prepara lasanha. Ele faz aquele negócio de colocar molho de feijão preto para incrementar, e sei que parece nojento, mas na verdade fica tão gostoso que nem dá para reparar no feijão. Josh, aparece lá em casa e repete duas vezes, o que papai adora. Quando o nome de Margot é mencionado no jantar, olho para Josh, reparando em como ele fica tenso, e sinto pena dele. Kitty também deve reparar, porque muda o assunto para a sobremesa, que é uma travessa de brownies de manteiga de amendoim que eu fiz à tarde.

Como meu pai cozinhou, nós temos que lavar a louça e limpar a cozinha. Ele usa todas as panelas quando faz lasanha, o que é horrível de limpar, mas vale a pena.

Depois, nós três vamos relaxar na sala. É domingo à noite, mas não há aquela sensação de domingo à noite no ar, porque amanhã é o Dia do Trabalho e temos pelo menos mais um dia antes do começo das aulas. Kitty está trabalhando na colagem de cachorros, *quelle surprise*.

— Qual raça você quer mais do que todas as outras? — pergunta Josh para ela.

Kitty responde na velocidade de um relâmpago.

— Um akita.

— Macho ou fêmea?

Mais uma vez, a resposta é imediata.

— Macho.

— E qual vai ser o nome dele?

Kitty hesita, e eu sei por quê. Rolo para o lado e faço cócegas no pé descalço dela.

— Eu sei qual vai ser o nome dele — digo, cantarolando.

— Fica quieta, Lara Jean! — grita ela.

Tenho a atenção total de Josh agora.

— Conta pra mim — implora o garoto.

Eu olho para Kitty, e ela está com uma expressão cruel, os olhos vermelhos e brilhantes.

— Deixa pra lá — digo, de repente nervosa.

Kitty pode ser o bebê da família, mas não é alguém com quem a gente deva se meter.

Josh puxa meu rabo de cavalo e diz:

— Ah, qual é, Lara Jean! Pra que todo esse suspense?

Eu me apoio nos cotovelos, e Kitty tenta tapar minha boca.

— É em homenagem ao garoto de quem ela gosta — digo, dando risadinhas.

— Cala a boca, Lara Jean, cala a boca!

Kitty me chuta e, ao fazer isso, rasga uma das figuras de cachorro. Ela solta um grito e se joga no chão para examiná-la. Seu rosto está vermelho por tentar segurar o choro. Eu me sinto tão babaca. Levanto e tento dar um abraço nela para me desculpar, mas Kitty foge e chuta minha perna com tanta força que eu dou um grito. Pego a figura e tento consertar, mas, antes que eu possa fazer qualquer coisa, Kitty a arranca das minhas mãos e a dá para Josh.

— Josh, você conserta — diz ela. — A Lara Jean estragou.

— Kitty, eu só estava brincando — comento, sem jeito.

Eu não ia dizer o nome do garoto. Nunca diria.

Ela me ignora, e Josh estica o papel com um porta-copos e, com a concentração de um cirurgião, gruda as duas partes uma na outra. Ele seca a testa.

— Ufa. Acho que vai sobreviver.

Eu bato palmas para chamar a atenção de Kitty, mas ela não olha para mim. Sei que mereço o gelo. O garoto de quem Kitty gosta é Josh.

Kitty pega a colagem da mão de Josh.

Para todos os garotos que já amei

— Vou para meu quarto trabalhar nisso. Boa noite, Josh.

— Boa noite, Kitty — responde ele.

— Boa noite, Kitty — digo baixinho.

Mas ela já está subindo a escada e não responde. Quando ouvimos o som da porta do quarto dela fechando, Josh se vira para mim.

— Você está ferrada.

— Eu sei.

Estou com uma sensação horrível na boca do estômago. Por que fiz aquilo? Eu sabia que estava fazendo algo errado. Margot jamais faria uma coisa daquelas comigo. Não é assim que as irmãs mais velhas devem tratar as mais novas, principalmente sendo bem mais velha do que Kitty.

— Quem é esse garoto de quem ela gosta?

— É só um garoto da escola.

Josh suspira.

— Ela tem mesmo idade para gostar de meninos? Para mim, ela é nova demais para isso.

— Eu gostava de garotos quando tinha nove anos — digo a ele.

Ainda estou pensando em Kitty, me perguntando o que posso fazer para ela não ficar mais com raiva de mim. Acho que biscoitos não vão adiantar dessa vez.

— Quem? — Josh me pergunta.

— Quem o quê?

Talvez, se eu conseguir convencer papai a comprar um cachorrinho para ela...

— Quem foi o primeiro garoto de quem você gostou?

— Humm. O primeiro garoto de quem eu gostei *de verdade*? — Tive várias paixões no jardim de infância e no primeiro e no segundo ano do ensino fundamental, mas elas não contaram. — Tipo, o primeiro que realmente contou?

— É.

— Bem... acho que foi Peter Kavinsky.

Josh praticamente tem ânsia de vômito.

— Kavinsky? Você só poder estar de brincadeira! Ele é tão óbvio. Achei que você ia gostar de alguém mais… sei lá, sutil. Peter Kavinsky é tão clichê. Parece um recorte de papelão em tamanho real do "cara legal" de um filme adolescente.

Eu dou de ombros.

— Você que perguntou.

— Uau — diz ele, balançando a cabeça. — É só… uau.

— Ele era diferente. Quer dizer, ele ainda era bem Peter, mas menos. — Como Josh não parece convencido, completo: — Você é um garoto, então não entende do que estou falando.

— Tem razão. Não entendo!

— Ei, não era você que era apaixonado pela sra. Rothschild?

Josh fica vermelho.

— Ela era bem bonita na época!

— Ahã. — Olho para ele com cara de quem não estava comprando a mentira. — Ela era bem "bonita".

Nossa vizinha do outro lado da rua, a sra. Rothschild, costumava cortar a grama usando um shortinho apertado supercurto e um biquíni cortininha. Os garotos do bairro vinham convenientemente brincar no jardim de Josh nesses dias.

— De qualquer modo, a sra. Rothschild não foi minha primeira paixão.

— Não foi?

— Não. Foi você.

Demoro alguns segundos para absorver isso. Mesmo depois, só consigo dizer:

— Hã?

— Quando me mudei para cá, antes de conhecer sua verdadeira personalidade. — Dou um chute na canela dele, que grita um "Ai!". — Eu tinha doze anos, você tinha onze. Eu deixei você andar no meu patinete, lembra? Eu amava aquele patinete. Economizei o dinheiro de dois aniversários para comprar. E deixei *você* dar uma volta nele.

— Achei que você só estava sendo generoso.

Para todos os garotos que já amei

— Você caiu e fez um arranhão enorme na lateral — continua ele. — Lembra?

— É, eu lembro que você chorou.

— Eu não *chorei*. Fiquei chateado, e com razão. E foi o fim da minha paixonite.

Josh se levanta para ir embora, e eu o acompanho até a entrada. Antes de abrir a porta da frente, Josh se vira para mim.

— Não sei o que eu faria se você não estivesse por perto depois que... depois que Margot terminou comigo. — O rosto dele fica cor-de-rosa por baixo das sardas. — Você faz bem para mim, Lara Jean.

Josh olha para mim, e eu sinto tudo, cada lembrança, cada momento que compartilhamos. Ele me dá um abraço rápido e apertado e desaparece na noite.

Fico de pé diante da porta aberta, e o pensamento voa pela minha cabeça, tão rápido e inesperado que não consigo me impedir de pensar: *Se você fosse meu, eu nunca teria terminado com você, nem em um milhão de anos.*

12

VOU CONTAR COMO CONHECEMOS JOSH. ESTÁVAMOS FAZENDO UM piquenique de ursos de pelúcia no quintal, com chá e bolinhos de verdade. Tinha que ser no quintal dos fundos da casa para ninguém ver. Eu tinha onze anos e estava velha demais para aquilo, e Margot tinha treze, o que era ainda pior. Fiquei com essa ideia na cabeça porque li em um livro. Por causa de Kitty, eu podia fingir que era para ela e persuadir Margot a brincar com a gente. Mamãe tinha morrido no ano anterior, e desde então Margot raramente dizia não para alguma coisa se fosse para Kitty.

Tínhamos distribuído tudo sobre o antigo cobertor de bebê de Margot, que era azul com estampa de esquilo e já estava bem puído. Arrumei um jogo de chá lascado de Margot, muffins com mirtilos e granulado de açúcar que fiz papai comprar no mercado e um urso de pelúcia para cada uma de nós. Estávamos usando chapéus, por insistência minha.

— É obrigatório usar chapéu para beber chá — fiquei dizendo, até que Margot finalmente colocou o dela para me fazer parar.

Ela estava usando o chapéu de palha de jardinagem da mamãe, Kitty estava usando uma viseira de tênis, e eu enfeitei um chapéu velho de pele da vovó com algumas flores de plástico.

Eu estava colocando chá morno de uma garrafa térmica nas xícaras quando Josh subiu na cerca e ficou nos olhando. No mês anterior, do quarto de brinquedos no andar de cima, ficamos observando a mudança da família de Josh. Torcemos para que houvesse alguma menina, mas então vimos os caras tirarem uma bicicleta de menino do caminhão e voltamos a brincar.

Josh se sentou na cerca sem dizer nada.

Margot ficou tensa e constrangida; suas bochechas ficaram vermelhas, mas ela não tirou o chapéu. Foi Kitty quem gritou:

— Oi, menino.

— Oi — respondeu ele.

O cabelo estava desgrenhado, e Josh ficava sacudindo a cabeça para tirá-lo dos olhos. Estava usando uma camiseta vermelha com um buraco no ombro.

— Qual é o seu nome?

— Josh.

— Venha brincar com a gente, Josh — ordenou Kitty.

E ele veio.

Eu não sabia na época o quanto aquele garoto seria importante para mim e para as pessoas que mais amo. Mas, mesmo se soubesse, o que poderia ter feito de diferente? Nós dois nunca ficaremos juntos. Nem mesmo agora.

13

EU ACHAVA QUE NÃO ESTAVA MAIS APAIXONADA POR ELE.

Quando escrevi a carta, quando me despedi, foi de coração, juro que foi. Nem foi tão difícil, não de verdade. Não quando pensei no quanto Margot gostava dele, no quanto se importava. Como poderia me ressentir do primeiro amor da minha irmã? Margot, que sacrificou tanto por nós. Ela sempre colocava a mim e a Kitty antes de qualquer coisa. Deixar Josh para trás foi minha forma de colocar Margot em primeiro lugar.

Mas agora, sentada sozinha na sala, com minha irmã a seis mil quilômetros de distância e Josh na casa ao lado, só consigo pensar: *Josh Sanderson, eu gostei de você primeiro. Você era meu por direito. E, se tivesse sido eu, eu o teria colocado em uma mala e levado comigo, ou, quer saber?, nem teria partido. Eu nunca abandonaria você. Nem em um milhão de anos, por nada neste mundo.*

Pensar esse tipo de coisa, sentir esse tipo de sentimento, é mais do que desleal. Eu sei disso. É pura traição. Faz minha alma parecer suja. Margot foi embora há menos de uma semana e olhe para mim, para a rapidez com que fraquejei. Para a rapidez com que cobicei o que era dela. Sou uma traidora do pior tipo, porque estou traindo minha própria irmã, e não há traição maior do que essa. Mas e agora? O que devo fazer com esses sentimentos?

Acho que só tem uma coisa que eu *possa* fazer. Vou escrever outra carta. Um pós-escrito com quantas páginas forem necessárias para acabar de vez com qualquer sentimento que eu ainda tenha por ele. Vou deixar essa coisa toda para trás.

Vou para o quarto e pego minha caneta especial, a caneta tinteiro preta e muito macia. Pego meu papel de carta grosso e começo a escrever.

P.S.: Ainda amo você.

Eu ainda amo você, e isso não é só um problema enorme para mim, mas também uma enorme surpresa. Juro que não sabia. Durante todo esse tempo, achei que tinha esquecido você. Como poderia não ter esquecido, quando é Margot que você ama? Sempre foi Margot...

Quando termino, coloco a carta no diário, em vez de na caixa de chapéu. Tenho a sensação de que ainda não acabou, de que tenho mais a dizer, só não pensei no que ainda.

14

KITTY AINDA ESTÁ COM RAIVA DE MIM. DEPOIS DA REVELAÇÃO DE Josh, me esqueci completamente de Kitty. Ela me ignora durante toda a manhã, e, quando pergunto se ela quer que eu a leve na papelaria para comprar material para a escola, ela responde:

— Com que carro? Você destruiu o da Margot.

Ai.

— Eu ia pegar o do papai emprestado quando ele voltasse da Home Depot. — Eu me afasto o bastante para ela não poder me agredir com um chute ou um tapa. — Não precisa ser cruel, Katherine.

Kitty praticamente rosna, o que é exatamente a reação que eu esperava. Odeio quando Kitty fica com raiva e para de falar comigo. Mas ela se afasta e, com as costas viradas para mim, diz:

— Não estou falando com você. Você sabe o que fez, então não precisa se dar o trabalho de tentar fazer as pazes.

Eu a sigo e fico tentando provocá-la a falar comigo, mas não adianta. Fui dispensada. Então desisto, volto para meu quarto e coloco a trilha sonora de *Minha Mãe é uma Sereia*.

Estou organizando as roupas que escolhi para a primeira semana de aula na cama quando recebo uma mensagem de texto de Josh. Um arrepio intenso sobe pela minha espinha quando vejo o nome dele aparecer na tela, mas lembro a mim mesma com severidade da promessa que fiz. *Ele ainda é de Margot, não seu*. Não importa que eles tenham terminado. Ele foi dela primeiro, o que quer dizer que será sempre dela.

Quer dar uma volta de bicicleta naquela trilha perto do parque?

Andar de bicicleta é uma atividade típica de Margot. Ela adora passear em trilhas, fazer caminhadas e andar de bicicleta. Eu não. E Josh sabe disso. Eu nem tenho bicicleta, e a de Margot é complicada demais para mim, com todas aquelas marchas. A de Kitty é mais o meu estilo.

Respondo que não posso, tenho que ajudar meu pai em casa. Não é uma mentira completa. Meu pai pediu mesmo ajuda para trocar algumas plantas de vaso. E respondi que, se ele quisesse me obrigar e eu não pudesse manifestar minha opinião sobre o assunto, tudo bem.

Ele precisa de ajuda com o quê?

O que posso responder? Tenho que tomar cuidado com minhas desculpas, é fácil para Josh olhar pela janela e ver se estou em casa ou não. Respondo com um vago *Umas tarefas aleatórias*. Conhecendo Josh, sei que ele apareceria com uma pá, ou um ancinho, ou qualquer ferramenta que a tarefa exigisse. E aí, ficaria para o jantar, porque ele sempre fica para o jantar.

Josh disse que eu fazia bem para ele. Eu, Lara Jean. Quero ser essa pessoa para ele, quero ajudá-lo nesse momento difícil. Quero ser seu farol enquanto esperamos a volta de Margot. Mas é difícil. Mais difícil do que eu pensava.

15

ACORDO FELIZ, PORQUE É O PRIMEIRO DIA DE AULA. SEMPRE GOSTEI mais do primeiro dia de aula do que do último. Começos são sempre melhores que términos.

Enquanto papai e Kitty estão no andar de cima, no banheiro, faço panquecas de farinha de trigo integral com bananas fatiadas, as favoritas de Kitty. O café da manhã do primeiro dia de aula sempre foi importante para mamãe, depois Margot assumiu, e agora acho que é a minha vez. As panquecas ficam meio grossas; nem de perto tão bonitas e fofinhas quanto as de Margot. E o café... Bem, o café deveria ser marrom-claro como chocolate quente?

Quando meu pai desce, ele exclama com a voz alegre:

— Sinto cheiro de café!

Em seguida, bebe e faz sinal de positivo, mas reparo que só toma um gole. Acho que sou melhor fazendo doces.

— Você está parecendo uma fazendeira — comenta Kitty, com um toque de maldade, e sei que ela ainda está um pouquinho chateada.

— Obrigada — respondo.

Estou usando meu macaquinho jeans desbotado e uma blusa florida com decote canoa. Parece mesmo meio roupa de fazenda, mas acho que de um jeito estiloso. Margot deixou os coturnos marrons, e eles são só um pouco maiores do que meu pé. Com meias grossas, cabem perfeitamente.

— Você trança meu cabelo de lado? — peço a ela.

— Você não merece uma trança — diz Kitty enquanto lambe o garfo. — Além do mais, uma trança seria muito exagero.

Kitty só tem nove anos, mas tem um gosto impecável para moda.

— Concordo — fala meu pai sem tirar os olhos do jornal.

Coloco o prato na pia e deixo a lancheira de Kitty ao lado do prato dela. Está com tudo o que ela gosta: um sanduíche de queijo brie, batatinhas chips sabor churrasco, biscoitos recheados e suco de maçã.

— Tenham um ótimo primeiro dia de aula — deseja meu pai.

Ele estica o pescoço para ganhar um beijo na bochecha, e eu me inclino e dou um. Tento dar um beijo em Kitty também, mas ela vira o rosto.

— Botei seu suco de maçã favorito e seu sanduíche de brie favorito na lancheira — digo a ela com súplica na voz. Não quero que comecemos o ano letivo de mal uma com a outra.

— Obrigada — diz ela, fungando.

Antes que ela possa me impedir, eu a abraço e aperto tanto que ela grita. Em seguida, pego minha bolsa nova florida e saio pela porta da frente. É um dia novo, um ano novo. Estou com a sensação de que tudo vai dar certo.

Josh já está no carro, então corro, abro a porta e entro.

— Você chegou bem na hora — comenta Josh. Ele levanta a mão para eu dar um tapinha e, quando bato, nossas mãos fazem um estalo satisfatório. — Esse foi dos bons.

— Nota oito, pelo menos — concordo.

Passamos pela piscina pública, pela placa que indica nosso bairro e pela Wendy's.

— A Kitty já perdoou você?

— Mais ou menos, mas com sorte vai perdoar logo.

— Ninguém consegue guardar ressentimento como a Kitty.

Assinto vigorosamente. Eu nunca consigo ficar com raiva de ninguém por muito tempo, mas Kitty guarda ressentimento como se a vida dela dependesse disso.

— Fiz um bom lanche de primeiro dia de aula, acho que isso vai ajudar — digo.

— Você é uma boa irmã mais velha.

— Tão boa quanto a Margot?

Nós respondemos juntos:

— Ninguém é tão bom quanto a Margot.

16

As aulas começaram oficialmente e encontraram seu próprio ritmo. Os primeiros dias de aula são sempre perdidos com distribuição de livros, das ementas das matérias e decisões sobre onde e com quem você vai sentar. Agora é que a escola começa de verdade.

Na educação física, o treinador White nos deixa ao ar livre para aproveitarmos os últimos dias de sol quente. Chris e eu estamos andando pela pista de atletismo. Chris me conta sobre uma festa à qual foi no feriado do Dia do Trabalho.

— Quase caí no tapa com uma garota que ficava dizendo que eu uso aplique. Não é minha culpa se meu cabelo é incrível.

Quando já estamos na terceira volta, vejo Peter Kavinsky me olhando. Achei que estivesse imaginando coisas quando o notei me observando, mas já é a terceira vez. Ele está jogando frisbee com alguns garotos. Quando passamos por eles, Peter corre até nós.

— Posso falar com você um minuto?

Chris e eu nos entreolhamos.

— Comigo ou com ela? — pergunta ela.

— Com Lara Jean.

Chris passa os braços de forma protetora ao redor dos meus ombros.

— Vai em frente. Estamos ouvindo.

Peter revira os olhos.

— Quero falar com ela em particular.

— Que seja — dispara Chris, e sai andando.

Por cima do ombro, ela arregala os olhos para mim, como quem diz *O que ele quer?* Dou de ombros como quem diz *Não faço ideia!*

Com a voz baixa e discreta, Peter começa:

— Só para você saber, eu não tenho herpes.

O quê? Fico olhando para ele, boquiaberta.

— Eu nunca disse que você tinha herpes!

A voz dele ainda está baixa, mas realmente furiosa.

— Também não pego sempre o último pedaço da pizza.

— Do que você está falando?

— Foi o que você disse. Na sua carta. Que eu sou um cara egoísta que anda por aí passando doenças para as garotas. Lembra?

— Que carta? Eu não escrevi carta nenhuma!

Espera. Escrevi sim. Eu escrevi uma carta para ele há um milhão de anos. Mas não é dessa carta que ele está falando. Não pode ser.

— Escreveu, sim. Estava endereçada a mim e assinada por você.

Ah, Deus. Não. Não. Isso não está acontecendo. Isso não é real. Estou sonhando. Estou no meu quarto e estou sonhando e Peter Kavinsky está no meu sonho, olhando com raiva para mim. Eu fecho os olhos. Estou sonhando? Isso é real?

— Lara Jean.

Abro os olhos. Não estou sonhando e isso é real. É um pesadelo. Peter Kavinsky está segurando minha carta. É minha letra, meu envelope, meu tudo.

— Onde… onde você conseguiu isso?

— Chegou pelo correio ontem. — Peter suspira, irritado. — Olha, não é nada de mais. Só não saia por aí dizendo para as pessoas…

— Chegou pelo correio? Na sua casa?

— É.

Acho que vou desmaiar. Acho que vou desmaiar de verdade. Que eu desmaie agora, porque, se eu desmaiar, não vou mais estar aqui, neste momento. Vai ser como nos filmes, quando a mocinha desmaia por causa do choque e toda a briga acontece enquanto ela está apagada, e ela acorda em uma cama de hospital com um hematoma ou dois, mas perdeu toda a parte ruim. Eu queria que a minha vida fosse assim, e não esse pesadelo.

Consigo sentir que estou começando a suar.

— Você precisa entender que escrevi essa carta muito tempo atrás.

— Tudo bem.

— Tipo, anos atrás. Muitos anos atrás. Eu nem me lembro do que escrevi. — *De perto, seu rosto não era exatamente bonito, mas angelical.* — Sério, essa carta é do fundamental. Eu nem sei quem pode ter mandado. Posso ver?

Estico a mão enquanto tento ficar calma e não parecer desesperada. Ele hesita, e abre um de seus sorrisos perfeitos.

— Não, eu quero ficar com ela. Nunca recebi uma carta assim.

Dou um pulo e, rápida como um gato, arranco a carta da mão dele. Peter dá uma gargalhada e levanta as mãos em sinal de rendição.

— Tudo bem, vai, pode ficar com ela. Caramba.

— Obrigada.

Começo a me afastar dele. O envelope treme nas minhas mãos.

— Espera. — Ele hesita. — Olha, eu não queria roubar seu primeiro beijo nem nada disso. Quer dizer, não foi minha intenção…

Dou uma gargalhada, uma gargalhada forçada e falsa que me faz parecer uma louca. As pessoas se viram e olham para nós.

— Pedido de desculpas aceito! É passado!

E saio correndo. Corro mais rápido do que já corri na vida. Até o vestiário feminino.

Como foi que isso aconteceu?

Eu me sento no chão. Já tive o sonho de ir para a escola pelada. Já tive o sonho combinado de ir para a escola pelada tendo me esquecido de estudar para uma prova de uma matéria da qual nunca tinha ouvido falar e o sonho de estar pelada no dia da prova com alguém tentando me matar. Isso é tudo isso vezes infinito.

E então, como não há mais nada a fazer, eu tiro a carta do envelope e leio.

Querido Peter K,

Antes de tudo, me recuso a chamar você de Kavinsky. Você deve ter achado o máximo quando as pessoas come-

Para todos os garotos que já amei

çaram a chamá-lo pelo sobrenome do nada, não é? Quer saber? Kavinsky soa como o nome de um velho com a barba branca e comprida.

Quando me beijou, sabia que eu ia me apaixonar por você? Às vezes acho que sim. Definitivamente sim. Sabe por quê? Porque você acha que TODO MUNDO ama você, Peter. É isso que odeio em você. Porque todo mundo ama mesmo você. Inclusive eu. Eu amava. Não mais.

Aqui estão todos os seus piores defeitos:

Você arrota e não pede desculpas. Apenas supõe que todo mundo vai achar fofo. E, se as pessoas não acharem, quem se importa, certo? Errado! Você se importa. Você se importa muito com a opinião alheia.

Você sempre pega o último pedaço de pizza. Nunca pergunta se mais alguém quer. Isso é falta de educação.

Você é tão bom em tudo. Bom demais. Você poderia dar a outros garotos a chance de serem bons, mas nunca dá.

Você me beijou sem motivo. Apesar de eu saber que você gostava da Gen e de você saber que gostava da Gen e de a Gen saber que você gostava dela. Mas você me beijou mesmo assim. Só porque podia. Eu quero saber a verdade: por que você fez isso comigo? Meu primeiro beijo era para ser especial. Já li sobre esse tipo de coisa, sobre como é para ser a sensação: fogos de artifício e faíscas e o som de ondas quebrando nos seus ouvidos. Eu não senti nada disso. Graças a você, foi tão "não especial" quanto um beijo pode ser.

O pior de tudo é que aquele beijo estúpido e sem sentido me fez começar a gostar de você como nunca gostei antes. Eu nunca tinha pensado em você. Gen sempre disse que você é o garoto mais bonito do nosso ano, e eu concordava, porque claro que você é. Mas eu não via nada de especial em você. Muitas pessoas são bonitas. Isso não as torna interessantes, intrigantes ou legais.

Talvez tenha sido por isso que você me beijou. Para ter controle mental sobre mim, para me _fazer_ ver você desse jeito. Funcionou. Seu truquezinho funcionou. A partir daquele dia, eu passei a enxergar você. De perto, seu rosto não era exatamente bonito, mas angelical. Quantos garotos angelicais você já viu? Para mim, só havia um. Você. Acho que tem muito a ver com seus cílios. Você tem cílios bem longos. Injustamente longos.

Apesar de não merecer, tudo bem, vou falar sobre todas as coisas de que gosto (gostava) em você:

Uma vez, na aula de ciências, ninguém queria fazer dupla com Jeffrey Suttleman porque ele tem cecê, e você se ofereceu como se não fosse nada de mais. De repente, todo mundo passou a achar que Jeffrey não era tão ruim.

Você ainda está no coral, apesar de todos os outros garotos terem debandado para a banda ou para a orquestra. Até canta solos. E dança, e não fica com vergonha.

Você foi o último garoto a ficar alto. E agora é o mais alto, mas é como se você merecesse. Além disso, quando você era baixinho, ninguém ligava de você ser baixo, as garotas ainda gostavam de você e os garotos ainda escolhiam você primeiro para o time de basquete na educação física.

Depois que você me beijou, eu gostei de você pelo resto do sétimo ano e pela maior parte do oitavo. Não foi fácil ver você com a Gen, de mãos dadas e se beijando no ônibus. Você deve fazer com que ela se sinta especial. Porque esse é seu talento, certo? Você é bom em fazer as pessoas se sentirem especiais.

Você sabe como é gostar tanto de alguém que é insuportável saber que essa pessoa nunca vai sentir a mesma coisa por você? Provavelmente não. Pessoas como você não precisam sofrer por esse tipo de coisa. Ficou mais fácil depois que a Gen se mudou e nós deixamos de ser amigas. Pelo menos eu não precisava mais ouvir sobre vocês.

E agora que o ano está quase acabando, sei com certeza que já deixei de gostar de você. Estou imune, Peter. Tenho orgulho de dizer que sou a única garota nesta escola que está imunizada contra os encantos de Peter Kavinsky. Tudo porque tive uma overdose de você no sétimo ano e em boa parte do oitavo. Agora, nunca mais vou precisar me preocupar em ser contaminada de novo. Que alívio! Aposto que, se um dia nos beijássemos de novo, eu pegaria alguma coisa, e não seria amor. Seria herpes!

Lara Jean Song

17

SE EU PUDESSE ME ENTERRAR EM UM BURACO E PASSAR O RESTO dos meus dias ali, bem, é exatamente o que eu faria.

Por que eu tinha que falar naquele beijo? Por quê?

Ainda me lembro de tudo que aconteceu naquele dia na casa de John Ambrose McClaren. Estávamos no porão, que cheirava a mofo e sabão em pó. Eu estava vestindo um short branco e uma blusa bordada frente única branca e azul que roubei do armário de Margot. Era a primeira vez que usava um sutiã tomara que caia na vida. Peguei emprestado da Chris, e ficava ajeitando ele toda hora porque era meio desconfortável.

Foi uma das nossas primeiras reuniões de meninos e meninas em um fim de semana à noite. Foi meio estranho, porque parecia que tínhamos feito de propósito. Não foi igual a ir para a casa de Allie depois da aula e os garotos estarem lá com o irmão gêmeo dela. Também não foi como ir ao fliperama no shopping sabendo que provavelmente encontraríamos meninos. Isso envolvia planejamento, ir até lá, usar um sutiã diferente, tudo em um sábado à noite. E sem a supervisão dos pais, era só a gente no porão ultraparticular de John. O irmão mais velho dele ia ficar tomando conta de nós, mas John pagou dez dólares para ele ficar no quarto dele.

Não que tenha acontecido alguma coisa empolgante, como um jogo improvisado de verdade ou consequência ou de sete minutos no paraíso, duas possibilidades para as quais nós, garotas, havíamos nos preparado com chicletes e brilho labial. A única coisa que aconteceu foram os garotos jogando videogame e as garotas assistindo, jogando nos celulares e cochichando umas com as outras. E então nossos pais apareceram para nos buscar, o que foi muito anticlimático, depois de tanto planejamento e expectativa. Achei decepcionante, não porque eu gostasse de alguém, mas porque adorava romance e drama e estava torcendo para alguma coisa empolgante acontecer.

E uma coisa aconteceu.

Comigo!

Peter e eu estávamos lá embaixo sozinhos, as duas últimas pessoas esperando os pais. Estávamos sentados no sofá. Eu ficava mandando mensagens de texto para o meu pai: Cadê vc???? Peter estava jogando um jogo no celular.

E então, do nada, ele disse:

— Seu cabelo tem cheiro de coco.

Nós nem estávamos sentados tão perto.

— Sério? Você consegue sentir o cheiro daí?

Ele chegou mais perto, cheirou e assentiu.

— Consigo, lembra o Havaí ou algo assim.

— Obrigada! — Eu não tinha certeza se era um elogio, mas parecia com um o bastante para eu agradecer. — Estou alternando entre um xampu de coco e o xampu de bebê da minha irmã, para descobrir qual deixa meu cabelo mais macio...

Então Peter Kavinsky se inclinou e me beijou, e eu fiquei paralisada.

Eu nunca tinha pensado nele antes daquele beijo. Ele era bonito demais, bajulador demais. Não era meu tipo. Mas, depois que me beijou, eu só consegui pensar nele e em mais nada por meses.

E se Peter for só o começo? E se... e se as outras cartas também foram enviadas? Para John Ambrose McClaren. Kenny do acampamento. Lucas Krapf.

Josh.

Ah, meu Deus, Josh.

Eu me levanto. Tenho que encontrar a caixa de chapéu. Tenho que encontrar aquelas cartas.

Eu volto para a pista de atletismo. Não vejo Chris em lugar algum, então concluo que ela deve estar fumando atrás da quadra coberta.

Vou direto até o treinador, que está sentado na arquibancada mexendo no celular.

— Não consigo parar de vomitar. — Eu me inclino para a frente e cruzo os braços sobre a barriga. — Posso ir para a enfermaria?

O treinador nem desvia os olhos do telefone.

— Claro.

Assim que estou fora do campo de visão dele, saio correndo. Educação física é minha última aula do dia, e minha casa fica a uns três quilômetros da escola. Eu corro como o vento. Acho que nunca corri tão rápido e com tanta intensidade na vida, e provavelmente nunca vou correr de novo. Corro tanto que tenho que parar algumas vezes porque sinto que vou vomitar de verdade. Então me lembro das cartas, de Josh e de *De perto, seu rosto não era exatamente bonito, mas angelical*, e volto a correr.

Assim que chego em casa, subo a escada e abro meu armário em busca da caixa. Não está na prateleira mais alta, onde costuma ficar. Não está no chão, nem atrás da pilha de jogos de tabuleiro. Não está em lugar algum. Fico de quatro e começo a vasculhar em pilhas de suéteres, caixas de sapato e material de artesanato. Olho em lugares onde não poderia estar porque é uma caixa de chapéu grande, mas olho mesmo assim. Minha caixa de chapéu não está em lugar algum.

Eu desabo no chão. Estou em um filme de terror. Minha vida virou um filme de terror. Ao meu lado, meu celular vibra. É Josh.

Cadê você? Pegou carona com a Chris?

Eu desligo o celular, vou até a cozinha e ligo para Margot do telefone fixo. Ainda é meu primeiro impulso procurá-la quando as coisas ficam complicadas. Vou só deixar de fora a parte sobre Josh e me concentrar em Peter. Ela vai saber o que fazer; ela sempre sabe o que fazer. Estou pronta para explodir: *Gogo, sinto tanto sua falta e tudo está uma confusão sem você*, mas, quando ela atende o telefone, parece sonolenta, e percebo que a acordei.

Para todos os garotos que já amei

— Você estava dormindo?

— Não, eu só estava deitada — mente ela.

— Você *estava* dormindo! Gogo, não são nem dez horas aí! Espera, é isso mesmo? Ou calculei errado de novo?

— Não, você está certa. Só estou cansada. Estou acordada desde as cinco porque... — Ela para de falar. — O que aconteceu?

Eu hesito. Talvez seja melhor não preocupar Margot com tudo isso. Afinal, ela acabou de começar a faculdade. Foi para isso que se esforçou tanto, é o sonho dela virando realidade. Ela deveria estar se divertindo, e não se preocupando com como as coisas estão em casa sem ela. Além do mais, o que eu ia dizer? Escrevi um bando de cartas de amor, e elas foram enviadas pelo correio, inclusive a que escrevi para o seu namorado?

— Não aconteceu nada — respondo.

Estou fazendo o que Margot faria: tentando resolver isso sozinha.

— Definitivamente parece que aconteceu alguma coisa — diz Margot, bocejando. — Me conta.

— Volte a dormir, Gogo.

— Tudo bem — responde ela, bocejando de novo.

Nós desligamos, e eu preparo um sundae direto no pote de sorvete: calda de chocolate, chantilly, nozes picadas. Serviço completo. Levo para o quarto e como deitada. Coloco na boca como remédio até ter comido tudo, até a última gota.

18

ALGUM TEMPO DEPOIS, ACORDO COM KITTY AO PÉ DA MINHA CAMA.

— Tem sorvete no seu lençol — informa ela.

Eu gemo e viro para o outro lado.

— Kitty, esse é o menor dos meus problemas hoje.

— Papai quer saber se você vai querer frango ou hambúrguer para o jantar. Meu voto é frango.

Eu me sento. Papai está em casa! Talvez ele saiba de alguma coisa. Ele estava naquele surto de arrumação, jogando tudo fora. Talvez tenha guardado minha caixa de chapéu em algum lugar e a carta de Peter tenha sido só um acidente infeliz!

Pulo da cama e desço a escada correndo; o coração disparado no peito. Meu pai está no escritório, de óculos e lendo um livro grosso sobre gravuras de Audubon.

De uma vez só, eu pergunto:

— Papai-você-viu-minha-caixa-de-chapéu?

Ele levanta o rosto com a expressão indistinta, e consigo perceber que ele ainda está pensando nos pássaros de Audubon e nem um pouco concentrado no meu desespero.

— Que caixa?

— A caixa de chapéu azul-petróleo que mamãe me deu!

— Ah, essa… — diz ele, ainda parecendo confuso. Ele tira os óculos. — Não sei. Pode ter sido doada junto com seus patins.

— O que isso quer dizer? O que você está dizendo?

— Há uma vaga possibilidade de eu ter doado para a caridade.

Quando sufoco um gritinho, papai diz na defensiva:

— Aqueles patins nem cabiam mais em você. Só estavam ocupando espaço!

Eu deslizo até o chão.

— Eles eram cor-de-rosa e vintage, e eu estava guardando para a Kitty... e essa nem é a questão. Não ligo para os patins. Ligo para a caixa de chapéu! Papai, você nem imagina o que fez.

Meu pai se levanta e tenta me erguer do chão. Eu resisto e me jogo de costas como um peixe dourado.

— Lara Jean, eu nem sei se me livrei dela. Vamos lá, vamos dar uma olhada pela casa, tá? Não vamos entrar em pânico ainda.

— Só tem um lugar onde ela poderia estar, e não está lá. Sumiu.

— Então vou procurar na Legião da Boa Vontade amanhã, a caminho do trabalho — diz ele, agachando-se ao meu lado.

Ele está me olhando daquele jeito, solidário mas também exasperado e intrigado, como quem diz *Como é possível meu DNA razoável e lógico ter dado origem a uma filha tão maluca?*

— É tarde demais. É tarde demais. Não adianta.

— O que tinha de tão importante naquela caixa?

Consigo sentir o sundae revirando no meu estômago. Pela segunda vez hoje, sinto que vou vomitar.

— Tudo.

Ele faz uma careta.

— Eu não sabia que sua mãe tinha dado aquela caixa para você, nem que ela era tão importante. — Enquanto segue para a cozinha, ele sugere: — Ei, que tal sorvete antes do jantar? Isso vai alegrar você?

Como se sobremesa antes do jantar fosse tudo do que eu precisava para ficar bem, como se eu tivesse a idade de Kitty, não dezesseis, quase dezessete anos. Nem me dou o trabalho de lhe dar uma resposta. Só fico ali deitada no chão, com a bochecha colada na madeira fria. Além do mais, o sorvete acabou, mas ele vai descobrir isso logo, logo.

Eu não quero nem pensar em Josh lendo aquela carta. Não quero nem pensar. É terrível demais.

★ ★ ★

Depois do jantar (frango, a pedido de Kitty), estou na cozinha lavando a louça quando escuto a campainha. Papai abre a porta, e ouço a voz de Josh.

— Oi, dr. Covey. A Lara Jean está?

Ah, não. Não, não, não, não. Não posso ver Josh. Sei que vou precisar vê-lo em algum momento, mas não hoje. Não agora. Não posso. Simplesmente não posso.

Coloco o prato na pia e saio correndo pela porta dos fundos, desço os degraus e atravesso nosso quintal até o quintal dos Pearce. Subo pela escada de madeira até a velha casa na árvore de Carolyn Pearce. Não subo nela desde o ensino fundamental. Às vezes ficávamos ali à noite, Chris, Genevieve, Allie e eu, e os garotos também.

Espio por uma fresta nas tábuas, agachada, e espero até Josh voltar para casa. Quando tenho certeza de que ele entrou, desço a escada e corro de volta para a porta da cozinha. Eu corri demais hoje. Só agora me dou conta de que estou exausta.

Para todos os garotos que já amei

19

NA MANHÃ SEGUINTE, ACORDO REVIGORADA. SOU UMA GAROTA com um plano. Só vou ter que evitar Josh para sempre. É muito simples. E, se não para sempre, então pelo menos até isso tudo passar e ele se esquecer da carta. Ainda há a pequena chance de ele nem tê-la recebido. Talvez a pessoa que mandou a de Peter só tenha mandado aquela! Nunca se sabe.

Minha mãe dizia que o otimismo era minha melhor qualidade. Tanto Chris quanto Margot dizem que é irritante, mas eu respondo que ver o lado bom da vida nunca matou ninguém.

Quando desço, papai e Kitty já estão à mesa comendo torradas. Preparo uma tigela de cereal para mim e me sento com eles.

— Vou passar na Legião da Boa Vontade a caminho do trabalho — diz meu pai, mastigando a torrada enquanto lê o jornal. — Tenho certeza de que sua caixa de chapéu vai estar lá.

— Sua caixa de chapéu sumiu? — pergunta Kitty. — A que mamãe deu para você?

Eu assinto e coloco outra colherada de cereal na boca. Tenho que me apressar, senão corro o risco de dar de cara com Josh no caminho.

— O que tinha na caixa, afinal? — pergunta Kitty.

— Não é da sua conta — digo. — Você só precisa saber que o que tem lá dentro é importante para mim.

— Você vai ficar com raiva do papai se ele não conseguir sua caixa de chapéu de volta? — Kitty responde a própria pergunta antes que eu consiga. — Duvido. Você nunca fica com raiva de ninguém por muito tempo.

Isso é verdade. Nunca consigo ficar com raiva de ninguém por muito tempo.

Papai espia por cima do jornal.

— O que tinha naquela caixa de chapéu afinal?

Kitty dá de ombros. Com a boca cheia de torrada, ela diz:

— Boinas francesas, talvez?

— Não, não eram boinas. — Olho irritada para eles. — Agora, se me derem licença, não quero me atrasar para a escola.

— Você não está saindo um pouco cedo demais?

— Vou de ônibus hoje — digo.

E provavelmente todos os dias até o carro de Margot estar consertado, mas eles não precisam saber disso.

Para todos os garotos que já amei

20

A FORMA COMO TUDO ACONTECE É UM TIPO ESTRANHO DE serendipidade. Como um desastre de trem em câmera lenta. Para que uma coisa dê errado de um jeito tão colossal e terrível, tudo precisa acontecer na ordem certa e no momento certo, ou, nesse caso, no momento errado.

Se o motorista do ônibus não tivesse se atrapalhado ao dar a ré no beco, demorando assim quatro minutos a mais para chegar à escola, eu jamais teria dado de cara com Josh.

Se o carro de Josh tivesse pegado de primeira e ele não tivesse precisado da ajuda do pai para recarregar a bateria, ele não estaria passando pelo meu armário.

E se Peter não estivesse indo se encontrar com a srta. Wooten na orientação, não entraria naquele mesmo corredor dez segundos depois. E talvez essa coisa toda não tivesse acontecido. Mas aconteceu.

Estou em frente ao meu armário; a porta está emperrada e estou tentando abri-la. Quando finalmente consigo soltá-la, dou de cara com Josh.

— Lara Jean... — Ele está com uma expressão chocada e confusa. — Estou tentando falar com você desde ontem à noite. Passei na sua casa, mas ninguém conseguiu encontrar você... — Ele estende a mão com a minha carta. — Não entendo. O que é isso?

— Não sei...

É o que me ouço responder. Minha voz parece distante. É como se eu estivesse fora do meu corpo, vendo tudo aquilo acontecer com outra pessoa.

— Quer dizer, foi você que escreveu, não foi?

— Ah. — Eu respiro fundo e pego a carta. Luto contra a vontade de rasgá-la em pedacinhos. — Onde você conseguiu isso?

— Chegou pelo correio. — Josh enfia as mãos nos bolsos. — Quando você escreveu isso?

— Tipo, muito tempo atrás. — Dou uma risadinha falsa. — Nem lembro quando. Talvez tenha sido no ensino fundamental.

Bom trabalho, Lara Jean. Continue assim.

— Certo... mas você fala sobre ir ao cinema com Margot, Mike e Ben. Isso foi há uns dois anos.

Eu mordo o lábio inferior.

— É verdade. Quer dizer, foi *mais ou menos* há muito tempo. No grande esquema das coisas.

Posso sentir as lágrimas se formando e sei que, se me desconcentrar por um segundo que seja, se hesitar, vou chorar, e isso vai tornar a coisa toda pior, se é que é possível. Preciso ficar tranquila e distante agora. Lágrimas estragariam essa imagem.

Josh está me encarando de um jeito tão intenso que preciso desviar o olhar.

— Então... você sente... ou sentia alguma coisa por mim...?

— Quer dizer, sim, claro, eu tive uma quedinha por você em um determinado ponto, bem antes de você e Margot começarem a namorar. Um milhão de anos atrás.

— Por que você nunca disse nada? Porque, Lara Jean... Deus. Não sei. — Os olhos dele estão grudados em mim, e ele parece confuso, mas tem alguma outra coisa também. — Isso é loucura. Fui meio pego de surpresa.

A forma como ele está me olhando agora me lembra um dia de verão em que eu tinha catorze anos, e ele, quinze, e estávamos voltando a pé para casa de algum lugar. Ele estava olhando para mim com tanta intensidade que eu tive certeza de que ia me beijar. Fiquei nervosa, então arrumei uma briga qualquer com ele, e Josh nunca mais olhou para mim daquele jeito.

Até agora.

Para todos os garotos que já amei

Não. Por favor, não.

Seja lá o que for que ele está pensando, seja lá o que for que ele quer dizer, eu não quero ouvir. Faria qualquer coisa, literalmente qualquer coisa, para não ouvir.

Por isso, antes que ele possa falar, eu digo:

— Estou namorando.

O queixo de Josh cai.

— O quê?

O quê?

— É. Estou namorando uma pessoa, uma pessoa de quem gosto muito, muito mesmo, então não se preocupe com isso. — Balanço a carta como se fosse só um papel, um pedaço de lixo, como se no passado eu não tivesse derramado meus sentimentos naquelas páginas. Enfio a carta na bolsa. — Eu estava muito confusa quando escrevi; nem sei como essa carta foi enviada. Sinceramente, não vale a pena conversar sobre isso. Então, por favor, por favor, não conte nada para Margot.

Ele assente, mas isso não basta. Preciso de um compromisso verbal. Preciso ouvir as palavras saírem da boca dele.

— Você jura? Pela sua vida?

Se Margot descobrisse... eu iria querer morrer.

— Tudo bem, eu juro. Nós nem nos falamos desde que ela foi embora.

Eu expiro profundamente.

— Ótimo. Obrigada.

Estou quase indo embora, mas Josh me impede.

— Quem é o cara?

— Que cara?

— O cara que você está namorando?

É nessa hora que o vejo. Peter Kavinsky está andando pelo corredor. Como mágica. O lindo Peter de cabelo escuro. Ele merece uma trilha sonora, de tão lindo que é.

— Peter Kavinsky. Peter Kavinsky! — O sinal toca e passo por Josh. — Tenho que ir! A gente se fala mais tarde!

— Espera! — grita Josh.

Corro até Peter e me jogo nos braços dele como um tiro de canhão. Abraço o pescoço dele e minhas pernas envolvem sua cintura, e nem sei como meu corpo sabe fazer isso, porque nunca toquei um garoto assim na vida. É como se estivéssemos em um filme, e a música estivesse aumentando e as ondas do mar estivessem quebrando ao nosso redor. Exceto pelo fato de a expressão de Peter ser de puro choque e descrença e talvez um toque de divertimento, porque Peter gosta de achar graça. Ele ergue as sobrancelhas.

— Lara Jean? Mas o quê...?

Eu não respondo. Apenas o beijo.

Meu primeiro pensamento é: ainda me lembro dos lábios dele.

O segundo pensamento é: espero que Josh esteja assistindo. Ele precisa estar assistindo, senão tudo isso vai ter sido em vão.

Meu coração está batendo com tanta força que me esqueço de ter medo de estar fazendo algo errado. Porque, por cerca de três segundos, ele me beija também. Peter Kavinsky, o garoto dos sonhos de todas as meninas, está me beijando.

Não beijei tantos garotos assim na vida. Peter Kavinsky, John Ambrose McClaren, o primo de Allie Feldman com o olho esquisito e agora Peter de novo.

Abro os olhos, e Peter está me olhando com aquela mesma expressão no rosto. Com sinceridade, eu digo:

— Obrigada.

Ele responde:

— De nada.

Eu me afasto e saio correndo na direção oposta.

Preciso de toda a aula de história e a maior parte da aula de inglês para fazer o coração desacelerar. Eu beijei Peter Kavinsky. No corredor, na frente de todo mundo. Na frente do Josh.

Eu não planejei nada disso, obviamente. É o que Margot diria, incluindo, com ênfase, a palavra "obviamente". Se eu *tivesse* planejado, teria inventado um namorado, não escolhido uma pessoa de verdade. Mais especificamente, não teria escolhido Peter K. Ele é literalmente a pior pessoa que eu poderia ter escolhido, porque todo mundo o conhece. Ele é Peter Kavinsky, caramba. Kavinsky de "Gen e Kavinsky". Não importa que eles tenham terminado. Eles são uma instituição nesta instituição.

Passo o restante do dia me escondendo. Até almoço no banheiro feminino.

Minha última aula do dia é educação física. Com Peter. O treinador White faz uma reapresentação da sala de musculação, e temos que treinar usando os aparelhos. Peter e os amigos já sabem usar, então se separam do restante do grupo e fazem uma competição de lançamentos livres, e não tenho oportunidade de falar com ele. Em determinado momento, ele me vê olhando e pisca, o que me faz querer morrer.

Depois que a aula acaba, espero Peter do lado de fora do vestiário masculino enquanto planejo como vou explicar tudo. Vou começar com "Então, sobre hoje de manhã…", então vou dar uma risadinha, para mostrar o quanto aquilo foi hilário!

Peter é o último a sair. Ele deve ter tomado banho, pois o cabelo está molhado. É estranho os garotos tomarem banho na escola, porque as garotas nunca tomam. Eu me pergunto se têm cabines lá dentro ou só um monte de chuveiros juntos, sem privacidade.

— Oi — diz ele, quando me vê, mas continua seguindo pelo corredor.

Vou atrás dele.

— Então, sobre hoje de manhã… — começo a dizer, e dou uma risada.

Peter se vira para mim.

— Ah, é. O que foi tudo aquilo?

— Foi uma brincadeira idiota.

Peter cruza os braços e se recosta nos armários.

— Teve alguma coisa a ver com aquela carta que você mandou?

— Não. Quer dizer, sim. Mais ou menos.

— Olha — diz ele com gentileza. — Você até que é bonita. De um jeito peculiar. Mas a Gen e eu acabamos de terminar, e não estou a fim de namorar ninguém. Então...

Meu queixo cai. Peter Kavinsky está me dando um fora! Eu nem gosto dele, e ele está me dando um fora. E "peculiar"? Como sou "peculiar"? "Bonita de um jeito peculiar" é um insulto. Um grande insulto!

Ele ainda está falando, ainda está me olhando com gentileza.

— É claro que fico lisonjeado. O fato de você ter gostado de mim esse tempo todo... é legal, sabe?

Basta. Isso é demais.

— Eu não gosto de você — digo em voz alta. — Então você não tem motivo para se sentir lisonjeado.

Agora é a vez de Peter parecer surpreso. Ele olha ao redor para ver se alguém ouviu. Inclina-se para a frente e sussurra:

— Então por que você me beijou?

— Eu beijei você *porque* não gosto de você — explico, como se fosse óbvio. — As minhas cartas foram enviadas por alguém, entendeu? Não por mim.

— Espera um minuto. "Cartas?" Quantos de nós existem?

— Cinco. E o cara de quem eu realmente *gosto* também recebeu uma...

Peter franze a testa.

— Quem?

Por que devo contar alguma coisa a ele?

— Isso é... pessoal.

— Ei, acho que tenho o direito de saber, já que você me envolveu nesse pequeno drama — diz Peter, com uma expressão séria. — Se é que tem mesmo um cara.

— Claro que existe um cara! É Josh Sanderson.

— Ele não namora a sua irmã?

Eu assinto. Estou surpresa por ele saber isso. Eu não achava que Josh e Margot estivessem no radar dele.

Para todos os garotos que já amei

83

— Eles terminaram. Mas não quero que Josh saiba que ainda sinto alguma coisa por ele... por motivos óbvios. Então... eu disse para ele que você é meu namorado.

— Então você me usou para manter a dignidade?

— Tipo isso.

Precisamente.

— Você é engraçada.

Primeiro, sou bonita de um jeito peculiar; agora, sou engraçada. Sei o que isso quer dizer.

— De qualquer modo, obrigada por me ajudar, Peter. — Abro o que espero ser um sorriso convincente e dou meia-volta para ir embora. — Até mais!

Peter estica a mão e me segura pela mochila.

— Espera... Então o Sanderson acha que sou seu namorado, não é? O que você vai dizer para ele?

Tento me livrar dele, mas Peter não solta.

— Ainda não pensei nessa parte. Mas vou dar um jeito. — Eu levanto o queixo. — Sou peculiar assim.

Peter ri alto, com a boca bem aberta.

— Você é mesmo engraçada, Lara Jean.

21

Meu celular vibra ao meu lado. É Chris.

— É verdade?

Posso ouvi-la tragando um cigarro.

— O que é verdade?

Estou deitada na cama, de bruços. Minha mãe me dizia que, se meu estômago doesse, eu deveria deitar sobre ele, pois ficaria quente e melhoraria. Mas acho que não está ajudando. Meu estômago está embrulhado o dia todo.

— Você se jogou no Kavinsky e o beijou que nem uma doida?

Eu fecho os olhos e choramingo.

Eu queria poder dizer não, porque não sou o tipo de pessoa que faz isso. Mas eu fiz, então acho que sou. Mas meus motivos foram muito bons! Quero contar a verdade para Chris, mas a coisa toda é muito constrangedora.

— É. Eu corri até Peter Kavinsky e o beijei. Que nem uma doida.

Chris expira.

— Caramba!

— Pois é.

— Que diabos você estava pensando?

— Quer saber a verdade? Nem sei. Eu apenas... fiz.

— Merda. Eu não sabia que você era capaz de uma coisa dessas. Estou meio impressionada.

— Obrigada.

— Mas você sabe que a Gen vai vir atrás de você, né? Eles podem ter terminado, mas ela ainda acha que é dona dele.

Meu estômago despenca.

— É. Eu sei. Estou com medo, Chris.

— Vou fazer o que puder para proteger você, mas você sabe como a Gen é. É melhor se cuidar.

Chris desliga.

Sinto-me ainda pior do que antes. Se Margot estivesse aqui, provavelmente diria que escrever aquelas cartas foi sem sentido desde o começo e me daria uma bronca por ter contado uma mentira tão grande. Depois, ia me ajudar a encontrar uma solução. Mas Margot não está aqui, está na Escócia; e, pior do que isso, ela é a única pessoa com quem não posso conversar. Ela nunca, nunca, nunca pode saber o que já senti por Josh.

Depois de um tempo, saio da cama e vou para o quarto de Kitty. Ela está no chão, mexendo nas gavetas da cômoda. Sem erguer o olhar, ela pergunta:

— Você viu meu pijama de coração?

— Eu lavei ontem, então deve estar na secadora. Quer ver um filme e jogar Uno à noite?

Seria bom para me animar.

Kitty se levanta.

— Não posso. Vou ao aniversário de Alicia Bernard. Está na agenda.

— Quem é Alicia Bernard?

Eu me sento na cama desarrumada de Kitty.

— É a garota nova. Ela convidou todas as garotas da turma. A mãe dela vai fazer crepe no café da manhã. Você sabe o que é crepe?

— Sei.

— Já comeu? Ouvi falar que pode ser salgado ou doce.

— É, comi um com Nutella e morango uma vez.

Josh, Margot e eu fomos de carro até Richmond, porque Margot queria ir ao museu de Edgar Allan Poe. Almoçamos em uma cafeteria no centro, e foi isso que eu comi.

Os olhos de Kitty ficam grandes e gulosos.

— Espero que seja esse que a mãe dela vai fazer.

Em seguida, sai correndo, acho que para procurar o pijama na lavanderia no andar de baixo.

Pego o porco de pelúcia de Kitty e o aninho nos braços. Então até minha irmã de nove anos tem planos para sexta à noite. Se Margot estivesse aqui, iríamos ao cinema com Josh ou para o *happy hour* da Comunidade de Aposentados Belleview. Se meu pai estivesse em casa, talvez eu pudesse tomar coragem e pegar o carro dele, ou pedir para ele me levar, mas não posso nem fazer isso.

Depois que a carona de Kitty chega, volto para meu quarto e começo a organizar minha coleção de sapatos. Está um pouco cedo para trocar as sandálias por sapatos de inverno, mas troco assim mesmo porque fiquei com vontade. Penso em fazer o mesmo com as roupas, mas isso não é uma tarefa fácil. Então em vez disso me sento e escrevo uma carta para Margot no papel de carta que minha avó comprou na Coreia. É azul-claro com borda de ovelhas brancas fofinhas. Falo sobre a escola, sobre a professora nova de Kitty, sobre a saia lilás que comprei em um site japonês e que tenho certeza de que ela vai querer pegar emprestada, mas não conto nada importante.

Sinto tanta falta dela. Nada é o mesmo sem minha irmã. Estou vendo que o ano vai ser solitário, porque não tenho Margot, nem Josh, e estou sozinha. Tenho Chris, mas não de verdade. Queria ter mais amigos. Se eu tivesse mais amigos, talvez não precisasse fazer uma coisa tão idiota quanto beijar Peter K. no corredor e dizer para Josh que ele é meu namorado.

Para todos os garotos que já amei

22

ACORDO COM O BARULHO DO CORTADOR DE GRAMA.

É sábado de manhã, e não consigo voltar a dormir, então estou deitada na cama olhando para as paredes, com todas as fotos e coisas que guardei ao longo dos anos. Quero mudar um pouco o visual das coisas. Estou pensando em pintar o quarto. A única questão é: de que cor? Lilás? Rosa algodão-doce? Alguma coisa mais ousada, como turquesa? Talvez só uma parede? Talvez uma amarelo-calêndula, outra rosa-salmão. É muita coisa para pensar. Talvez seja melhor esperar Margot voltar para casa para tomar uma decisão tão importante. Além do mais, nunca pintei um quarto, e Margot já pintou, com o Habitat for Humanity. Ela vai saber o que fazer.

Aos sábados, costumamos ter alguma coisa gostosa no café da manhã, como panquecas ou *frittata* com batatas raladas congeladas e brócolis. Mas, como nem Kitty nem Margot estão em casa, como apenas cereal. Quem já ouviu falar de fazer panqueca ou *frittata* para uma pessoa só? Meu pai está acordado há horas; está lá fora, cortando a grama. Não quero ter que ir ajudar com as coisas do jardim, então me ocupo com a casa e limpo o primeiro andar. Passo pano, tiro o pó e limpo as mesas, e o tempo todo estou pensando em como vou sair dessa situação com Peter K. com pelo menos um resquício de dignidade. As engrenagens giram e giram, mas nenhuma boa solução me vem à cabeça.

Quando deixam Kitty em casa, estou dobrando as roupas limpas. Ela se deita no sofá de barriga para baixo.

— O que você fez ontem à noite? — pergunta ela.

— Nada. Só fiquei em casa.

— E?

— Arrumei meu armário. — É humilhante dizer isso em voz alta, então mudo logo de assunto. — A mãe da Alicia fez crepes salgados ou doces?

— Os dois. Primeiro comemos de presunto e queijo, depois de Nutella. Por que nunca compramos Nutella?

— Acho que é porque avelãs fazem a garganta da Margot coçar.

— Podemos comprar na próxima vez?

— Claro — respondo. — Só vamos ter que comer o pote inteiro antes da Margot voltar para casa.

— Sem problema — diz Kitty.

— Em uma escala de um a dez, quanto você sente falta dela? Kitty reflete.

— Seis e meio — responde ela, enfim.

— Só seis e meio?

— É, ando muito ocupada — explica, rolando e balançando as pernas no ar. — Não tive tempo de sentir falta da Margot. Sabe, se você saísse mais, talvez não sentisse tanta falta dela.

Jogo uma meia na cabeça de Kitty, que explode em uma crise de riso. Estou fazendo cócegas nas axilas dela quando nosso pai entra com uma pilha de cartas.

— Uma carta com devolução ao remetente chegou para você, Lara Jean — diz ele, me entregando o envelope.

É a minha letra! Eu me levanto e pego das mãos dele. É minha carta para Kenny, do acampamento. Ela voltou para mim!

— Quem é Kenny? — papai quer saber.

— Só um garoto que conheci no acampamento da igreja muito tempo atrás — digo, enquanto rasgo o envelope.

Querido Kenny,

Estamos no último dia de acampamento, e provavelmen-te é a última vez que vou ver você porque moramos

Para todos os garotos que já amei

muito longe um do outro. Lembra no segundo dia, quando eu estava com medo de usar o arco e você fez uma piada tão engraçada sobre sardinhas que eu quase fiz xixi na calça?

Paro de ler. Uma piada com *sardinhas*? Quão engraçado isso pode ter sido?

Eu estava com muita saudade de casa, mas você fez com que eu me sentisse melhor. Talvez até tivesse ido embora do acampamento mais cedo se não fosse por você, Kenny. Então, obrigada. Além do mais, você nada muito bem, e gosto da sua gargalhada. Queria que tivesse sido eu quem você beijou na fogueira ontem à noite, não Blaire H.

Se cuida, Kenny. Espero que tenha um bom fim de verão e uma ótima vida.

Com amor,
Lara Jean

Eu aperto a carta contra o peito.

Foi a primeira carta de amor que escrevi. Fico feliz de ela ter voltado para mim. Mas imagino que não seria tão ruim se Kenny Donati soubesse que ajudou duas pessoas naquele verão: o garoto que quase se afogou no lago e Lara Jean Song Covey, de doze anos.

23

QUANDO MEU PAI TIRA O DIA DE FOLGA, FAZ COMIDA COREANA.
Não é exatamente autêntica, às vezes ele apenas vai até o mercado
coreano e compra acompanhamentos prontos e carne marinada, mas
de vez em quando liga para nossa avó pedindo uma receita e tenta
fazer. Esta é a questão: papai tenta. Ele não diz nada, mas sei que é
porque não quer que a gente perca nossa ligação com o lado coreano
da família, e a comida é a única forma que ele tem de contribuir.
Depois que mamãe morreu, ele tentava nos fazer ir brincar com outras
crianças coreanas, mas era sempre constrangedor e forçado. A não ser
quando eu tive aquela quedinha por Edward Kim. Graças a Deus que
isso nunca evoluiu para um amor intenso, senão eu também teria
escrito uma carta para ele e precisaria evitar mais uma pessoa.

Meu pai fez *bo ssam*, que é paleta de porco fatiada e enrolada em
alface. Ele colocou a carne em salmoura na noite anterior com açúcar
e sal, e ela ficou no forno o dia todo. Kitty e eu ficamos vigiando; o
cheiro é muito bom.

Quando finalmente chega a hora do jantar, meu pai arrumou tudo
na mesa. Está lindo. Tem uma tigela prateada com folhas de alface
lisa recém-lavadas, ainda úmidas; uma tigela de vidro com *kimchi*, que
ele comprou no mercado; uma tigelinha com pasta de pimenta; molho shoyu com cebolinha e gengibre.

Meu pai está tirando fotos artísticas da mesa.

— Vou mandar uma foto para a Margot ver.

— Que horas são por lá? — pergunto a ele.

O dia está agradável; são quase seis da tarde e ainda estou de pijama. Abraço os joelhos, sentada na cadeira da sala de jantar que tem
apoio para os braços.

— Onze. Tenho certeza de que ela ainda está acordada — diz meu pai enquanto tira as fotos. — Por que você não convida o Josh? Vamos precisar de ajuda para acabar com toda essa comida.

— Ele deve estar ocupado — respondo na mesma hora.

Ainda não decidi o que vou dizer para ele sobre mim e Peter, muito menos sobre mim e ele.

— Por que não tenta mesmo assim? Ele adora comida coreana. — Meu pai muda a paleta de lugar, colocando-a no centro da mesa. — Anda logo, antes que meu *bo ssam* esfrie!

Finjo mandar uma mensagem de texto. Fico me sentindo um pouco culpada por mentir, mas papai entenderia se soubesse de todos os fatos.

— Não entendo por que vocês, adolescentes, mandam mensagem de texto em vez de apenas ligar. Você receberia uma resposta imediata, não precisaria esperar.

— Você é tão velho, pai. — Olho para o celular. — Josh não pode vir. Vamos comer. Kitty! Hora do jantar!

— Estou indo! — grita Kitty do andar de cima.

— Talvez ele passe aqui mais tarde e pegue um pouco do que sobrar — diz meu pai.

— Pai, Josh tem vida própria. Por que ele viria se Margot não está aqui? Além do mais, eles nem estão mais juntos, lembra?

Papai faz uma expressão confusa.

— O quê? Não estão?

Acho que Margot acabou não contando para ele. Mas era de se imaginar que ele tivesse percebido isso quando Josh não foi com a gente ao aeroporto se despedir de Margot. Por que os pais não sabem de nada? Ele não tem olhos e ouvidos?

— Não, não estão. A propósito, Margot está na faculdade na Escócia. E meu nome é Lara Jean.

— Entendi, seu pai não sabe de nada. Não precisa esfregar na minha cara. — Ele coça o queixo. — Caramba, eu poderia jurar que a Margot não chegou a comentar...

Kitty entra correndo na sala de jantar.

— Hum, hum, hum.

Ela se senta com tudo e começa a colocar a paleta de porco no prato.

— Kitty, temos que fazer a oração primeiro — diz meu pai, sentando-se na cadeira.

Só oramos quando comemos na sala de jantar, e só comemos na sala de jantar quando papai faz comida coreana ou no Dia de Ação de Graças e no Natal. Mamãe nos levava à igreja quando éramos pequenas, e, depois que ela morreu, papai tentou manter a tradição, mas ele às vezes tem plantão aos domingos e nós acabamos indo lá cada vez menos.

— Obrigado, Deus, por essa comida com a qual fomos abençoados. Obrigado pelas minhas filhas lindas e, por favor, cuide da Margot. Em nome de Jesus, amém.

— Amém — Kitty e eu ecoamos.

— Parece ótimo, não é? — Papai está sorrindo enquanto monta uma folha de alface com carne de porco, arroz e *kimchi*. — Kitty, você sabe fazer, não sabe? É como um pequeno taco.

Kitty assente e o imita.

Faço meu próprio taco de folha de alface e quase cuspo tudo fora. A carne de porco está muito, muito salgada. Tão salgada que dá vontade de chorar. Mas continuo mastigando; do outro lado da mesa, Kitty faz uma careta para mim, mas faço um gesto para ela não falar nada. Papai ainda não experimentou o dele; está tirando uma foto do prato.

— Está tão bom, pai — digo. — Igual ao do restaurante.

— Obrigado, Lara Jean. Ficou igual à foto. Não consigo acreditar em como a parte de cima está linda e crocante. — Meu pai finalmente dá uma mordida e franze a testa. — Está muito salgado para vocês?

— Não muito — minto.

Ele dá outra mordida.

— Está muito salgado. Kitty, o que você acha?

Kitty está bebendo água.

Para todos os garotos que já amei

93

— Não, está gostoso, papai.

Faço um sinal de positivo escondido para ela.

— Hum, não, está realmente salgado. — Ele engole. — Segui a receita ao pé da letra... Será que usei o tipo de sal errado para a salmoura? Lara Jean, experimente de novo.

Dou uma mordida minúscula e tento esconder minha reação colocando a alface na frente do rosto.

— Humm.

— Talvez, se eu cortar mais do meio...

Meu celular vibra na mesa. É uma mensagem de Josh. Estava voltando de uma corrida e vi a luz acesa na sala de jantar. Uma mensagem de texto normal, como se ontem não tivesse acontecido. Comida coreana??

Josh tem uma espécie de sexto sentido para quando meu pai está fazendo comida coreana, porque sempre chega bem na hora em que nos sentamos para comer. Ele ama comida coreana. Quando minha avó vem visitar, ele não sai do lado dela. Até vê novelas coreanas com ela. Vovó corta pedaços de maçã e descasca tangerinas para ele como se Josh fosse um bebê. Minha avó gosta mais de garotos do que de garotas.

Agora que estou pensando melhor, todas as mulheres da minha família amam Josh. Exceto minha mãe, que não o conheceu. Mas tenho certeza de que ela também o amaria. Mamãe amaria qualquer um que fosse tão bom para Margot quanto Josh é... era.

Kitty estica o pescoço para olhar meu celular.

— É o Josh? Ele vem?

— Não!

Coloco o celular na mesa, e ele vibra de novo.

Posso ir aí?

— Ele está perguntando se pode vir! — exclama Kitty.

Meu pai se anima.

— Diga para ele vir! Quero a opinião dele sobre o *bo ssam*.

— Escutem, todo mundo nessa família precisa aceitar que Josh não faz mais parte dela. Ele e Margot não são mais... — Eu hesito. Kitty ainda não sabe? Não consigo lembrar se é para ser segredo. — Quer dizer, agora que Margot está na faculdade e eles estão distantes...

— Eu sei que eles terminaram — diz Kitty, enrolando apenas arroz na alface. — A Margot me contou pelo computador.

Do outro lado da mesa, meu pai faz uma cara triste e coloca um pedaço de alface na boca.

— Só não entendo por que não podemos ser amigos dele — continua ela, com a boca cheia. — Ele é nosso amigo também. Não é, papai?

— É — concorda ele. — E olhem, os relacionamentos são incrivelmente amorfos. Eles podem voltar. Podem ficar amigos. Quem pode dizer o que vai acontecer no futuro? Eu acho que não devemos excluir Josh ainda.

Quando estamos quase terminando o jantar, recebo outra mensagem de Josh. Deixa pra lá.

Somos obrigados a comer a paleta de porco salgada durante o restante do fim de semana. Na manhã seguinte, meu pai faz bolinhos de arroz, corta a carne de porco em pedacinhos e diz para "fingirmos que é bacon". No jantar, testo essa teoria misturando com macarrão com queijo, mas acabo jogando tudo fora porque fica com gosto de gororoba.

— Se tivéssemos um cachorro... — Kitty fica dizendo.

Acabo fazendo uma porção de macarrão comum.

Depois do jantar, levo Sadie para dar uma volta; ela é um golden retriever que mora na nossa rua. Os Shah vão passar a noite fora da cidade e me pediram para dar comida para Sadie e passear com ela. Normalmente, Kitty imploraria para fazer isso, mas ela quer ver um filme que vai passar na tevê.

Sadie e eu estamos fazendo o caminho de sempre até a rua sem saída quando Josh corre até nós usando roupas de ginástica. Ao se agachar e fazer carinho em Sadie, ele pergunta:

— E aí, como estão as coisas com o Kavinsky?

Para todos os garotos que já amei

Engraçado você mencionar isso, Josh. Porque tenho uma história na ponta da língua. Peter e eu tivemos uma briga pelo telefone hoje de manhã (caso Josh tenha reparado que não saí de casa o fim de semana todo) e terminamos, e estou arrasada porque amo Peter Kavinsky desde o sétimo ano, mas *c'est la vie*.

— Na verdade, nós terminamos hoje de manhã. — Eu mordo o lábio e tento parecer triste. — É muito difícil, sabe? Depois de gostar dele por tanto tempo, Peter finalmente estava gostando de mim também. Mas não era para ser. Acho que ele ainda não superou a Genevieve, talvez ela ainda tenha uma influência muito forte sobre o Peter. Não deve ter sobrado espaço no coração dele para mim.

Josh me olha de um jeito estranho.

— Não foi o que ele disse hoje na McCalls.

Que diabos Peter K. estava fazendo em uma livraria? Ele não é do tipo que frequenta livrarias.

— O que ele disse?

Eu tento parecer casual, mas meu coração bate com tanta força que tenho certeza de que Sadie pode ouvir.

Josh continua fazendo carinho na cadela.

— O que ele disse? — Agora estou apenas tentando não parecer histérica. — Tipo, o que ele disse exatamente?

— Quando estava fechando a compra, perguntei a ele quando vocês começaram a sair, e Peter disse que foi recentemente. E que gostava muito de você.

O quê...

Devo parecer tão chocada quanto me sinto, porque Josh se levanta e diz:

— Eu fiquei meio surpreso também.

— Você ficou surpreso por ele gostar de mim?

— É, mais ou menos. O Kavinsky não é do tipo que namoraria uma garota como você. — Fico olhando para ele com uma expressão fechada e séria, e Josh tenta consertar na mesma hora. — Quer dizer, porque você não é, sabe...

— Não sou o quê? Bonita como a Genevieve?

— Não! Não é isso que quero dizer. Você é uma garota doce e inocente que gosta de passar o tempo com a família e, sei lá, acho que o Kavinsky não parece o tipo de cara que ia gostar disso.

Antes que ele possa falar qualquer outra coisa, tiro o celular do bolso da jaqueta.

— É o Peter me ligando, então acho que ele gosta sim de garotas caseiras.

— Eu não disse caseira! Eu disse que você gosta de ficar em casa!

— Tchau, Josh. — Eu saio andando rápido, arrastando Sadie comigo. Ao celular, digo: — Oi, Peter.

24

Na aula de química, Peter se senta na fileira na frente da minha.

Escrevo um bilhete para ele. *Por que você disse ao Josh que nós...* Eu hesito e termino com *temos alguma coisa?*

Chuto a cadeira dele. Peter se vira e eu entrego o bilhete. Ele se encolhe na mesa para ler; em seguida, vejo-o escrever. Ele se vira na cadeira e solta o bilhete na minha mesa sem me olhar.

Alguma coisa? Haha.

Pressiono o lápis com tanta força que a ponta quebra. *Por favor, responda a pergunta.*

Conversamos depois.

Dou um suspiro frustrado, e Matt, meu parceiro de laboratório, me olha de um jeito estranho.

Depois da aula, Peter é arrastado pelos amigos; eles saem em um grupo enorme. Estou arrumando a mochila quando ele volta, sozinho. Peter se senta na minha mesa.

— Sobre o que você quer conversar? — pergunta, de maneira muito casual.

Eu limpo a garganta.

— Por que você disse ao Josh que nós estávamos... — Quase digo "tendo alguma coisa" de novo, mas mudo para "juntos".

— Não sei por que está tão chateada. Fiz um favor a você. Eu poderia ter desmentido a sua história.

Hesito. Ele tem razão. Poderia.

— E por que não fez isso?

— Você tem mesmo um jeito engraçado de agradecer. De nada, aliás.

Automaticamente, eu retruco:

— Obrigada. — Espere. Por que estou agradecendo? — Aprecio o fato de ter me deixado beijar você, mas...

— De nada — diz ele de novo.

Argh! Ele é tão insuportável. Só por isso, tenho vontade de irritá-lo.

— Foi... muita generosidade de sua parte me deixar fazer isso. Mas já expliquei para o Josh que não vai dar certo entre nós porque a Genevieve tem você na palma da mão dela, então está tudo bem. Já pode parar de fingir.

Peter olha para mim, irritado.

— Não estou na palma da mão de ninguém.

— Como não? Vocês estão juntos desde o sétimo ano. Você é praticamente propriedade dela.

— Você não sabe o que está dizendo — debocha Peter.

— Houve um boato no ano passado de que ela obrigou você a fazer uma tatuagem com as iniciais dela na bunda como presente de aniversário. — Eu faço uma pausa. — E aí, você fez?

Eu estico a mão e finjo que vou levantar a parte de trás da camisa dele. Peter dá um grito e pula, e tenho um ataque de risos.

— Você tem *mesmo* uma tatuagem!

— Eu não tenho tatuagem! — grita ele. — E nem estamos mais juntos, então pode parar com essa merda? Nós terminamos. Acabou. Não quero mais saber dela.

— Espera, não foi *ela* que terminou com *você*?

Peter me olha de cara feia.

— Foi uma decisão mútua.

— Bem, tenho certeza de que vocês vão voltar logo, logo. Você e Gen já terminaram antes, não é? Só para voltarem de novo, tipo, imediatamente. Deve ser porque foi o primeiro namoro dos dois. É por isso que não conseguem se largar. Ouvi falar que todo mundo se sente assim em relação às pessoas com quem tem a primeira vez, principalmente para vocês, garotos.

Para todos os garotos que já amei

O queixo de Peter cai.

— Como você sabe…?

— Ah, todo mundo sabe. Vocês fizeram aquilo no meio do nono ano, no porão dos pais dela, não foi?

Ele assente, contrariado.

— Está vendo? Até eu sei, e sou uma ninguém. Mesmo se vocês terminarem de verdade dessa vez, o que eu duvido muito, acho difícil que outra garota possa namorar você. — Com malícia, completo: — Não vamos esquecer o que aconteceu com Jamila Singh.

Peter e Genevieve terminaram por um mês no ano passado, e Peter começou a sair com Jamila Singh. Jamila talvez fosse até mais bonita do que Genevieve, ou tão bonita quanto, mas de um jeito diferente. Ela era mais curvilínea. Tinha cabelo preto comprido e ondulado, a cintura fina e uma bunda enorme. Vamos apenas dizer que as coisas não terminaram bem para ela. Não só Genevieve a expulsou do grupo, mas disse para todo mundo que a família de Jamila tinha um escravo indonésio morando com eles quando na verdade era só o primo dela. E tenho quase certeza de que foi Genevieve quem iniciou um boato na internet de que Jamila só lavava o cabelo uma vez por mês. A gota d'água foi quando os pais de Jamila receberam um e-mail anônimo dizendo que ela estava transando com Peter. Os pais de Jamila a transferiram na mesma hora para um colégio particular. Genevieve e Peter já estavam juntos de novo no baile de primavera.

— A Gen disse que não teve nada a ver com aquilo.

Olho para ele com expressão de *Sério?*.

— Por favor, Peter. Eu a conheço bem, e você também. Bem, eu a conhecia bem. Mas acho que as pessoas não mudam a essência. Elas são quem são.

— É mesmo — diz ele, lentamente. — Vocês duas costumavam ser melhores amigas.

— Nós éramos amigas — concordo. — Eu não diria melhores amigas, mas… — Espere um minuto, por que estamos falando de mim de novo? — Todo mundo sabe que foi a Genevieve quem contou para os pais da Jamila. Não precisa ser um detetive para descobrir que a Gen sentia ciúmes dela. Com exceção de Genevieve, a Jamila era a garota mais bonita do nosso ano. A Gen sempre foi muito ciumenta. Eu me lembro de uma vez em que meu pai comprou uma...

Peter está me encarando com um olhar pensativo, e de repente fico nervosa.

— O que foi?

— Vamos fazer isso por um tempinho.

— Fazer o quê?

— Deixar as pessoas pensarem que somos um casal.

Espera... o quê?

— A Gen está ficando maluca por não saber o que está rolando entre nós. Por que não a deixamos sem saber mais um tempinho? Na verdade, isso é perfeito. Você me namora, e a Gen vai perceber que acabou tudo entre nós. E vai ser você quem vai romper o lacre. — Ele levanta uma sobrancelha para mim. — Você sabe o que é romper o lacre?

— Claro que sei o que é.

Eu não faço ideia do que é. Faço uma anotação mental para perguntar a Chris na próxima vez que nos encontrarmos.

Peter se aproxima de mim, e eu recuo. Ele ri, inclina a cabeça para o lado e coloca as mãos nos meus ombros.

— Então rompa meu lacre.

Eu solto uma gargalhada nervosa.

— Ha-ha, desculpa, Peter, mas não estou interessada em você.

— Exatamente. Eu também não estou interessado em você. Nem um pouco. — Peter estremece. — E aí, o que me diz?

Mexo os ombros para ele me soltar.

— Ei, eu acabei de explicar que a Gen destrói qualquer garota que se aproxima de você!

— A Gen só sabe falar. Ela nunca faria nada contra ninguém. Você só não a conhece como eu conheço. — Como não digo nada, ele encara meu silêncio como encorajamento e continua: — Isso também

Para todos os garotos que já amei

ajudaria você, sabia? Com aquele garoto, Josh. Você não estava toda preocupada de ficar sem graça na frente dele? Isso pode salvar você de mais humilhação. Afinal, por que você ficaria com ele quando pode ficar comigo? Bem, fingir estar comigo. Mas vão ser só negócios. Não quero saber de você se apaixonando por mim também.

Sinto um grande prazer ao olhar seu rosto de Garoto Bonito e dizer docemente:

— Peter, eu não quero nem ser sua namorada de mentira, muito menos de verdade.

Ele pisca, sem entender.

— Por que não?

— Você leu minha carta. Você não é meu tipo. Ninguém ia acreditar que gosto de você.

— Você é que sabe. Só estou tentando fazer um favor para nós dois. — Ele dá de ombros e olha por cima da minha cabeça, como se estivesse entediado com a conversa. — Mas o Josh com certeza acreditou.

Em um piscar de olhos, sem nem pensar, eu disparo:

— Tudo bem. Vamos fazer isso.

Horas mais tarde, ainda naquela noite, estou deitada na cama, ainda pensando em tudo aquilo. No que as pessoas vão dizer quando me virem andando pelo corredor com Peter Kavinsky.

25

NA MANHÃ SEGUINTE, PETER ESTÁ ME ESPERANDO NO ESTACIONA-mento quando desço do ônibus.

— Oi — diz ele. — Você vai mesmo pegar o ônibus todos os dias?

— Meu carro está no conserto, lembra? A batida?

Peter suspira como se o fato de eu pegar o ônibus para ir à escola fosse ofensivo para ele. Em seguida, segura minha mão, e andamos juntos para a escola.

É a primeira vez que ando pelo corredor do colégio de mãos dadas com um garoto. Devia parecer importante, especial, mas não parece, porque não é real. Na verdade, não sinto nada.

Emily Nussbaum fica nos encarando quando passamos. Emily é a melhor amiga de Gen. Ela olha tão intensamente que fico surpresa de não tirar uma foto com o celular para mandar para ela.

Peter diz oi para as pessoas, e eu fico ali sorrindo como se fosse a coisa mais natural do mundo. Eu e Peter Kavinsky.

Em determinado momento, tento soltar a mão da dele, porque minha palma está começando a ficar suada, mas ele aperta mais.

— Sua mão é quente demais — sussurro.

— Não, a sua que é — responde Peter entredentes.

Tenho certeza de que as mãos de Genevieve nunca suam. Ela provavelmente poderia ficar de mãos dadas durante dias sem que elas ficassem quentes.

Quando chegamos ao meu armário, finalmente soltamos as mãos para eu deixar os livros lá dentro. Estou fechando a porta quando Peter se inclina para me beijar na boca. Levo um susto tão grande que viro a cabeça e batemos as testas.

— Ai!

Peter massageia a testa e olha para mim com irritação.

— Por que chegou assim de fininho?!

Minha testa também está doendo. Batemos com força, como címbalos. Se erguesse o olhar agora, eu veria passarinhos azuis de desenho animado.

— Fale baixo, pateta — resmunga ele.

— Não me chame de pateta, pateta — respondo, também sussurrando.

Peter dá um grande suspiro, como se estivesse muito bravo. Estou prestes a dizer que é culpa dele, não minha, quando vejo Genevieve vindo pelo corredor.

— Tenho que ir — digo, e saio correndo na direção oposta.

— Espere! — grita Peter.

Mas continuo correndo.

Estou deitada na cama com o travesseiro no rosto, revivendo aquela terrível tentativa de beijo. Fico tentando bloquear a lembrança, mas ela não para de voltar.

Coloco a mão na testa. Acho que não consigo fazer isso. É tudo tão… O beijo, as mãos suadas, todo mundo olhando. É demais.

Vou ter que dizer para ele que mudei de ideia e não quero mais fazer isso e pronto. Não tenho o número do celular dele e não quero falar sobre isso por e-mail. Vou ter que ir até a casa dele. Não é longe, ainda lembro o caminho.

Desço a escada correndo e passo por Kitty, que está equilibrando um prato com biscoitos recheados e um copo de leite em uma bandeja.

— Vou pegar sua bicicleta emprestada! — grito ao passar correndo por ela. — Volto logo!

— Não quero ver nenhum arranhão nela! — grita Kitty em resposta.

Pego o capacete e a bicicleta de Kitty e saio em disparada pelo quintal, pedalando o mais rápido que posso. Meus joelhos estão quase na altura do peito, mas não sou tão mais alta do que Kitty, então não é tão desconfortável. Peter mora a dois bairros de distância. Demoro menos de vinte minutos para chegar lá.

Quando chego, não tem nenhum carro na entrada da garagem. Peter não está em casa. Meu coração despenca. O que vou fazer agora? Esperar sentada na varanda como se fosse uma stalker? E se a mãe dele chegar primeiro?

Tiro o capacete e me sento por um minuto para descansar. Meu cabelo está úmido e suado do exercício, e estou exausta. Tento ajeitá-lo com os dedos. É uma causa perdida.

Quando decido mandar uma mensagem de texto para Chris para ver se ela pode me buscar, o carro de Peter surge na rua e entra na garagem. Derrubo o celular e me abaixo para pegar, desajeitada.

Peter sai do carro e ergue as sobrancelhas para mim.

— Vejam quem está aqui. Minha querida namorada.

Eu me levanto e aceno para ele.

— Posso falar com você um minuto?

Ele coloca a mochila no ombro e se aproxima devagar. Senta-se no degrau da frente como um príncipe no trono, e eu fico de pé diante dele, com o capacete em uma das mãos e o celular na outra.

— E aí? — diz ele. — Deixa eu adivinhar. Você quer dar para trás, certo?

Ele é tão arrogante, tão convencido. Não quero dar a ele a satisfação de estar certo.

— Eu só queria conversar sobre o plano — digo, me sentando. — Combinar nossa história antes que as pessoas comecem a fazer perguntas.

Ele ergue as sobrancelhas.

— Ah. Tudo bem. Faz sentido. E como *foi* que ficamos juntos?

Eu junto as mãos na frente do corpo e recito:

— Quando me envolvi naquele acidente semana passada, você estava passando de carro por acaso e esperou o reboque comigo, depois me levou para casa. Você ficou nervoso o tempo todo porque tinha uma queda por mim desde o fundamental. Seu primeiro beijo foi comigo. Essa era sua grande chance...

— *Meu* primeiro beijo foi com *você*? — interrompe ele. — Que tal o *seu* primeiro beijo foi *comigo*? É bem mais crível.

Eu o ignoro e continuo:

— Essa era sua grande chance. Você decidiu aproveitar: me convidou para sair naquele mesmo dia, e, a partir de então, passamos a nos ver sempre, somos basicamente um casal.

— Acho que a Gen não vai cair nessa — diz ele, balançando a cabeça.

— Peter — falo com a voz mais paciente do mundo —, as mentiras mais críveis são as que têm pelo menos um pouco de verdade. Eu sofri mesmo o acidente de carro; você realmente parou e me fez companhia; nós nos beijamos no ensino fundamental.

— Não é isso.

— Então o que é?

— Gen e eu ficamos juntos naquele dia, depois que me encontrei com você.

Eu suspiro.

— Tudo bem. Me poupe dos detalhes. Mas minha história ainda funciona. Depois do acidente, você não conseguiu me tirar da cabeça, então me chamou para sair assim que a Genevieve chutou... quer dizer, assim que vocês terminaram. — Eu pigarreio. — E já que estamos falando nisso, eu também gostaria de estabelecer umas regras.

— Que tipo de regras? — pergunta ele, se inclinando.

Eu comprimo os lábios e respiro fundo.

— Bem... não quero que você tente me beijar de novo.

Peter dá um meio sorriso.

— Pode acreditar, eu também não quero. Minha testa está doendo desde hoje de manhã. Acho que estou com um hematoma. — Ele tira a franja da testa. — Você está vendo um hematoma?

— Não, mas vejo um indício de calvície.

— O *quê*?

Rá. Eu sabia que isso ia deixá-lo preocupado. Peter é tão vaidoso.

— Calma, só estou brincando. Você tem papel e caneta?

— Você vai escrever?

— Vai nos ajudar a lembrar — explico, com presunção.

Peter revira os olhos, enfia a mão na mochila, tira um caderno e o entrega para mim. Abro em uma página em branco, escrevo no topo *Contrato* e, logo abaixo, *Nada de beijo.*

— As pessoas vão mesmo acreditar se nunca nos tocarmos em público? — pergunta Peter com uma expressão cética.

— Acredito que relacionamentos não se resumem à parte física. Há várias formas de mostrar que você gosta de alguém sem usar os lábios. — Peter está sorrindo e parece prestes a fazer uma piadinha, então acrescento rapidamente: — Ou qualquer outra parte do corpo.

Ele resmunga.

— Você tem que me dar alguma coisa para trabalhar, Lara Jean. Tenho uma reputação. Nenhum dos meus amigos vai acreditar que de repente virei um padre para namorar você. Posso pelo menos botar a mão no bolso de trás da sua calça? Vai ser puramente profissional, prometo.

Não falo o que estou pensando, que ele se importa demais com o que as pessoas pensam dele. Só concordo e escrevo: *Peter tem permissão para colocar a mão no bolso de trás da calça de Lara Jean.*

— Mas nada de beijo — insisto, com a cabeça abaixada para ele não me ver corar.

— Foi você que começou — ele me lembra. — Além disso, não tenho herpes. Não precisa se preocupar.

— Eu não acho que você tem herpes. — Eu olho para ele. — A questão é que… eu nunca tive namorado. Nunca saí com um garoto, nem andei de mãos dadas pelo corredor. Isso tudo é novidade para mim, então peço desculpas pela testa hoje de manhã. Eu só… queria que todas essas coisas estivessem acontecendo pela primeira vez de verdade, e não com você.

Para todos os garotos que já amei

Peter parece pensar no assunto.

— Tudo bem. Vamos deixar algumas coisas de lado, então.

— Sério?

— Claro. Vamos deixar algumas coisas para você fazer quando for para valer, não fingimento.

Fico sensibilizada. Quem poderia imaginar que Peter seria tão atencioso e generoso?

— Por exemplo, não vou pagar nada para você. Vou deixar isso para um cara que goste de você de verdade.

Meu sorriso some.

— Eu não estava esperando que você pagasse nada!

Peter pega o embalo.

— E não vou levar você até a sala de aula nem comprar flores.

— Já entendi. — Parece que Peter está mais preocupado com a carteira dele do que comigo. Ele é tão pão-duro. — Quando você estava com a Genevieve, que tipo de coisas ela gostava que você fizesse?

Fico com medo de ele aproveitar a oportunidade para fazer uma piada, mas ele só olha para o nada e diz:

— Ela sempre ficava me enchendo o saco para escrever bilhetes.

— Bilhetes?

— É, na escola. Eu não entendia por que não podia simplesmente mandar uma mensagem de texto. É imediato, eficiente. Por que não usar a tecnologia disponível para isso?

Isso eu entendia perfeitamente. Genevieve não queria bilhetes. Ela queria cartas. Cartas de verdade, escritas à mão em papel, que ela pudesse segurar e guardar e reler sempre que desse vontade. Eram provas sólidas e tangíveis de que alguém estava pensando nela.

— Vou escrever um bilhete para você todos os dias — diz Peter de repente, empolgado. — Isso vai deixar a Genevieve louca.

Eu anoto *Peter vai escrever um bilhete para Lara Jean todos os dias*.

— Anota aí que você precisa ir a algumas festas comigo. E nada de comédias românticas.

— Quem falou sobre comédias românticas? Nem toda garota gosta de comédias românticas.

— Dá para perceber que você é o tipo de garota que gosta.

Fico irritada por ele ter essa percepção de mim, e ainda mais irritada por ele estar certo. Escrevo *NADA DE FILMES DE AÇÃO IDIOTAS*.

— O que sobrou, então? — pergunta Peter.

— Filmes de super-herói, filmes de terror, filmes de época, documentários, filmes estrangeiros...

Peter faz uma careta, pega a caneta e o papel da minha mão e escreve *NADA DE FILMES ESTRANGEIROS*. E depois *Lara Jean vai botar a foto de Peter como papel de parede do celular*.

— E vice-versa! — Eu viro o celular para ele. — Sorria.

Peter sorri, e, argh, como a beleza dele é irritante. Ele pega o celular, mas eu o impeço.

— Agora não. Meu cabelo está suado e nojento.

— Tem razão — concorda Peter, e tenho vontade de dar um soco nele.

— Anote aí também que nenhum de nós pode falar a verdade sob nenhuma circunstância — peço a ele.

— A primeira regra do Clube da Luta.

— Nunca vi esse filme.

— Claro que não — comenta ele, e faço uma careta.

Além disso: nota mental, ver *Clube da Luta*.

Peter escreve, e eu me sento ao lado dele e pego a caneta para sublinhar "sob nenhuma circunstância" duas vezes.

— E o prazo? — pergunto de repente.

— Como assim?

— Por quanto tempo vamos fazer isso? Duas semanas? Um mês?

Peter dá de ombros.

— Pelo tempo que der vontade.

— Mas... você não acha que deveríamos ter alguma coisa combinada...

Ele me interrompe:

Para todos os garotos que já amei

— Você precisa relaxar, Lara Jean. A vida não precisa ser tão *planejada*. Deixe rolar e veja o que acontece.

Eu suspiro.

— Palavras de sabedoria do grande Kavinsky. — Peter ergue as sobrancelhas para mim. — Desde que acabe antes de a minha irmã voltar para o Natal. Ela sempre sabe quando estou mentindo.

— Ah, com certeza isso já vai ter terminado até lá — assegura ele.

— Que bom — digo, e assino o papel.

Ele também assina, e temos nosso contrato.

Sou orgulhosa demais para pedir carona, e Peter não oferece, então coloco o capacete e volto com a bicicleta de Kitty para casa. Estou na metade do caminho quando me dou conta de que não trocamos números de celular. Eu nem sei o número do celular do meu suposto namorado.

26

ESTOU NA McCALLS COMPRANDO UM EXEMPLAR DE *À MARGEM da vida* para a aula de inglês e dando uma olhada na livraria, procurando por Josh. Peter e eu temos tudo planejado, e posso me gabar à vontade. Agora ele vai ver só por achar que sou uma garota caseira que nenhum garoto iria querer namorar.

Eu o vejo arrumando uma estante na seção de não ficção. Ele não me vê, então me aproximo sorrateiramente por trás e grito:

— Bu!

Ele dá um pulo e larga um livro no chão.

— Que susto!

— Era esse o objetivo, Josh!

Estou tendo um ataque de riso. A cara dele! Eu me pergunto: por que é tão engraçado se aproximar sorrateiramente e assustar as pessoas?

— Tudo bem, tudo bem. Pode parar de rir. O que você veio fazer aqui?

Eu levanto o livro e o balanço na frente do rosto dele.

— Meu professor de inglês é o sr. Radnor. Você teve aula com ele, não teve?

— Tive, ele é bom. Rigoroso, mas justo. Ainda tenho as anotações, se você quiser.

— Obrigada. — Com alegria, acrescento: — Adivinha. Peter e eu não terminamos, no fim das contas. Foi só um mal-entendido.

— Ah, é?

Josh começa a colocar os livros na prateleira.

— É. Nos encontramos ontem e conversamos por muito, muito tempo. Sinto que posso conversar com ele sobre qualquer coisa, sabe? Ele realmente me entende.

Josh franze a testa.

— Sobre o que vocês conversam?

— Ah, tudo. Filmes, livros, essas coisas.

— Ah. Ele não parece ser o tipo de cara que gosta de ler. — Josh aperta os olhos e espia por cima do meu ombro. — Ei, tenho que ajudar a Janice no balcão. Quando estiver pronta para pagar, vá até o meu caixa que eu dou um desconto.

Hum, essa não era exatamente a reação que eu esperava. Quase não pude me gabar.

— Combinado — respondo, mas ele já está se afastando.

Abraço o livro no peito. Agora que Josh sabe que não estou mais apaixonada por ele e que estou namorando Peter, acho que tudo vai voltar ao normal. Como se ele nunca tivesse recebido minha carta.

27

— A MARGOT LIGOU QUANDO VOCÊ ESTAVA NA RUA — DIZ MEU pai, durante o jantar.

Estamos comendo salada. Salada para mim e para papai e cereal para Kitty. Era para ser peito de frango, mas esqueci de tirar do freezer de manhã, então só tem alface, cenoura e molho de vinagre balsâmico. Papai está incrementando a dele com dois ovos cozidos, e eu, com uma torrada amanteigada. Que jantar. Cereal e alface. Preciso ir ao mercado logo.

Desde que Margot foi embora, só falei com ela duas vezes, e uma delas foi com todos nós reunidos ao redor do meu laptop. Não consegui perguntar sobre as coisas boas, a vida de verdade, as aventuras que ela tem vivido e as pessoas que está conhecendo. Acho que ouvi falar que os escoceses bebem absinto nos pubs. Eu me pergunto se ela já experimentou. Mandei vários e-mails para Margot, mas só recebi uma resposta até agora. Entendo que ela está ocupada, mas o mínimo que ela podia fazer é responder uma vez por dia. Até onde ela sabe, eu poderia estar morta em uma vala.

— O que ela disse? — pergunto enquanto corto minha cenoura em pedacinhos pequenos.

— Ela está pensando em entrar para o time de *shinty* — diz papai, limpando molho de salada do queixo.

— O que é *shinty*? — Kitty me pergunta, e eu dou de ombros.

— É um esporte escocês parecido com hóquei na grama — explica papai. — Começou como um treino seguro de lutas com espada na Escócia medieval.

Chato. Antes que papai possa começar a falar mais sobre a Escócia medieval, eu digo:

— Que tal mandarmos um pacote especial para a Gogo? Com coisas que ela não encontra por lá.

— Vamos! — exclama Kitty com alegria.

— O que podemos mandar? — pergunto. — Acho que todos devemos contribuir com alguma coisa.

Papai mastiga e bate com o dedo no queixo.

— Vou mandar umas vitaminas — diz ele. — E Advil. Acho que ela só levou um vidro pequeno, e vocês sabem que ela tem enxaqueca às vezes.

— Concordo. — Aponto para Kitty com o garfo. — E você?

— Tem uma coisa que quero mandar — fala Kitty. — Posso ir pegar?

Papai e eu nos entreolhamos e damos de ombros.

— Claro.

Kitty volta correndo com um desenho que fez de Margot. Fazendo carinho em um cachorro da mesma raça que Kitty quer. Um akita. Não consigo segurar uma gargalhada.

Kitty franze a testa.

— Qual é a graça?

— Nada.

— Você acha que ficou bom? — pergunta ela. — Bom o bastante para ela pendurar na parede?

— Sem dúvida — respondo.

— Não, quero que você olhe de verdade. Que faça uma crítica. Sempre posso fazer melhor. A Margot não vai querer se não for meu melhor trabalho.

— Kitty, não tenho dúvida de que é — digo. — Por que eu mentiria?

Ela suspira.

— Só não sei se já está terminado.

— Só o artista sabe — comenta papai, assentindo com sabedoria.

— O que você acha do cachorro? — pergunta Kitty para ele. — Não é fofo?

Papai pega o desenho da minha mão e olha com atenção.

— Sim, o cachorro é mesmo bonito.

— Eu também sou oriental — diz ela.

Kitty volta a se sentar, come uma colherada de cereal e tenta não sorrir. Ela está usando a estratégia de plantar associações positivas sobre cachorros na cabeça de papai. Ela é incansável. Está sempre tentando uma abordagem nova.

— O que mais vai entrar no pacote? — Kitty quer saber.

Começo a falar e a contar nos dedos.

— Absorventes internos, porque não sei se tem a marca que a gente gosta na Escócia, um pijama de flanela, meias grossas, biscoitos das escoteiras...

— Onde vamos conseguir biscoitos das escoteiras nessa época do ano? — pergunta papai.

— Tenho uma caixa de biscoitos de chocolate com menta escondida no freezer.

Ele me olha com mágoa.

— Escondida de quem?

Chocolate com menta é o sabor favorito dele. Se houver biscoito sabor chocolate com menta em casa, pode esquecer. Papai é o monstro dos biscoitos de chocolate com menta.

Dou de ombros, sem responder.

— Também vou mandar a caneta favorita da Margot e... acho que só.

— Não se esqueça das botas marrons dela — lembra papai. — Ela pediu para enviarmos os coturnos marrons.

— Pediu? — Eu estava torcendo para Margot não ter reparado que as deixou em casa. — Quando ela disse isso?

— Ela me mandou um e-mail ontem.

— Vou ver se consigo encontrar.

— Você não usou no fim de semana? — pergunta papai.

— Estão no seu armário — comenta Kitty, na mesma hora.

Eu levanto as mãos.

Para todos os garotos que já amei

115

— Tudo bem, tudo bem!

— Se você montar a caixa hoje, posso deixá-la no correio amanhã de manhã quando estiver indo para o trabalho — oferece papai.

Eu balanço a cabeça.

— Quero mandar o cachecol que estou tricotando, e não vai ficar pronto a tempo. Talvez daqui a uma ou duas semanas.

Enquanto toma o leite, Kitty balança a mão e aconselha:

— Desiste logo do cachecol. Tricô não é seu forte.

Abro a boca para discutir, mas fecho. Talvez ela esteja certa. Se esperarmos meu cachecol ficar pronto para mandar a caixa, Margot provavelmente já vai ter terminado a faculdade.

— Tudo bem — concordo. — Vamos mandar a caixa sem o cachecol. Mas não estou dizendo que vou desistir do tricô. Vou continuar tricotando para o cachecol ser seu presente de Natal, Kitty. — Dou um sorriso doce para ela. — É rosa. Sua cor favorita.

Kitty arregala os olhos, horrorizada.

— Ou para Margot. Você pode dar para a Margot.

Kitty enfia um pedaço de papel por baixo da minha porta naquela noite. É a lista de Natal dela. Estamos em setembro, ainda faltam meses para o Natal! "Filhote" está escrito no alto em letras de forma. Ela também quer uma colônia de formigas, um skate e uma tevê no quarto dela. É, a tevê não vai rolar. Mas posso comprar a colônia. Ou talvez possa convencer papai a comprar o cachorrinho. Ela não disse nada, mas acho que sente muita falta de Margot. De certa forma, Margot é a única mãe que ela conheceu. Deve ser difícil para Kitty estar tão longe dela. Vou ter que me lembrar de ser mais paciente, mais atenciosa. Ela precisa de mim agora.

Vou até o quarto dela e deito na cama. Ela acabou de apagar a luz, mas já está bem sonolenta.

— Que tal um gatinho? — sussurro.

Ela abre os olhos.

— De jeito nenhum.

— Você não acha que nossa família combina mais com um gatinho? — Em um tom sonhador, acrescento: — Um gatinho cinza e branco peludo com rabo bem fofinho. Poderíamos dar o nome de Príncipe se for macho. Ah, ou Gandalf, o Cinzento! Não seria fofo? Ou, se for fêmea, talvez Agatha. Ou Tilly. Ou Boss. Depende muito da personalidade dela.

— Para. Não vamos ter um gato. Gatos são chatos. Também são muito manipuladores.

Impressionada, eu pergunto:

— Onde você aprendeu essa palavra?

— Na tevê.

— Um cachorrinho é muita responsabilidade. Quem vai dar comida, levar para passear e treinar a fazer as necessidades fora de casa?

— Eu. Eu faço tudo. Sou responsável o bastante para cuidar dele sozinha.

Eu me aconchego mais nela. Adoro o cheiro do cabelo de Kitty depois que ela toma banho.

— Rá! Você nem lava a louça. Nunca. Nem arruma seu quarto. E quando foi que ajudou a dobrar a roupa lavada na vida? Falando sério, se você não faz nenhuma dessas coisas, como pode ser responsável por uma criatura viva?

Kitty me empurra.

— Então vou ajudar mais!

— Só acredito vendo.

— Se eu ajudar mais, você me ajuda a convencer o papai sobre o cachorro?

— Ajudo — concordo. — Se puder provar para mim que não é mais um bebê. — Kitty vai fazer dez anos em janeiro. É idade suficiente para ajudar mais em casa. Margot a mima demais. — Você vai ficar responsável por esvaziar as latas de lixo do segundo andar uma vez por semana. E ajudar com as roupas.

— Então... vou ter aumento na mesada?

— Não. Seu incentivo é eu ajudar você a convencer papai de ter um cachorro e você provar que não é mais um bebê. — Eu afofo o travesseiro. — Aliás, vou dormir aqui hoje.

Kitty me dá um chute, e eu quase caio da cama.

— Você que é um bebê, não eu, Lara Jean.

— Me deixa dormir aqui!

— Você rouba todas as cobertas.

Kitty tenta me chutar de novo, mas deixo o corpo pesado e finjo que já estou dormindo. Em pouco tempo, nós duas adormecemos de verdade.

Na noite de domingo, estou fazendo o dever de casa na cama quando recebo uma ligação de um número desconhecido.

— Alô?

— Oi. O que você está fazendo?

— Hã... desculpa, mas quem é?

— É o Peter!

— Ah. Como conseguiu meu número?

— Não importa.

Há um silêncio meio longo. É agonizante cada milissegundo que passa sem nenhum de nós falar nada, mas não sei o que dizer.

— Então, o que você queria?

Peter ri.

— Você é tão estranha, Covey. Seu carro está na oficina, não é? Que tal uma carona para a escola?

— Tudo bem.

— Sete e meia.

— Tudo bem.

— Tu-do bem...

— Tchau — digo, e desligo.

28

NA MANHÃ SEGUINTE, ACORDO KITTY CEDO PARA ELA FAZER UMA trança no meu cabelo.

— Me deixa em paz — diz ela, rolando para o lado. — Estou dormindo.

— Por favor, por favor, por favor, você faz uma coroa trançada? — peço, me agachando ao lado da cama.

— Não. Vou fazer uma trança lateral e pronto.

Kitty trança meu cabelo depressa e volta a dormir, e eu saio para decidir que roupa usar. Agora que Peter e eu estamos oficialmente juntos, as pessoas vão reparar mais em mim, então tenho que me preocupar com minha aparência. Experimento o vestido de bolinhas e manga bufante com uma meia-calça, mas não fica bom. Nem meu suéter favorito de coração com pompons. Tudo de repente parece tão infantil. Finalmente, me decido por um vestidinho floral que comprei em um site japonês de moda de rua, e combino com uma bota de cano curto. É um visual meio Londres dos anos 1970.

Quando desço a escada, às 7h25, Kitty está me esperando sentada à mesa da cozinha usando uma jaqueta jeans.

— Por que você já está aqui embaixo?

O ônibus dela só passa às oito.

— Tenho excursão hoje, então tenho que chegar mais cedo na escola. Lembra?

Eu corro e dou uma olhada no calendário na geladeira. Lá está, com minha letra: *Excursão da Kitty*. Droga.

Eu tinha que levá-la de carro, mas isso foi antes do acidente. Papai trabalhou no turno da noite no hospital e ainda não chegou em casa, então não tenho carro.

— Uma das mães não pode vir buscar você?

— Não dá mais tempo. O ônibus sai às 7h40. — O rosto de Kitty está ficando vermelho, e seu queixo começa a tremer. — Não posso perder o ônibus, Lara Jean!

— Calma, não precisa ficar chateada. Vamos pegar uma carona que já está a caminho. Não se preocupa, tá? — Tiro uma banana esverdeada do cacho. — Vamos esperar lá fora.

— Quem?

— Vem logo.

Kitty e eu estamos esperando nos degraus da varanda enquanto dividimos a banana meio verde. Nós duas preferimos a banana antes de amadurecer, ainda meio verde, a quando ela fica manchada de marrom. É Margot que gosta das manchadas. Eu tento guardar para fazer pão de banana, mas Margot come todas, até mesmo as partes moles e amassadas. Eu me arrepio só de pensar.

O ar está meio frio, apesar de estarmos em setembro e praticamente ainda ser verão. Kitty esfrega as pernas para se aquecer. Ela disse que vai usar short até outubro; esse é o plano dela.

Já passa de sete e meia e nada de Peter chegar. Estou começando a ficar nervosa, mas não quero que Kitty se preocupe. Decido que, se ele não chegar em exatamente dois minutos, vou até a casa ao lado pedir ao Josh para levar Kitty à escola.

Do outro lado da rua, nossa vizinha, a sra. Rothschild, acena para nós enquanto tranca a porta da frente com um grande copo de café na mão. Ela corre para o carro.

— Bom dia, sra. Rothschild! — nós duas falamos em coro. Cutuco Kitty com o cotovelo e acrescento, baixinho: — Cinco, quatro, três, dois…

— Droga! — grita a sra. Rothschild.

Ela derramou café na mão. Faz isso pelo menos duas vezes por semana. Não sei por que não vai mais devagar, ou coloca uma tampa no copo, ou não o enche tanto.

Nesse momento, Peter aparece, e o Audi preto brilha ainda mais sob a luz do sol. Eu me levanto.

— Vem, Kitty.

Ela me segue.

— Quem é esse? — ouço-a sussurrar.

As janelas estão abertas. Chego perto do lado do passageiro e coloco a cabeça dentro do carro.

— Tudo bem se a gente for deixar minha irmã na escola? — pergunto. — Ela tem que chegar cedo hoje para uma excursão.

Peter parece irritado.

— Por que você não falou ontem?

— Eu não sabia ontem!

Atrás de mim, posso sentir mais do que ouvir a impaciência de Kitty.

— É um carro de dois lugares — diz Peter, como se eu não pudesse ver com meus próprios olhos.

— Eu sei. Vou colocar Kitty no colo e passar o cinto de segurança por nós duas.

Meu pai me mataria se soubesse, mas não vou contar, e Kitty também não.

— É, porque isso parece bem seguro.

Ele está sendo sarcástico. Odeio quando as pessoas são sarcásticas. É tão baixo.

— São três quilômetros!

Ele suspira.

— Tudo bem. Entrem.

Abro a porta, entro e coloco a bolsa no chão.

— Entra, Kitty. — Abro espaço entre as pernas, e ela se senta. Coloco o cinto e fico com os braços ao redor dela. — Não conte para papai.

— Dã — diz ela.

— Oi. Qual é o seu nome? — pergunta Peter.

Kitty hesita. Isso acontece cada vez mais. Com pessoas novas, ela precisa decidir se vai ser Kitty ou Katherine.

Para todos os garotos que já amei *121*

— Katherine.

— Mas todo mundo chama você de Kitty?

— Todo mundo que me conhece — responde Kitty. — Você pode me chamar de Katherine.

Os olhos de Peter se iluminam.

— Você é durona — comenta, admirado.

Kitty ignora, mas fica espiando Peter. Ele tem esse efeito sobre as pessoas. Sobre as garotas. Mulheres, até.

Seguimos pelo bairro em silêncio.

— Quem é você, afinal? — pergunta Kitty, por fim.

Olho para ele, que está olhando para a frente.

— Sou Peter. Sou, hã, namorado da sua irmã.

Meu queixo cai. Nunca falei nada sobre mentir para nossas famílias! Achei que seria só na escola.

Kitty fica imóvel nos meus braços. Em seguida, se vira para olhar para mim.

— *Ele* é seu *namorado*? Desde *quando*?

— Desde a semana passada.

Pelo menos isso é verdade. Mais ou menos.

— Mas você não falou nada! Nem uma maldita palavra, Lara Jean!

— Não diga "maldita" — repreendo automaticamente.

— Nem uma maldita palavra — repete Kitty enquanto balança a cabeça.

Peter dá uma gargalhada, e olho para ele com cara feia.

— Tudo aconteceu muito rápido — diz ele. — Quase não tivemos tempo de contar para as pessoas...

— Por acaso eu estava falando com você? — corta Kitty. — Não, acho que não. Eu estava falando com a minha irmã.

Peter arregala os olhos, e posso ver que está tentando manter o rosto sério.

— A Margot sabe? — ela me pergunta.

— Ainda não, e não quero que você conte antes que eu tenha a oportunidade de fazer isso.

— Humpf.

Isso parece acalmar Kitty um pouco. Saber de alguma coisa primeiro, antes de Margot, é importante.

Mas logo chegamos à escola, e graças a Deus o ônibus ainda está no estacionamento. Todas as crianças estão enfileiradas na frente dele. Solto a respiração que estava prendendo durante todo o caminho, e Kitty já está se soltando de mim e saindo do carro.

— Divirta-se na excursão! — grito.

Ela se vira e aponta um dedo acusatório para mim.

— Quero ouvir a história *inteira* quando chegar em casa!

Com esse decreto, ela sai correndo na direção do ônibus.

Eu recoloco o cinto.

— Hã, não me lembro de termos decidido dizer para nossas famílias que éramos namorados.

— Ela ia acabar descobrindo se eu for ficar levando vocês de carro por aí.

— Você não precisava dizer "namorado". Podia ter dito "amigo".

Estamos chegando perto da escola agora, só faltam dois sinais de trânsito. Dou um puxão nervoso na trança.

— Você já falou com a Genevieve?

Peter franze a testa.

— Não.

— Ela não comentou nada com você?

— Não. Mas tenho certeza de que vai comentar em breve.

Peter entra ainda correndo no estacionamento e para em uma vaga. Quando saímos do carro e seguimos para a entrada, ele entrelaça os dedos com os meus. Acho que ele vai me levar até meu armário como fez antes, mas ele me leva na direção oposta.

— Aonde estamos indo?

— Para o refeitório.

Estou prestes a protestar, mas, antes que eu possa falar, ele diz:

— Precisamos começar a aparecer juntos em público. O refeitório é onde vamos provocar o maior efeito.

Para todos os garotos que já amei

Josh não vai estar no refeitório — isso é coisa de gente popular —, mas sei quem quase certamente vai estar lá: Genevieve.

Quando entramos, ela já está sentada à mesa de sempre com sua corte: Emily Nussbaum e Gabe e Darrell, do time de lacrosse. Estão todos comendo e bebendo café. Ela deve ter um sexto sentido em relação a Peter, porque lança um olhar ferino para nós na mesma hora. Começo a andar mais devagar, o que Peter não parece perceber. Ele vai direto para a mesa, mas no último segundo eu amarelo. Puxo a mão dele e digo:

— Vamos sentar ali.

E aponto para uma mesa vazia na linha de visão deles.

— Por quê?

— É que… Por favor. — Eu penso rápido. — Porque, sabe, seria muita babaquice sua levar outra garota para a mesa depois de ter terminado com ela há, sei lá, um minuto. E assim Genevieve pode observar de longe e se questionar um pouco mais.

Além disso, estou apavorada.

Enquanto arrasto Peter até a mesa, ele acena para os amigos e dá de ombros como quem diz *Fazer o quê?*. Eu me sento e Peter se senta ao meu lado. Ele puxa minha cadeira para mais perto da dele e ergue as sobrancelhas.

— Você tem tanto medo dela assim?

— Não.

Sim.

— Você vai ter que enfrentar a Gen em algum momento.

Peter se inclina para a frente, segura minha mão e começa a passar o dedo nas linhas da palma.

— Para — digo. — Está me dando nervoso.

Ele me lança um olhar magoado.

— As garotas adoram quando eu faço isso.

— Não, a *Genevieve* adora. Ou finge que adora. Sabe, agora que estou pensando no assunto, você não tem *tanta* experiência assim quando o assunto é garotas. Só uma. — Eu tiro a mão da dele e a coloco sobre a mesa. — Todo mundo acha você um grande Don Juan, mas na verdade você só ficou com a Genevieve e com a Jamila por, tipo, um mês...

— Tá, tá. Entendi. Já chega. Estão olhando para a gente.

— Quem? Sua mesa?

Peter dá de ombros.

— Todo mundo.

Olho rapidamente ao redor. Ele está certo. Todo mundo está nos encarando. Peter está acostumado com as pessoas olhando para ele, mas eu não. A sensação é estranha, como um suéter novo que dá coceira. Porque ninguém nunca olha para mim. É como estar em um palco. E o engraçado, o que é realmente estranho, é que não é tão desagradável quanto imaginei.

Estou pensando nisso quando meu olhar encontra o de Genevieve. Há um breve momento de reconhecimento, do tipo *eu conheço você*. Em seguida, ela vira o rosto e sussurra alguma coisa para Emily. Genevieve está olhando para mim como se eu fosse uma comida apetitosa e ela fosse me devorar viva e cuspir os ossos. E então, com a mesma rapidez, o olhar some e ela sorri.

Eu sinto um calafrio. A verdade é que Genevieve me dava medo mesmo quando éramos pequenas. Uma vez, eu estava brincando na casa dela e Margot ligou me chamando para ir almoçar, mas Genevieve disse que eu não estava lá. Ela não queria me deixar ir embora porque queria continuar brincando de boneca. E ficou bloqueando a porta. Precisei chamar a mãe dela.

O relógio marca 8h05. O sinal vai tocar daqui a pouco.

— É melhor a gente ir — digo, e meus joelhos estão bambos quando me levanto. — Pronto?

Peter está distraído porque estava olhando para a mesa onde estão seus amigos.

— Sim, claro.

Ele se levanta e me leva para a porta; fica o tempo todo com uma das mãos nas minhas costas. Com a outra, acena para os amigos.

Para todos os garotos que já amei

— Sorria — sussurra para mim, e eu sorrio.

Tenho que admitir que a sensação de ter um garoto me acompanhando pela multidão não é ruim. É a sensação de que alguém se preocupa com você. É meio como andar em um sonho. Ainda sou eu, e Peter ainda é Peter, mas tudo ao meu redor parece embaçado e irreal, como a vez em que Margot e eu roubamos champanhe no Ano-Novo.

Eu não tinha percebido, mas acho que talvez tenha sido invisível todos esses anos. Era só uma pessoa que estava ali. Agora que todos acham que sou namorada de Peter Kavinsky, estão curiosos, se perguntando: por quê? O que fez Peter gostar de mim? O que eu tenho? O que me torna tão especial? Eu também estaria me perguntando essas mesmas coisas.

Agora sou uma Garota Misteriosa. Antes, era só uma Garota Quieta. Mas virar namorada de Peter me elevou ao posto de Garota Misteriosa.

Pego o ônibus para voltar para casa porque Peter tem treino de lacrosse. Eu me sento na frente, como sempre fiz, mas hoje as pessoas têm perguntas para mim. Na maioria, alunos do nono ano do fundamental ou do primeiro do ensino médio, porque quase nenhum do último ano pega o ônibus.

— O que está rolando entre você e o Kavinsky? — pergunta uma garota do primeiro ano chamada Manda.

Finjo que não escutei.

O que faço é afundar no assento e abrir o bilhete que Peter deixou no meu armário.

Querida Lara Jean,

Ótimo trabalho hoje.

Peter

Começo a sorrir, mas ouço Manda sussurrar para a amiga:

— É tão estranho o Kavinsky gostar dela. Afinal... olha para ela e olha para a Genevieve.

Posso me sentir encolhendo. É isso que todo mundo pensa? Talvez eu não seja a Garota Misteriosa. Talvez eu seja a Garota que Não é Boa o Bastante.

Quando chego em casa, vou direto para o quarto, coloco uma camisola macia e solto a trança. É um doce alívio soltar o cabelo. Meu couro cabeludo formiga de gratidão. Em seguida, deito na cama e olho pela janela até escurecer. Meu celular fica vibrando, e tenho certeza de que é Chris, mas não levanto a cabeça para olhar.

Em algum momento, Kitty invade o quarto.

— Você está doente? Por que ainda está deitada na cama como se tivesse câncer, como a mãe da Brielle?

— Preciso de paz. — Fecho os olhos. — Preciso me reabastecer de paz.

— Bem... então o que vamos comer no jantar?

Abro os olhos. É verdade. Hoje é segunda-feira. Estou encarregada do jantar às segundas. Margot, onde você *está*? Já está escuro, não dá tempo de descongelar nada. Talvez as segundas devessem ser as noites de pizza, de agora em diante. Olho para ela.

— Você tem dinheiro?

Nós duas recebemos mesada; Kitty recebe cinco dólares por semana e eu recebo vinte, mas minha irmã sempre tem mais dinheiro do que eu. Ela guarda tudo como um esquilinho esperto. Não sei onde, porque Kitty tranca a porta sempre que vai pegar sua mesada. E ela empresta, mas cobra juros. Margot tem um cartão de crédito que pode usar para comprar comida e gasolina, mas o levou consigo. Eu devia pedir para meu pai me dar um igual, agora que sou a irmã mais velha.

— Por que você precisa de dinheiro?

— Porque quero pedir pizza para o jantar. — Kitty abre a boca para negociar, mas, antes que ela consiga falar, eu completo: — Papai vai pagar quando chegar em casa, então nem pense em me cobrar juros. A pizza é para você também, sabe. Vinte dólares já devem dar.

Para todos os garotos que já amei

Kitty cruza os braços.

— Eu dou o dinheiro, mas primeiro você precisa me contar sobre aquele garoto de hoje de manhã. Seu *namorado*.

Solto um gemido.

— O que você quer saber?

— Quero saber como vocês ficaram juntos.

— Nós éramos amigos no fundamental, lembra? Às vezes a gente se reunia na casa da árvore dos Pearce.

Kitty dá de ombros.

— Lembra aquele dia que bati com o carro? — Kitty assente. — Bem, Peter estava passando e parou para me ajudar. E nós... nos aproximamos. Foi o destino.

Na verdade, contar a história para Kitty é um bom treino. Vou contar a mesma história para Chris, hoje à noite.

— É só isso? Essa é a história toda?

— Ei, é uma ótima história — digo. — Um acidente de carro é uma coisa bem dramática, além de nossa história juntos.

Kitty só diz "Sei" e deixa por isso mesmo.

Pedimos pizza de calabresa e champignon para o jantar e, quando dou a ideia das Segundas de Pizza, papai não demora a concordar. Acho que está se lembrando do meu macarrão com queijo e *bo ssam*.

É um alívio Kitty passar a maior parte do jantar falando sobre o passeio, de forma que tudo que preciso fazer é mastigar a pizza. Ainda estou pensando no que Manda disse e me perguntando se isso foi mesmo uma boa ideia.

Quando Kitty faz uma pausa para engolir, papai se vira para mim e pergunta:

— Aconteceu alguma coisa interessante com você, hoje?

Engulo meu pedaço de pizza.

— Hã... não.

Mais tarde, preparo um banho de espuma e passo tanto tempo na banheira que Kitty bate na porta duas vezes para ver se não peguei no sono. Em uma delas, eu já estava quase dormindo.

Meu celular começa a vibrar na hora em que pego no sono. É Chris. Aperto o botão de ignorar chamada, mas ele volta a vibrar e vibrar e vibrar. Acabo decidindo atender.

— É verdade? — grita ela.

Seguro o telefone longe do ouvido.

— É.

— Ah, meu Deus. Me conta tudo.

— Amanhã, Chris. Conto tudo amanhã. Boa noite.

— Espera...

— Boa noite!

29

NAQUELA SEXTA, VOU AO PRIMEIRO JOGO DE FUTEBOL AMERICANO da minha vida. Eu nunca tinha tido o menor interesse nisso, e ainda não tenho. Estou sentada no alto da arquibancada com Peter e os amigos dele e, até onde sei, não há muito o que ver. O que acontece é muita espera, muita gente amontoada e pouca ação. Nem um pouco parecido com os jogos de futebol americano dos filmes e programas de tevê.

Às nove e meia, o jogo está quase acabando — eu espero —, e estou bocejando com a boca escondida na manga do casaco quando Peter de repente passa o braço por cima dos meus ombros. Eu quase engasgo no meio do bocejo.

Lá embaixo, Genevieve está torcendo com o restante da equipe. Está balançando e sacudindo os pompons. Ela olha para a arquibancada e, quando nos vê, para por meio segundo antes de reiniciar a coreografia, com os olhos soltando faíscas.

Olho para Peter, que exibe um sorrisinho satisfeito. Quando Genevieve volta para a lateral do campo, ele tira o braço e, de repente, parece lembrar que estou ali.

— O pessoal vai para a casa do Eli hoje. Quer ir?

Eu nem sei quem é Eli. Bocejo de novo, dessa vez com exagero, para ele ver.

— Hã... estou muito cansada. Então... não. Não, obrigada. Você pode me deixar em casa no caminho?

Peter me olha, mas não discute.

No caminho, passamos pela lanchonete, e Peter dispara:

— Estou com fome. Quer comer alguma coisa? — E então acrescenta: — Ou está cansada demais?

Eu ignoro a alfinetada.

— Claro, vamos comer.

Peter pega o retorno e estaciona na lanchonete. Escolhemos uma mesa bem na frente. Sempre que eu vinha para cá com Margot e Josh, nós nos sentávamos no fundo, perto do *jukebox*, para podermos colocar moedas. Na metade das vezes, o *jukebox* estava quebrado, mas mesmo assim gostávamos de nos sentar perto dele. É estranho estar aqui sem eles. Temos tantas tradições... Nós três pedíamos dois queijos quentes e cortávamos em quadrados, então pedíamos uma tigela de sopa de tomate para molhar os quadradinhos, depois Josh e eu dividíamos um waffle com porção extra de chantilly de sobremesa enquanto Margot comia pudim de tapioca. Nojento, eu sei. Tenho certeza de que só avós gostam de pudim de tapioca.

Nossa garçonete é Kelly, que está na faculdade. Ela passou o verão fora, mas pelo visto está de volta. Ela olha para Peter enquanto coloca nossos copos de água na mesa.

— Onde estão seus amigos? — pergunta para mim.

— A Margot foi para a Escócia, e o Josh... não está aqui — respondo.

Peter revira os olhos quando ouve isso.

Em seguida, ele pede panquecas de mirtilo, bacon e ovos mexidos. Peço um queijo quente com batatas fritas e refrigerante de cereja preta.

Quando Kelly sai com nossos pedidos, pergunto a ele:

— Por que você odeia tanto o Josh?

— Eu não odeio o Josh — retruca Peter, com deboche. — Nem conheço o cara direito.

— Ah, mas está na cara que você não gosta dele.

Peter me olha com raiva.

— Como eu poderia gostar? Ele me dedurou uma vez por colar no sétimo ano.

Peter colou? Meu estômago fica um pouco embrulhado.

Para todos os garotos que já amei

— Que tipo de cola? No dever de casa?

— Não, em uma prova de espanhol. Eu escrevi as respostas na calculadora, e o cara me entregou. Quem faz esse tipo de coisa?

Observo o rosto dele em busca de algum sinal de constrangimento ou vergonha, mas não vejo nem sombra.

— Por que você está sendo tão arrogante? Foi você quem colou!

— Foi no sétimo ano!

— Bem, você ainda cola?

— Não. Quase nunca. Quer dizer, já colei. — Ele franze a testa para mim. — Quer parar de me olhar assim?

— Assim como?

— Como se estivesse me julgando. Olha, eu vou para a faculdade com uma bolsa de lacrosse, então que importância tem?

Tenho uma revelação repentina.

— Espera… você sabe ler? — pergunto baixinho.

Ele cai na gargalhada.

— Claro que sei ler! Caramba, Lara Jean. Nem tudo tem uma história por trás, tá? Só sou preguiçoso. — Ele ri com ironia. — *Se sei ler?* Escrevi vários bilhetes para você! Você é hilária.

Posso sentir meu rosto ficando vermelho.

— Não foi tão engraçado. — Eu olho para ele com olhos semicerrados. — Tudo é uma piada para você?

— Nem tudo, mas a maioria das coisas, sem dúvida.

Eu baixo o queixo.

— Então talvez esse seja um defeito no qual você deva trabalhar — digo. — Porque algumas coisas são importantes e precisam ser levadas a sério. Sinto muito se acha que estou julgando você.

— Está julgando mesmo. Acho que você gosta de julgar as pessoas. É um defeito no qual *você* devia trabalhar. Também acho que você devia aprender a relaxar e a se divertir.

Estou fazendo uma lista de todas as minhas formas de diversão (andar de bicicleta, que odeio, fazer bolos e biscoitos, ler; penso em dizer tricô, mas tenho certeza de que ele só vai rir da minha cara) quando Kelly traz nossa comida, e paro para poder morder meu sanduíche enquanto o queijo ainda está derretido.

Peter rouba uma batata frita.

— E então, quem mais?

— Quem mais o quê?

Com a boca cheia, ele diz:

— Quem mais recebeu uma carta?

— Hã, isso não é da sua conta.

Eu balanço a cabeça para ele como quem diz: *Uau, que grosseria.*

— O que foi? Só estou curioso. — Peter mergulha outra batata no meu potinho de ketchup. Com um sorrisinho, ele insiste: — Vamos lá, não seja tímida. Pode me contar. Sei que sou o número um, é claro. Mas quero saber quem mais conseguiu passar pelo seu crivo.

Ele está praticamente inflado de tão cheio de si. Tudo bem, se ele quer tanto saber, vou contar.

— Josh, você...

— Obviamente.

— Kenny.

Peter ri.

— Kenny? Quem é?

Apoio os cotovelos na mesa e o queixo nas mãos.

— Um garoto que conheci no acampamento da igreja. Era o melhor nadador entre os meninos. Salvou um garoto de se afogar, uma vez. Nadou até o meio do lago antes de os salva-vidas repararem que tinha alguma coisa errada.

— O que ele disse quando recebeu a carta?

— Nada. Foi devolvida ao remetente.

— Certo, quem mais?

Dou outra mordida no sanduíche.

— Lucas Krapf.

— Ele é gay — declara Peter.

— Ele não é gay!

Para todos os garotos que já amei
133

— Cara, para de sonhar. O garoto é gay. Ontem foi de lenço no pescoço para a escola e tudo.

— Tenho certeza de que era uma ironia. Além do mais, usar lenços não torna alguém gay.

Olho para ele como quem diz *Nossa, que homofóbico.*

— Ei, não me olhe assim — protesta ele. — Meu tio favorito é gay pra caramba. Aposto cinquenta pratas que, se eu mostrasse a foto do Lucas para o meu tio Eddie, ele confirmaria em meio segundo.

— Não é porque Lucas aprecia moda que ele é gay. — Peter abre a boca para retrucar, mas levanto a mão para silenciá-lo. — Só significa que ele é um garoto da cidade no meio dessa... roça chata. Aposto que vai acabar indo para a Universidade de Nova York ou para alguma outra instituição por lá. Pode até virar ator de tevê. Ele tem o visual, sabe? Esbelto e com feições delicadas. Feições muito sensíveis. Ele parece... um anjo.

— E o que o Garoto Anjo disse sobre a carta?

— Nada... Tenho certeza de que foi porque ele é um cavalheiro e não quer me constranger tocando no assunto.

Encaro Peter com firmeza. *Ao contrário de algumas pessoas* é o que estou dizendo com o olhar.

Peter revira os olhos.

— Tudo bem, tudo bem. Tanto faz, não dou a mínima. — Ele se recosta e coloca o braço sobre o encosto da cadeira vazia ao lado. — Com ele são quatro. Quem mais?

Fico surpresa de ele estar contando.

— John Ambrose McClaren.

Peter arregala os olhos.

— McClaren? Quando você gostou dele?

— No oitavo ano.

— Pensei que você gostasse de *mim* no oitavo ano!

— Pode ter havido certa sobreposição. — Mexendo o canudo, eu continuo: — Teve uma vez na aula de educação física... Ele e eu tínhamos que recolher todas as bolas de futebol, e começou a chover...

— Solto um suspiro. — Acho que foi a coisa mais romântica que já aconteceu comigo.

— Por que as garotas gostam tanto de chuva? — questiona Peter.

— Não sei... Acho que talvez seja porque tudo parece mais dramático na chuva — respondo, dando de ombros.

— Aconteceu alguma coisa de verdade entre vocês dois ou só ficaram catando bolas de futebol na chuva?

— Você nunca entenderia.

Uma pessoa como Peter jamais poderia entender.

Peter revira os olhos.

— E a carta do McClaren foi enviada para a casa antiga dele?

— Acho que sim. Não tive nenhuma notícia dele.

Tomo um longo gole de refrigerante.

— Por que você parece tão triste?

— Não estou!

Talvez esteja um pouco. Acho que John Ambrose McClaren é, de todos os garotos que já amei, o mais importante para mim, além de Josh. Havia algo de tão doce nele. Foi a promessa do talvez, talvez um dia. Acho que John Ambrose McClaren e eu poderíamos dar certo. Em voz alta, comento:

— Quer dizer, ou ele nunca recebeu minha carta, ou recebeu e... — Dou de ombro. — Eu sempre quis saber o que aconteceu com ele. Se ainda é o mesmo. Aposto que sim.

— Quer saber, acho que talvez ele tenha falado de você uma vez... — Lentamente, ele diz: — É, ele falou mesmo. Disse que achava você a garota mais bonita do nosso ano. Disse que o maior arrependimento que tinha do fundamental era não ter convidado você para o baile.

Meu corpo todo fica imóvel e acho que paro de respirar.

— Sério? — sussurro.

Peter explode em gargalhadas.

— Cara! Você é tão ingênua!

Meu estômago se contrai. Piscando, eu digo:

Para todos os garotos que já amei

135

— Isso foi muita maldade! Por que você diria uma coisa dessas?

Peter para de rir.

— Ei, desculpa. Eu só estava brincando...

Estico a mão por cima da mesa e dou um soco forte no ombro dele.

— Seu babaca!

Peter massageia o ombro.

— Ai! Doeu!

— Você mereceu.

— Desculpa — pede ele de novo. Mas ainda há um brilho de divertimento em seus olhos, então viro o rosto. — Ei, para com isso. Não fica chateada. Quem sabe? Talvez ele gostasse de você. Vamos ligar para ele e descobrir.

Eu olho para ele.

— Você tem o número do celular dele? Tem o número de John Ambrose McClaren?

Peter pega o celular.

— Claro. Vamos ligar para ele.

— Não! — Tento arrancar o celular dele, mas Peter é mais rápido. Segura o aparelho acima da minha cabeça, e não consigo alcançar. — Não ouse ligar para ele!

— Por quê? Achei que você quisesse saber o que aconteceu com ele.

Balanço a cabeça vigorosamente.

— Do que tem tanto medo? De ele não se lembrar de você? — Alguma coisa muda no rosto dele, uma percepção repentina sobre mim. — Ou de ele se lembrar?

Eu balanço a cabeça de novo.

— É isso.

Peter assente para si mesmo, inclina a cadeira para trás e entrelaça as mãos atrás da cabeça. Não gosto do jeito como ele está olhando para mim. Como se achasse que já sabe tudo sobre mim. Estico a mão para ele com a palma para cima.

— Me dá o celular.

O queixo de Peter cai.

— Você vai ligar para ele? Agora?

Gosto do fato de tê-lo surpreendido. Faz eu me sentir como se tivesse reconquistado alguma coisa. Acho que pegar Peter de surpresa pode virar um hobby divertido para mim. Com uma voz imperativa que até hoje só usei com Kitty, eu digo:

— Me dá o celular.

Peter me entrega o celular e copio o número de John no meu.

— Vou ligar para ele quando *eu* tiver vontade, não porque *você* está com vontade.

Peter me lança um olhar de respeito ressentido. É claro que nunca vou ligar para John, mas Peter K. não precisa saber disso.

Naquela noite, fico deitada na cama, ainda pensando em John. É divertido imaginar o que poderia ter acontecido. Divertido, mas assustador. É como se eu achasse que essa porta estivesse fechada, mas aqui está ela, com uma frestinha aberta. E se? Como teria sido, John Ambrose Mc-Claren e eu? Se eu fechar os olhos, consigo quase visualizar.

30

MARGOT E EU ESTAMOS AO TELEFONE; É SÁBADO À TARDE AQUI E sábado à noite lá.

— Já arrumou um estágio para o recesso? — pergunta ela.

— Ainda não...

Margot solta um suspiro.

— Achei que você ia tentar alguma coisa em Montpelier. Sei que precisam de ajuda com os arquivos. Quer que eu ligue para Donna, para você?

Margot fez estágio em Montpelier por dois verões e adorou. Estava lá durante uma escavação importante em que encontraram um pedaço do prato de porcelana de Dolley Madison, e parecia que na verdade tinham encontrado diamantes ou um osso de dinossauro. Todo mundo adora Margot, por lá. Quando ela saiu, deram a ela uma placa por todo o trabalho árduo. Papai a pendurou na sala.

— Montpelier é muito longe — digo.

— Que tal ser voluntária no hospital? — sugere ela. — Você poderia pegar carona com papai nos dias em que tiver que ir.

— Você sabe que não gosto de hospitais.

— A biblioteca, então! Você gosta da biblioteca.

— Já preenchi uma ficha — minto.

— De verdade?

— Estava pensando nisso.

— Eu não deveria ter que pressionar você para querer coisas. Você deveria querer por si mesma. Precisa ter iniciativa. Nem sempre vou estar ao seu lado para segurar sua mão.

— Eu sei.

— Você percebe o quanto este ano é importante, Lara Jean? Este ano é tudo: ele define se você vai entrar para a faculdade que quer ou não. Você não terá uma segunda chance.

Consigo sentir lágrimas de pânico surgindo. Se ela me fizer mais uma pergunta, vai passar do limite, e eu vou chorar.

— Alô?

— Ainda estou aqui.

Minha voz sai baixinha, e sei que Margot sabe que estou quase chorando.

Ela faz uma pausa.

— Olha, ainda dá tempo, tá? Só não quero que você espere demais e que todas as vagas boas acabem indo para outras pessoas. Só estou preocupada com você. Mas está tudo bem. Você ainda está bem.

— Tá.

Até essa palavrinha sai com um esforço.

— Como estão as coisas?

Comecei a conversa desejando conseguir contar a ela sobre Peter e tudo que está acontecendo comigo, mas agora só estou aliviada por haver tantos quilômetros entre nós e ela não saber no que estou metida.

— Está tudo bem — asseguro.

— Como está o Josh? Tem falado com ele?

— Não — respondo.

E não tenho mesmo. Ando tão ocupada com Peter que nem tive oportunidade.

Para todos os garotos que já amei

31

KITTY E EU ESTAMOS SENTADAS NA ESCADA DA VARANDA. ELA TOMA UMA bebida coreana de iogurte, e eu trabalho no cachecol para Margot enquanto espero Peter. Kitty está aguardando nosso pai sair. Ele vai levá-la à escola, hoje.

A sra. Rothschild ainda não saiu. Talvez esteja doente ou apenas mais atrasada do que de costume.

Estamos com os olhos grudados na porta da casa dela quando uma minivan passa pela rua e para na frente de casa. Eu semicerro os olhos. É Peter Kavinsky. Dirigindo uma minivan marrom. Ele coloca a cabeça para fora da janela.

— Vocês vêm ou não?

— Por que você está dirigindo *isso*? — exclama Kitty.

— Não importa, Katherine — responde Peter. — Apenas entrem.

Kitty e eu nos entreolhamos.

— Eu também? — Kitty me pergunta.

Eu dou de ombros. Em seguida, me inclino para trás e grito para dentro de casa:

— Pai, Kitty vai pegar carona comigo!

— Tudo bem! — responde ele.

Nós nos levantamos, e, nessa mesma hora, a sra. Rothschild sai correndo de casa com o terninho azul-marinho, a pasta em uma das mãos e o café na outra. Kitty e eu nos entreolhamos com alegria.

— Cinco, quatro, três...

— Droga!

Rindo, seguimos para a minivan de Peter. Sento no banco do passageiro, e Kitty entra atrás.

— Do que vocês estão rindo? — pergunta ele.

Estou prestes a contar quando Josh sai de casa. Ele para e olha para nós por um segundo, antes de acenar. Eu aceno para ele, e Kitty coloca a cabeça para fora da janela.

— Oi, Josh! — grita.

— E aí?! — exclama Peter, inclinando-se por cima de mim.

— Oi — diz Josh, e entra no próprio carro.

Peter me cutuca e sorri.

— Me diz por que vocês estavam rindo.

Enquanto coloco o cinto, eu conto:

— Pelo menos uma vez por semana, a sra. Rothschild corre até o carro e derrama café em si mesma.

— E é a coisa mais engraçada do mundo — acrescenta Kitty.

Peter ri.

— Vocês são sádicas.

Kitty coloca a cabeça entre nós dois.

— O que é "sádica"?

Eu a empurro para trás.

— Coloque o cinto.

Peter dá a ré no carro.

— É uma pessoa que fica feliz em ver outras sofrendo.

— Ah. — Então ela repete baixinho: — Sádica.

— Não ensine essas coisas estranhas para ela — reclamo.

— Eu gosto de coisas estranhas — protesta Kitty.

— Está vendo? — diz Peter. — Sua irmã gosta de coisas estranhas.

Sem se virar, ele levanta a mão para bater na mão dela, e Kitty se inclina para a frente e bate com gosto.

— Ei, me dá um gole do que você está bebendo aí atrás.

— Está quase no fim, pode tomar o resto.

Kitty entrega a ele, e Peter vira a garrafinha plástica na boca.

— É gostoso — diz.

— É do mercadinho coreano — conta Kitty. —Vem em uma embalagem com várias garrafinhas, e você pode colocar no freezer. Se levar para o almoço, ainda vai estar gelado na hora de beber.

Para todos os garotos que já amei

— Achei ótimo. Lara Jean, traga um para mim amanhã de manhã, tá? Pelos serviços prestados.

Olho para ele de cara feia.

— Estou falando das caronas! Caramba...

— Eu trago um, Peter — diz Kitty.

— Essa é a minha garota.

— Mas só se você me levar para a escola amanhã também — conclui Kitty, e Peter vaia.

32

ANTES DO QUARTO TEMPO DE AULA, ESTOU PARADA EM FRENTE AO espelho que fica pendurado na porta do meu armário tentando ajeitar a trança ao redor da cabeça.

— Lara Jean.

— O quê?

Espio atrás da porta aberta e vejo Lucas Krapf usando um suéter fino de um azul intenso, com gola V, e calça cáqui.

— Estou com isto há algum tempo... Eu não ia dizer nada, mas achei que talvez você quisesse de volta.

Ele coloca um envelope cor-de-rosa na minha mão. É minha carta. Então Lucas também recebeu a dele. Coloco-a no armário, faço uma careta para mim mesma no espelhinho e fecho a porta com vontade.

— Você deve estar se perguntando do que se trata... — Hesito. — É, hã, bem, eu escrevi há muito tempo e...

— Você não precisa explicar.

— Sério? Não está curioso?

— Não. Foi bem legal receber uma carta assim. Fiquei bastante honrado.

Solto um suspiro aliviado e encosto no armário. Por que Lucas Krapf é tão perfeito? Ele sempre sabe a coisa certa a dizer.

Em seguida, Lucas faz uma expressão que é meio careta, meio sorriso.

— Mas... — Ele baixa a voz. — Você sabe que eu sou gay, não sabe?

— Ah, claro, sem dúvida — digo, tentando não parecer decepcionada. — Não, claro que eu sabia.

Então Peter estava certo, no fim das contas.

Lucas sorri.

— Você é muito bonita — diz, e fico animada de novo. — Olha só, será que você pode não contar para ninguém? Eu já me assumi, mas não me *assumi*. Sabe o que quero dizer?

— Claro — concordo, superconfiante.

— Por exemplo, minha mãe sabe, mas meu pai sabe mais ou menos. Ainda não contei para ele.

— Entendi.

— Só deixo as pessoas acreditarem no que quiserem. Não acho que seja minha responsabilidade me rotular para elas. Você entende, não é? Com uma família como a sua, tenho certeza de que as pessoas sempre perguntam de que raça você é, certo?

Eu não tinha pensado dessa forma antes, mas sim, sim, sim! Lucas entende.

— Exatamente. As pessoas não precisam saber, né?

— É.

Sorrimos um para o outro, e tenho aquela sensação maravilhosa de ser compreendida por alguém. Andamos juntos na mesma direção; ele tem aula de mandarim, e eu, de francês. Em determinado momento, ele me pergunta sobre Peter, e fico tentada a contar toda a verdade, porque estou me sentindo muito íntima dele. Mas Peter e eu fizemos um acordo, deixamos bem claro que jamais contaríamos para ninguém. Não quero ser a primeira a dar com a língua nos dentes. Então, quando Lucas me pergunta "O que está rolando entre você e o Kavinsky?", eu simplesmente dou de ombros e abro um sorriso enigmático.

— É uma loucura, né? Porque ele é tão... — Procuro a palavra certa, mas não consigo encontrar. — Ele poderia fazer o papel do protagonista bonito em um filme. — Então acrescento, mais do que depressa: — E você também. Você faria o papel do cara com quem a mocinha *deveria* ficar.

Lucas dá risada, mas percebo que gostou.

Querido Lucas,

Nunca conheci um garoto tão educado quanto você. Você deveria ter sotaque britânico. No baile, você usou uma cravat, e ficou tão bem que acho que poderia usar o tempo todo e não passar vergonha.

Ah, Lucas! Eu gostaria de saber de que tipo de garota você gosta. Pelo que ouvi falar, você nunca namorou ninguém... A não ser que tenha uma namorada em outra escola. Você é tão misterioso. Não sei quase nada sobre você. As coisas que sei são tão insubstanciais, tão insatisfatórias, como o fato de você comer sanduíche de frango todos os dias no almoço e fazer parte do time de golfe. Acho que a única coisa remotamente real que sei sobre você é que gosta de escrever, o que deve querer dizer que tem reservas profundas de emoção. Como aquele conto que você escreveu na aula de escrita criativa sobre o poço envenenado, e da perspectiva de um garoto de seis anos. Foi tão sensível, tão melancólico! Aquele conto me fez sentir como se conhecesse você um pouco mais. Mas não <u>conheço</u> você, e gostaria.

Você é muito especial. Deve ser uma das pessoas mais especiais na escola, e eu gostaria que mais pessoas soubessem disso. Ou talvez não, porque às vezes é bom ser a única pessoa que sabe de uma coisa.

Com amor,
Lara Jean

33

DEPOIS DA AULA, CHRIS E EU ESTAMOS NO MEU QUARTO. ELA ESTÁ encrencada com a mãe por ter passado a noite fora, então veio se esconder aqui até a mãe sair para o clube do livro. Estamos compartilhando um saco enorme de batatinhas da Kitty, que vou ter que substituir porque ela vai reclamar se não tiver nenhum para levar para a escola na segunda-feira.

Chris enfia um punhado de batatas na boca.

— Me conta logo, Lara Jean. Até onde vocês dois chegaram?

Eu quase engasgo.

— Não chegamos a lugar algum! E não temos planos de ir a lugar algum no futuro próximo.

Nem nunca.

— Sério? Nem a mão por cima do sutiã? Uma apalpada rápida no peito?

— Não! Já falei, Margot e eu não somos assim.

Chris ri com deboche.

— Você está de brincadeira? É claro que a Margot e o Josh já fizeram sexo. Para de ser ingênua, Lara Jean.

— Eu não estou sendo ingênua — respondo. — Eu *sei* que eles não fizeram nada.

— Ah, é? Como você tem tanta certeza? Eu adoraria saber.

— Não vou contar.

Se eu contar para Chris, ela só vai rir mais. Ela não entende, porque só tem um irmão mais novo. Não sabe como é entre irmãs. Margot e eu fizemos um pacto ainda no fundamental. Juramos que não faríamos sexo antes de nos casarmos ou de estarmos muito, muito apaixonadas e com, no mínimo, vinte e um anos. Margot podia estar muito, muito apaixonada, mas não se casou nem fez vinte e um. Ela jamais descumpriria a promessa. Entre irmãs, um pacto é tudo.

— Não, eu adoraria saber, *mesmo.*

Chris está com aquele brilho faminto nos olhos, e sei que está só começando.

— Você só quer debochar, e não vou deixar — retruco.

Chris revira os olhos.

— Tudo bem. Mas não tem como eles não terem trepado.

Acho que Chris fala assim de propósito, para tentar provocar uma reação em mim. Ela adora conflitos, então tomo cuidado de não reagir ao que ela diz.

— Quer parar de falar sobre minha irmã e Josh fazendo sexo? — peço com a voz calma. — Você sabe que eu não gosto disso.

Chris pega uma caneta permanente na bolsa e começa a colorir a unha do polegar.

— Você precisa parar de ser tão medrosa. Falando sério, você enfiou na cabeça que é um momento importante que define toda a sua vida, mas na verdade dura menos de cinco minutos e nem é a melhor parte.

Sei que ela está esperando que eu pergunte qual é a melhor parte, e estou curiosa, mas a ignoro e digo:

— Acho que caneta permanente é tóxica para as unhas.

Ela só balança a cabeça como se eu fosse uma causa perdida.

Mas eu me pergunto… como *seria*? Ficar tão íntima de um garoto, deixar ele me ver nua, sem nada a esconder. Será que é assustador por apenas um segundo ou dois ou é assustador o tempo todo? E se eu não gostar? E se gostar demais? É muita coisa para pensar.

Para todos os garotos que já amei

34

— VOCÊ ACHA QUE, SE UM GAROTO E UMA GAROTA ESTÃO NAMO-rando há muito tempo, isso automaticamente quer dizer que eles fizeram sexo? — pergunto a Peter.

Estamos sentados no chão da biblioteca, com as costas apoiadas na parede da seção de referências, à qual ninguém nunca vai. As aulas acabaram, a biblioteca está vazia, e estamos fazendo o dever de casa. Peter só tira C e D em química, então resolvi ajudá-lo a estudar.

Peter desvia o olhar do livro de química, com um interesse repentino.

— Preciso de mais informações. Há quanto tempo eles estão namorando?

— Bastante tempo. Uns dois anos, mais ou menos.

— Quantos anos eles têm? Nossa idade?

— Mais ou menos.

— Então é bem provável, mas não quer dizer que aconteceu. Depende da garota e do cara. Mas, se eu tivesse que apostar dinheiro, diria que sim.

— Mas a garota não é desse tipo. Nem o garoto.

— De quem estamos falando?

— Isso é segredo. — Hesito. — Chris acha impossível eles não terem feito. Diz que não acredita.

Peter ri com deboche.

— Por que você foi perguntar logo para ela? Essa garota é um desastre.

— Ela não é um desastre!

Ele me olha de um jeito estranho.

— No primeiro ano, ela bebeu Four Loko demais, subiu no telhado de Tyler Boylan e fez um striptease.

— Você estava lá? — pergunto. — Viu com os próprios olhos?

— Vi. E pesquei as roupas dela na piscina, porque sou um cavalheiro.

Eu estufo as bochechas.

— Bom, a Chris nunca me contou essa história, então não posso falar sobre isso. Além do mais, o tal Four Loko, ou sei lá qual é o nome, não foi proibido?

— Ainda fabricam, mas é uma versão aguada horrorosa. Você pode misturar com energético e ter o mesmo efeito. — Estremeço, o que faz Peter sorrir. — Sobre o que você e a Chris conversam? Vocês não têm nada em comum.

— Sobre o que *nós* conversamos? — pergunto.

Peter ri.

— Faz sentido.

Ele se afasta da parede e coloca a cabeça no meu colo, e eu fico completamente imóvel.

— Você está se comportando de um jeito muito estranho hoje — digo, tentando fazer minha voz soar normal.

Ele ergue uma sobrancelha para mim.

— Ah, é? Tipo como?

Peter adora quando falam sobre ele. Normalmente, não me importo, mas hoje não estou a fim de fazer a vontade dele. Já tem gente demais dizendo o quanto ele é incrível.

— Está sendo desagradável — respondo, e ele ri.

— Estou com sono. — Peter fecha os olhos e se aconchega em meu colo. — Me conte uma história de ninar, Covey.

— Pare de flertar comigo.

Ele abre os olhos.

— Eu não estava flertando!

— Estava, sim. Você dá em cima de todo mundo. Parece que não consegue se controlar.

— Bem, eu nunca dou em cima de você.

Peter se senta de novo e olha o celular, e de repente desejo não ter dito nada.

35

ESTOU NA AULA DE FRANCÊS, OLHANDO PELA JANELA COMO SEMPRE faço, e vejo Josh andando na direção das arquibancadas perto da pista de atletismo. Está levando o almoço para lá, sozinho. Por que vai comer sozinho? Ele tem o grupo dos quadrinhos, tem Jersey Mike.

Mas acho que ele e Jersey Mike não andaram muito juntos no ano passado. Josh estava sempre com Margot e comigo. O trio. E agora não somos sequer uma dupla, e ele está sozinho. Em parte, é culpa de Margot, por ter ido embora, mas também tenho uma parcela de culpa; se eu não tivesse começado a gostar dele, não ia precisar inventar essa história toda de Peter K., e poderia continuar sendo a boa e velha amiga Lara Jean.

Talvez seja por isso que mamãe falou para Margot não ir para a faculdade namorando. Quando se está namorando, você só quer ficar com essa pessoa, esquece todas as outras, e depois, quando o relacionamento acaba, não tem nenhum amigo. Eles estavam se divertindo sem você.

Só posso dizer que Josh é uma figura solitária comendo o sanduíche no alto da arquibancada.

Pego o ônibus para voltar para casa, porque Peter teve que sair mais cedo para um jogo de lacrosse. Estou pegando a correspondência na caixa de correio quando Josh estaciona na entrada da garagem dele.

— Oi! — grita ele.

Josh sai do carro e corre até mim, com a mochila pendurada no ombro.

— Eu vi você no ônibus — diz ele. — Eu acenei, mas você estava sonhando acordada. Quanto tempo seu carro vai ficar na oficina?

— Não sei. A data muda toda hora. Tiveram que encomendar uma peça vinda de longe, acho que de Indiana.

Josh me olha com desconfiança.

— E você está secretamente aliviada, não está?

— Não! Por que eu ficaria aliviada?

— Pare com isso. Eu conheço você. Odeia dirigir. Deve estar feliz por ter uma desculpa para não precisar fazer isso.

Começo a protestar, mas paro. Não faz sentido. Josh me conhece muito bem.

— Bem, talvez eu esteja um pouquinho aliviada.

— Se precisar de carona, sabe que pode me ligar, né?

Eu assinto. Eu sei. Não ligaria por mim, mas ligaria por Kitty, em uma emergência.

— Sei que você tem o Kavinsky agora, mas eu moro aqui do lado. É bem mais conveniente eu dar carona para você do que ele. É até mais responsável com o meio ambiente. — Eu não respondo, e Josh coça a nuca. — Quero dizer uma coisa para você, mas é esquisito tocar nesse assunto. O que também é estranho, porque antes nós podíamos conversar sobre tudo.

— Ainda podemos — digo. — Nada mudou.

Essa é a maior mentira que já contei para ele, maior até do que a vez em que contei a ele sobre minha suposta irmã gêmea morta, Marcella. Até dois anos atrás, Josh achava que eu tinha uma irmã gêmea que morreu de leucemia.

— Tudo bem. Eu sinto… sinto que você tem me evitado desde que…

Ele vai dizer. Vai realmente dizer. Eu encaro o chão.

— Desde que a Margot terminou comigo.

Eu levanto a cabeça. É isso que ele pensa? Que o estou evitando por causa de Margot? Minha carta provocou um impacto tão pequeno assim? Tento manter o rosto sério e inexpressivo.

— Eu não estou evitando você. Só ando ocupada.

— Com o Kavinsky. Eu sei. Você e eu nos conhecemos há muito tempo. Você é uma das minhas melhores amigas, Lara Jean. Não quero perder você também.

Para todos os garotos que já amei

É o "também" que estraga tudo. É o "também" que me faz parar. É o que me irrita. Porque, se ele não tivesse dito "também", aquela conversa teria sido sobre mim e ele. Não sobre mim, ele e Margot.

— Aquela carta que você escreveu...

Tarde demais. Não quero mais falar sobre a carta. Antes que ele possa dizer qualquer outra coisa, eu disparo:

— Sempre serei sua amiga, Josh.

E abro um sorriso, o que exige muito esforço. Esforço demais. Mas, se eu não sorrir, vou chorar.

Josh assente.

— Tudo bem. Ótimo. Então... podemos voltar a nos ver?

— Claro.

Josh estica a mão e belisca meu queixo.

— Quer carona para a escola amanhã?

— Quero.

Afinal, não foi esse o motivo de tudo? Poder andar com Josh de novo sem aquela carta pairando sobre nossas cabeças? Ser apenas a boa e velha amiga Lara Jean outra vez?

Depois do jantar, ensino Kitty a lavar roupa. Ela resiste no começo, mas digo que é uma tarefa que vamos dividir de agora em diante e que é melhor ela aceitar.

— Quando o bipe tocar, isso quer dizer que acabou e você tem que dobrar logo, para a roupa não ficar amassada.

Para nossa surpresa, Kitty gosta de cuidar das roupas. O motivo principal é que ela pode se sentar na frente da tevê e dobrar enquanto vê os programas de que gosta sossegada.

— Da próxima vez, vou ensinar a passar roupa.

— Passar também? Por acaso sou a Cinderela?

Eu a ignoro.

— Você vai gostar de passar roupa. Você adora coisas precisas e linhas retas. Vai fazer isso até melhor do que eu.

Isso desperta a atenção dela.

— É, pode ser. As que você passa sempre ficam meio amassadas mesmo.

Depois que terminamos com as tarefas, Kitty e eu vamos nos refrescar no banheiro que dividimos. Ele tem duas pias; Margot ficava com a da esquerda, e Kitty e eu disputávamos para decidir quem era a dona da pia da direita. Agora é dela.

Kitty escova os dentes, e eu passo uma máscara de pepino e aloé no rosto.

— Você acha que, se eu pedisse, Peter nos levaria ao McDonald's amanhã, no caminho da escola? — pergunta Kitty.

Passo mais um pouco da máscara facial verde nas bochechas.

— Não quero que você se acostume a pegar carona com o Peter. Você vai de ônibus de agora em diante, tá?

Kitty faz beicinho.

— Por quê?

— Porque sim. Além do mais, Peter não vai me dar carona amanhã. Vou com o Josh.

— Mas Peter não vai ficar com raiva?

Meu rosto está ficando rígido conforme a máscara seca. Respondo entredentes:

— Não. Ele não é ciumento.

— Então quem é o ciumento?

Não tenho uma boa resposta para isso. Quem é o ciumento? Estou pensando nisso quando Kitty começa a rir, olhando para mim pelo espelho.

— Você parece um zumbi.

Estico as mãos para seu rosto, mas ela desvia. Faço minha melhor voz de zumbi:

— Quero comer seu cérebro.

Kitty sai correndo, gritando.

Quando volto para o quarto, mando uma mensagem de texto para Peter avisando que não preciso de carona amanhã. Não digo que Josh vai me dar carona. Só por precaução.

Para todos os garotos que já amei

36

O BILHETE DE PETER DE HOJE DIZ: *QUER TOMAR SORVETE DEPOIS DA AULA?*
Ele desenhou dois quadrados, um sim e um não. Faço um "X" no sim e coloco o bilhete no armário dele.

Quando a aula termina, encontro Peter no estacionamento, e seguimos com o pessoal do lacrosse para a sorveteria. Peço uma casquinha de iogurte natural com cereal, morangos, kiwi e abacaxi, e Peter pede uma de limão com pedaços de biscoito. Pego a carteira para pagar o meu, mas Peter não deixa. Ele pisca e diz:

— Pode deixar.

— Achei que você tinha dito que não ia pagar nada — sussurro para ele.

— Meus amigos estão aqui. Não posso parecer pão-duro na frente deles. — Em seguida, passa o braço por cima dos meus ombros e diz, alto: — Enquanto você for minha namorada, não vai pagar por sorvete.

Eu reviro os olhos, mas não vou rejeitar uma casquinha de graça. Nunca tive um garoto pagando coisas para mim. Eu poderia me acostumar com esse tratamento.

Eu estava preparada para encontrar Genevieve, mas ela não apareceu ainda. Acho que Peter está pensando a mesma coisa, porque fica com os olhos grudados na porta. Conhecendo Genevieve, sei que algo ruim vai acontecer. Até o momento, ela tem andado estranha e perturbadoramente quieta. Quase nunca almoça no refeitório, porque ela e Emily Nussbaum têm comido fora do colégio, e, quando a vejo nos corredores, ela lança sorrisos falsos que não mostram os dentes, o que é ainda mais ameaçador.

Quando ela vai fazer algo contra mim? Quando terei meu momento Jamila Singh? Chris diz que Genevieve está obcecada demais com o namorado da faculdade para se preocupar comigo e Peter, mas não acredito. Já vi como ela olha para ele. Como se Peter fosse sua propriedade.

Os garotos juntam algumas mesas, e praticamente tomamos conta do lugar. É como no almoço, com eles falando alto, conversando sobre o jogo de futebol americano na próxima sexta. Acho que não digo duas palavras. Não tenho nada para falar. Apenas tomo o sorvete de iogurte que ganhei de graça e aprecio o fato de não estar em casa arrumando minha coleção de sapatos ou vendo o canal de golfe com meu pai.

Estamos voltando para o carro quando Gabe diz:

— Ei, Lara Jean, você sabia que, se disser seu nome muito rápido, o som parece o da palavra *laranja*? Experimenta! Larajean.

— Larajean — repito, obediente. — Larajean. Laranjinha. Na verdade, acho que parece mais *laranjinha* do que *laranja*.

Gabe assente.

— Vou começar a chamar você de *Laranjinha*. Você é tão pequena que combina. Não acha?

Dou de ombros.

— Tá.

Gabe se vira para Darrell.

— Ela é tão pequena que poderia ser nossa mascote.

— Ei, não sou *tão* pequena — protesto.

— Qual é a sua altura? — pergunta Darrell.

— Um metro e sessenta — digo, exagerando. Está mais para um e cinquenta e cinco.

Gabe joga a colher no lixo.

— Você é tão pequena que caberia no meu bolso!

Todos os garotos riem. Peter está sorrindo, mas de um jeito meio confuso. De repente, Gabe me pega e me joga por cima do ombro, como se eu fosse uma criança e ele fosse meu pai.

Para todos os garotos que já amei

— Gabe! Me põe no chão! — grito, balançando as pernas e socando o peito dele.

Ele começa a girar em círculos, e todos os garotos acham graça.

— Vou adotar você, Laranjinha! Você vai ser meu bichinho de estimação. Vou colocar você na minha antiga gaiola de hamster!

Estou rindo tanto que não consigo respirar e começo a ficar tonta.

— Me coloca no chão!

— Solta ela, cara — diz Peter, mas também está rindo.

Gabe corre na direção da picape de alguém e me coloca na caçamba.

— Ei, me tira daqui! — grito.

Gabe já saiu correndo. Todos os garotos entram em seus carros.

— Tchau, Laranjinha! — gritam.

Peter corre até mim e me ajuda a descer.

— Seus amigos são malucos — comento, quando meus pés tocam o asfalto.

— Eles gostam de você.

— Sério?

— É. Eles odiavam quando eu trazia a Gen. Mas não se importam de você ficar com a gente. — Peter passa o braço por cima dos meus ombros. — Vamos, Laranjinha. Vou levar você para casa.

Quando estamos andando na direção do carro dele, deixo o cabelo cair na frente do rosto para que Peter não me veja sorrindo. É legal fazer parte de um grupo, me sentir aceita em algum lugar.

37

EU ME OFERECI PARA FAZER CINQUENTA CUPCAKES PARA A FEIRINHA de doces da Associação de Pais e Mestres de Kitty. Fiz isso porque Margot se ofereceu nos últimos dois anos. Ela só fazia porque não queria que as pessoas pensassem que a família de Kitty não estava envolvida com a associação. Margot assou brownies nas duas vezes, mas escolhi fazer cupcakes porque achei que fariam mais sucesso. Comprei tipos diferentes de confeitos azuis e fiz bandeirinhas com palitos de dente e a inscrição BLUE MOUNTAIN ACADEMY. Achei que Kitty fosse se divertir me ajudando a decorá-los.

Mas agora estou percebendo que o jeito de Margot era mais fácil. Para fazer brownies, basta derramar a massa em uma assadeira, assar, cortar e pronto. Cupcakes dão bem mais trabalho. Preciso usar a mesma quantidade de massa cinquenta vezes, então esperar esfriar e depois colocar a cobertura e os confeitos.

Estou medindo minha oitava xícara de farinha quando a campainha toca.

— Kitty! — grito. — Atende a porta!

A campainha toca de novo.

— Kitty!

— Estou fazendo um experimento importante! — responde ela do andar de cima.

Vou até a porta e abro sem me dar o trabalho de ver quem é.

É Peter. Ele cai na gargalhada.

— Você está com farinha no rosto todo — diz, limpando minhas bochechas com as costas da mão.

Eu desvio dele e limpo o rosto com o avental.

— O que você está fazendo aqui?

— Nós vamos ao jogo. Você não leu meu bilhete ontem?

— Ah, droga. Tive uma prova e esqueci. — Peter franze a testa, e eu acrescento: — Mas eu não vou poder ir de qualquer jeito, porque tenho que fazer cinquenta cupcakes até amanhã.

— Em uma noite de sexta?

— Bem... é.

— É para a feira da Associação de Pais e Mestres? — Peter passa por mim e começa a tirar os tênis. — Vocês não andam de sapato em casa, andam?

— Não — respondo, surpresa. — Sua mãe vai preparar alguma coisa?

— Barrinhas de flocos de arroz.

Outra escolha bem mais inteligente do que cinquenta cupcakes.

— Lamento você ter perdido tempo vindo até aqui. Talvez a gente possa ir ao jogo na próxima sexta — digo, esperando que ele volte a calçar os sapatos.

Mas ele não faz isso, vai até a cozinha e se senta em um banco.

Hã?

— Sua casa continua igualzinha — comenta, olhando ao redor. Ele aponta para a foto em um porta-retratos em que Margot e eu estamos tomando banho quando éramos bebês. — Que fofo.

Posso sentir as bochechas ficando quentes. Vou até lá e viro a foto.

— Quando você veio aqui?

— No sétimo ano. Lembra que a gente ficava na casa da árvore da sua vizinha? Precisei fazer xixi uma vez, e você me deixou usar o banheiro.

— Ah, é.

É engraçado ver um garoto que não é Josh na nossa cozinha. Por algum motivo, fico nervosa.

— Quanto tempo vai demorar? — pergunta ele, com as mãos nos bolsos.

— Horas, provavelmente.

Pego a xícara de novo. Não consigo me lembrar em que xícara eu estava.

Peter solta um grunhido.

— Por que não compra uns na padaria?

Começo a medir a farinha que já coloquei na tigela e a separá-la em montinhos.

— Você acha que as outras mães vão comprar comida pronta? Como isso ia ficar para a Kitty?

— Bem, se é por causa da Kitty, então ela deveria estar ajudando. — Peter se levanta do banco, chega perto de mim, passa as mãos pela minha cintura e tenta desamarrar o avental. — Cadê ela?

Fico olhando para ele.

— O que... O que você está fazendo?

Peter olha para mim como se eu fosse burra.

— Preciso de um avental também, se vou ajudar. Não quero que minhas roupas fiquem sujas.

— Não vamos acabar a tempo de assistir ao jogo — falo para ele.

— Então vamos só para a festa depois. — Peter me lança um olhar incrédulo. — Isso estava no bilhete que escrevi hoje! Deus, por que me dou o trabalho?

— Eu estava muito ocupada — digo baixinho.

Estou me sentindo mal. Ele está cumprindo sua parte do acordo e me escreve religiosamente um bilhete por dia, e eu nem me dou o trabalho de ler todos.

— Não sei se posso ir à festa. Não sei se tenho permissão para sair tão tarde.

— Seu pai está em casa? Vou pedir para ele.

— Não, ele está no hospital. Além do mais, não posso deixar a Kitty aqui sozinha.

Eu pego a xícara de medida de novo.

— Que horas seu pai chega em casa?

— Não sei. Tarde. — Ou talvez daqui a uma hora. Mas a essa altura Peter já vai ter ido embora. — É melhor você ir. Não quero prender você.

Para todos os garotos que já amei

Peter geme.

— Covey, eu preciso que você vá. A Gen ainda não falou nada sobre nós, e esse é o objetivo de tudo isso. E… talvez ela leve aquele babaca com quem está namorando. — Peter faz beicinho. — Vamos lá. Eu ajudei com o Josh, não foi?

— Foi — admito. — Mas, Peter, preciso fazer os cupcakes para a feira e…

Peter estica o braço.

— Então vou ajudar você. É só me dar um avental.

Eu me afasto e começo a procurar outro avental. Encontro um com estampa de cupcakes e entrego a ele. Peter faz uma careta e aponta para o meu.

— Quero o que você está usando.

— Mas este é meu! — É de guingão vermelho e branco com ursinhos marrons; minha avó comprou para mim na Coreia. — Eu sempre uso este. Coloca o outro e pronto.

Lentamente, Peter balança a cabeça e estica a mão.

— Me dá o seu. Você me deve uma por não ler meus bilhetes.

Desamarro o avental e o entrego para ele. Então me viro e volto a medir.

— Você é mais infantil do que a Kitty.

— Anda logo e me diz o que fazer — diz ele.

— Mas você sabe cozinhar? Porque só tenho os ingredientes exatos para cinquenta cupcakes. Não quero ter que recomeçar…

— Eu sei fazer doces!

— Tudo bem, então. Coloca esses tabletes de manteiga na tigela.

— E depois?

— Quando você terminar, eu passo a tarefa seguinte.

Peter revira os olhos, mas faz o que eu mando.

— Então é isso que você faz nas noites de sexta? Fica em casa de pijama e faz cupcakes?

— Eu faço outras coisas também — digo, enquanto prendo o cabelo em um rabo de cavalo apertado.

— Como o quê?

Ainda estou tão nervosa pelo aparecimento repentino de Peter que não consigo pensar.

— Hã, eu saio.

— Para onde?

— Meu Deus, não sei! Por acaso isso é um interrogatório? — Sopro a franja dos olhos. Está ficando quente aqui. É melhor eu desligar o forno, porque a chegada de Peter deixou tudo ainda mais lento. Nesse ritmo, vou ficar acordada a noite toda. — Você me fez perder a contagem da farinha. Vou ter que medir tudo de novo!

— Aqui, deixa que eu faço — diz Peter, se aproximando de mim.

Eu me afasto dele.

— Não, não, deixa que eu faço — recuso, mas ele balança a cabeça e tenta pegar a xícara da minha mão, mas eu resisto, e a farinha voa e se espalha no ar, sujando nós dois. Peter começa a rir, e eu solto um grito ultrajado. — Peter!

Ele está rindo demais e não consegue falar.

Eu cruzo os braços.

— É melhor eu ainda ter farinha suficiente.

— Você parece uma velhinha — diz ele, ainda rindo.

— Bem, você parece um velhinho — retruco.

Jogo a farinha que está na tigela de volta no saco.

— Na verdade, você parece muito a minha avó — diz Peter. — Odeia todo e qualquer tipo de palavrão. Gosta de fazer bolos. Fica em casa nas noites de sexta. Uau, estou namorando minha avó. Que nojo.

Eu começo a medir de novo. Uma xícara, duas.

— Eu não fico em casa todas as noites de sexta.

Três.

— Eu nunca vi você sair. Você não vai a festas. A gente andava junto, antigamente. Por que você parou de andar com a gente?

Quatro.

— Eu... não sei. Era diferente no fundamental.

Para todos os garotos que já amei

161

O que ele quer que eu diga? Que Genevieve decidiu que eu não era legal o bastante para andar com eles? Por que ele é tão sem noção?

— Eu sempre quis saber por que você parou de sair com a gente. Eu estava na cinco ou na seis?

— Peter! Você me fez perder a conta de novo!

— Eu tenho esse efeito nas mulheres.

Reviro os olhos, e ele sorri para mim, mas, antes que possa dizer qualquer outra coisa, eu grito:

— Kitty! Vem cá!

— Estou trabalhando...

— O Peter está aqui!

Sei que isso vai convencê-la.

Em cinco segundos, Kitty entra correndo na cozinha. Ela para de repente e fica tímida.

— Por que você está aqui? — pergunta ela.

— Vim buscar a Lara Jean. Por que você não está ajudando?

— Eu estava fazendo uma experiência. Quer me ajudar?

Eu respondo por ele.

— Claro, ele vai ajudar você. — Para Peter, eu digo: — Você está me distraindo. Vai ajudar a Kitty.

— Não sei se você quer a minha ajuda, Katherine. Sabe, eu sou uma distração para as mulheres. Faço elas perderem a conta. — Peter pisca para ela, e finjo que estou com ânsia de vômito. — Por que você não fica aqui embaixo e nos ajuda com os cupcakes?

— Cha-to!

Kitty dá meia-volta e sobe a escada correndo.

— Não ouse querer colocar coberturas ou confeito quando terminar! — grito. — Você não ganhou esse direito!

Estou batendo a manteiga e Peter está quebrando os ovos em uma saladeira lascada quando meu pai chega em casa.

— De quem é aquele carro lá fora? — pergunta ele, ao entrar na cozinha. Papai para na mesma hora. — Oi — diz, surpreso. Está com uma sacola para viagem do restaurante chinês na mão.

— Oi, pai — cumprimento, como se fosse perfeitamente normal Peter Kavinsky estar na nossa cozinha. —Você parece cansado.

Peter endireita a postura.

— Oi, dr. Covey.

Meu pai coloca a sacola na bancada da cozinha.

—Ah, oi — diz ele, limpando a garganta. — É um prazer ver você. Você é Peter K., certo?

— Certo.

— Da galera antiga — diz meu pai, de modo jovial, e me encolho de vergonha. — O que vocês estão fazendo?

— Estou fazendo cupcakes para a feira de doces da Associação de Pais e Mestres da Kitty e o Peter está ajudando.

Meu pai assente.

— Está com fome, Peter? Tem o bastante para todo mundo. — Ele levanta a bolsa. — Camarão *lo mein*, frango *kung pao*.

— Na verdade, Lara Jean e eu íamos passar na festa de um amigo nosso — diz Peter. — Tem problema? Prometo que a trago de volta cedo.

Antes que meu pai possa responder, eu digo para Peter:

— Eu já falei que tenho que terminar os cupcakes.

— A Kitty e eu terminamos — interrompe meu pai. —Vocês dois podem ir para a festa de aniversário.

Meu estômago fica embrulhado.

—Não tem problema, pai. Eu é que tenho que fazer, vou fazer uma decoração especial.

— Kitty e eu damos um jeito. Pode ir trocar de roupa.Vamos trabalhar nesses cupcakes.

Eu abro e fecho a boca como um peixe.

—Tudo bem, então.

Mas não me mexo, só fico ali de pé, porque tenho medo de deixar os dois sozinhos. Peter dá um sorriso largo para mim.

—Você ouviu seu pai. Está tudo sob controle.

E eu penso: *Não aja com confiança demais, porque meu pai vai pensar que você é arrogante.*

★ ★ ★

Há certas roupas que fazem a gente se sentir bem toda vez que as usamos, e há roupas de que gostamos tanto que as usamos várias vezes seguidas, e depois parecem ter saído do lixo. Estou olhando meu armário agora e tudo parece lixo. Minha ansiedade só aumenta por saber que Gen vai estar perfeita, porque tudo fica bem nela. E eu também tenho que usar a roupa certa. Peter não viria até aqui fazendo questão de ir à festa se não fosse importante para ele.

Coloco uma calça jeans e experimento algumas blusas: uma cor de pêssego com babados que de repente parece exagerada, um suéter comprido e felpudo com o desenho de um pinguim que parece infantil demais. Estou colocando um short cinza com suspensórios pretos quando alguém bate à porta. Fico imóvel e pego um suéter para me cobrir.

— Lara Jean.

É Peter.

— O quê?

— Você está pronta?

— Quase! Só… me espera lá embaixo. Desço daqui a pouco.

Ele solta um suspiro audível.

— Tudo bem. Vou ver o que a sua irmã está fazendo.

Quando ouço os passos dele se afastando, experimento uma blusa creme de bolinhas com o conjunto de short e suspensório. É bonitinho, mas será que está fofo demais? Exagerado? E devo colocar uma meia-calça preta ou meias pretas até os joelhos? Margot disse que essa roupa me faz parecer uma parisiense. Parisiense é bom. Sofisticado, romântico. Experimento uma boina só para ver o efeito, mas descarto na mesma hora. Fica exagerado.

Eu queria que Peter não tivesse aparecido assim. Preciso de tempo para me planejar, me preparar. Embora, para falar a verdade, se ele tivesse me convidado com antecedência, eu teria inventado uma desculpa para não ir. Uma coisa é ir à sorveteria depois da aula, mas uma festa com todos os amigos dele e, além de tudo, Genevieve?

Pulo pelo quarto em busca das meias até os joelhos e depois em busca do meu potinho de brilho labial de morango no formato de um morango. Caramba, preciso arrumar o quarto. Não consigo encontrar nada nessa bagunça.

Corro até o quarto de Margot para pegar o cardigã dela emprestado. Passo pela porta aberta de Kitty, e vejo Peter e ela deitados no chão, mexendo no kit de laboratório. Reviro a gaveta de suéteres de Margot, que agora só tem camisetas e shorts, porque ela levou a maioria dos casacos. Não acho cardigã nenhum. Mas, no fundo da gaveta, há um envelope. Uma carta de Josh.

Quero tanto abrir. Sei que é errado.

Com todo o cuidado do mundo, tiro a carta do envelope e a desdobro.

Querida Margot,

Você disse que tínhamos que terminar porque você não quer ir para a faculdade namorando, porque quer sua liberdade e não quer se sentir presa a nada. Mas você sabe e eu sei que esse não é o verdadeiro motivo. Na verdade, você terminou comigo porque nós transamos e você ficou com medo de ficarmos muito íntimos.

Eu paro de ler.

Não consigo acreditar. Chris estava certa, e eu, errada. Margot e Josh transaram. Parece que tudo que eu achava que sabia é mentira. Achei que conhecia Margot, mas, no fim das contas, não sei quem ela é.

Ouço Peter chamar meu nome.

— Lara Jean! Você já está pronta?

Mais do que depressa, dobro a carta e a enfio de volta no envelope. Coloco na gaveta e fecho.

— Estou indo!

Para todos os garotos que já amei

38

ESTAMOS NA PORTA DA FRENTE DA MANSÃO DE STEVE BLEDELL. Steve é do time de futebol americano, mas é mais conhecido por ter um padrasto rico dono de um jatinho.

— Pronta? — pergunta Peter.

Eu seco as palmas das mãos no short. Queria ter tido tempo de arrumar melhor o cabelo.

— Na verdade, não.

— Então vamos conversar sobre nossa estratégia. Você só precisa agir como se estivesse apaixonada por mim. Não deve ser muito difícil.

Reviro os olhos.

— Você é a pessoa mais convencida que já conheci.

Peter sorri e dá de ombros. Ele segura a maçaneta, mas para.

— Espera — diz ele, depois puxa o elástico do meu cabelo e joga no jardim.

— Ei!

— Fica melhor solto. Confie em mim.

Peter passa os dedos pelo meu cabelo, ajeitando-o, e bato na mão dele. Em seguida, ele pega o celular no bolso de trás da calça jeans e tira uma foto minha.

Eu olho para ele sem entender.

— Para o caso de a Gen olhar meu celular — explica Peter.

Vejo-o colocar a foto como papel de parede.

— Podemos tirar outra?

Não gostei de como meu cabelo ficou.

— Não, eu gostei. Você está bonita.

Ele só deve ter dito isso para podermos entrar logo, mas eu me sinto melhor.

Entro na festa com Peter Kavinsky e não consigo deixar de sentir uma onda repentina de orgulho. Ele está aqui comigo. Ou sou eu que estou aqui com ele?

Eu a vejo assim que entramos; Gen está sentada no sofá com as amigas, todas segurando copos vermelhos. Não há namorado por perto. Ela ergue as sobrancelhas para mim e sussurra alguma coisa para Emily Nussbaum.

— Eeeei, Lara Jean — grita Emily, me chamando com o dedo. — Venha se sentar aqui com a gente.

Começo a andar na direção delas achando que Peter está ao meu lado, mas ele não está. Ele parou para cumprimentar alguém. Eu o encaro com expressão de pânico, mas ele faz sinal para eu ir em frente e diz apenas com movimentos labiais: *É com você.*

Atravessar a sala sozinha é como atravessar um continente com Gen e as amigas me observando.

— Oi, pessoal — digo, e minha voz sai aguda e meio infantil.

Não há espaço para mim no sofá, então me empoleiro em um dos braços, como um pássaro no fio telefônico. Fico com os olhos grudados nas costas de Peter, que está do outro lado da sala com uns caras do time de lacrosse. Deve ser legal ser ele. Tão tranquilo, tão à vontade consigo mesmo, sabendo que as pessoas o estão esperando, tipo *Peter está aqui então agora a festa pode começar de verdade.* Olho ao redor só para ter alguma coisa a fazer e vejo Gabe e Darrell. Eles acenam para mim com simpatia, mas não se aproximam. Parece que todo mundo está esperando e observando — esperando e observando para ver o que Genevieve vai fazer.

Estou arrependida de ter vindo.

Emily se inclina para a frente.

— Estamos todas doidas para saber… Qual é a história entre você e o Kavinsky?

Sei que foi Gen quem a mandou perguntar. Gen toma goles de sua bebida com toda a naturalidade do mundo, mas está esperando minha resposta. Será que já está bêbada? Por tudo que ouvi sobre Gen,

Para todos os garotos que já amei

167

ela fica mal-humorada quando bebe. Não que eu tenha visto, mas ouvi os boatos.

Umedeço os lábios.

— Peter já deve ter contado...

Emily faz um gesto que indica que o que Peter diz não conta.

— Queremos saber de você. Afinal, é tão surpreendente. Como foi que isso aconteceu?

Ela se inclina mais para perto, como se fôssemos melhores amigas.

Quando hesito e desvio o olhar para Genevieve, ela sorri e revira os olhos.

— Está tudo bem, pode falar, Lara Jean. Peter e eu terminamos. Não sei se ele contou, mas fui eu que terminei com ele.

Eu assinto.

— Foi o que ele disse.

Não foi o que ele disse, mas é o que eu já sabia.

— E quando vocês começaram a sair?

Ela tenta parecer indiferente, mas sei que minha resposta é importante. Ela está me testando.

— Faz pouco tempo — digo.

— Quanto tempo? — insiste ela.

Engulo em seco.

— Logo antes do início das aulas.

Não foi essa a história que Peter e eu combinamos?

Os olhos de Genevieve brilham, e meu coração despenca. Falei a coisa errada, mas é tarde demais. É difícil não ficar preso no feitiço dela. Ela é o tipo de pessoa que você quer que goste de você. Você sabe que ela pode ser cruel; já a viu sendo cruel. Mas, quando Gen está olhando para você e prestando atenção, quer que isso dure. Em parte é por causa de sua beleza, mas tem mais alguma coisa, algum tipo de magnetismo. Acho que é a transparência: tudo que ela pensa ou sente está escrito em sua cara e, mesmo quando não está, ela diria de qualquer jeito, porque Gen diz o que pensa sem parar para medir nas consequências.

Consigo entender por que Peter foi apaixonado por ela por tanto tempo.

— Acho adorável — diz Genevieve, e as garotas começam a conversar sobre um show para o qual estão tentando conseguir ingressos, e eu fico sentada ali, feliz por não precisar falar, me perguntando como estão as coisas com os cupcakes lá em casa. Espero que meu pai não os asse por tempo demais. Não tem nada pior do que um cupcake seco.

As garotas passam a falar de fantasias de Halloween, então me levanto para ir ao banheiro. Quando volto, encontro Peter sentado em uma poltrona de couro, bebendo cerveja e conversando com Gabe. Não tem lugar para mim; o braço do sofá foi ocupado. E agora?

Fico ali de pé por um segundo, mas preciso decidir rápido: preciso fazer o que uma garota apaixonada faria. Faço o que Genevieve faria. Vou até Peter e me sento no colo dele como se fosse meu lugar de direito.

Peter dá um gritinho de surpresa.

— Oi — diz, engasgando com a cerveja.

— Oi.

Em seguida, aperto de leve o nariz dele como vi uma garota fazer em um filme em preto e branco.

Peter se ajeita na poltrona e me olha como se estivesse segurando o riso, e fico nervosa; apertar o nariz de um garoto é romântico, não é? Então, pelo canto do olho, consigo ver Genevieve nos encarando. Ela sussurra alguma coisa para Emily e sai da sala.

Sucesso!

Mais tarde, vou pegar refrigerante e vejo Genevieve e Peter conversando na cozinha. Ela está falando com a voz baixa e urgente, estica a mão e toca no braço dele. Peter tenta afastar a mão dela, mas Gen não solta.

Estou tão hipnotizada que não reparo quando Lucas Krapf se aproxima de mim enquanto abre uma garrafa de cerveja.

— Oi, Lara Jean.

— Oi!

Para todos os garotos que já amei

Fico aliviada em ver um rosto familiar.

Ele fica de pé ao meu lado, com as costas apoiadas na parede da sala de jantar.

— Por que eles estão brigando?

— Nem faço ideia — respondo.

Dou um sorriso discreto. Com sorte, é por minha causa. Peter vai ficar feliz de ver que nosso plano está finalmente dando certo.

Lucas faz sinal para eu chegar mais perto.

— Uma briga não é um bom sinal, Lara Jean — sussurra ele. — Quer dizer que alguém ali ainda gosta do outro.

O hálito dele tem cheiro de cerveja.

Humm. Genevieve obviamente ainda gosta dele. Peter deve gostar dela também.

Lucas dá tapinhas na minha cabeça.

— Só tome cuidado.

— Obrigada.

Peter sai da cozinha.

— Está pronta para ir embora?

Ele não espera minha resposta, apenas sai andando com os ombros tensos.

Dou de ombros para Lucas.

— A gente se vê na segunda!

E saio correndo atrás de Peter.

Ele ainda está com raiva, consigo perceber pela forma como enfia a chave na ignição.

— Meu Deus, ela me deixa louco! — Peter está tão nervoso que calor emana dele em ondas. — O que você disse para ela?

Eu me remexo no banco, nervosa.

— Ela me perguntou quando começamos a sair. Falei que foi logo antes de as aulas começarem.

Peter dá um gemido profundo.

— Nós ficamos naquele primeiro fim de semana.

— Mas... vocês já tinham terminado.

— É, bem. — Peter dá de ombros. — Tanto faz. O que está feito está feito.

Aliviada, coloco o cinto de segurança e tiro os sapatos.

— Por que vocês estavam brigando, afinal?

— Não precisa se preocupar com isso. Você fez um bom trabalho, aliás. Ela está morrendo de ciúmes.

— Eba — comemoro. Desde que ela não me mate.

Ficamos em silêncio por um tempo.

— Peter... como você soube que amava a Genevieve?

— Meu Deus, Lara Jean. De onde você tira essas perguntas?

— Sou uma pessoa curiosa por natureza. — Eu viro o para-sol para me olhar no espelho e começo a fazer uma trança embutida. — E talvez a pergunta que você deveria estar se fazendo agora é por que está com tanto medo da resposta?

— Eu não estou com medo!

— Então por que não me responde?

Peter fica em silêncio, e tenho certeza de que não vai responder, mas, depois de uma longa pausa, ele diz:

— Não sei se amei Genevieve. Como eu poderia saber? Tenho dezessete anos, caramba.

— Você tem dezessete, não é tão jovem. Cem anos atrás, as pessoas se casavam quando tinham praticamente a sua idade.

— É, isso foi antes da eletricidade e da internet. Cem anos atrás, caras de dezoito anos lutavam em guerras com baionetas e tinham a vida de outras pessoas nas mãos! Eles já tinham vivido muito quando chegavam à nossa idade. O que o pessoal da nossa idade sabe sobre o amor e a vida?

Eu nunca o ouvi falar assim, como se realmente se importasse com alguma coisa. Acho que ainda está nervoso por causa da briga com Genevieve.

Faço um coque e prendo com um elástico.

— Sabe quem você parece? Meu avô — digo. — E acho que está enrolando porque não quer responder a pergunta.

— Eu já respondi, você que não gostou da resposta.

Para todos os garotos que já amei

Paramos na frente da minha casa. Peter desliga o motor, o que ele faz sempre que quer conversar um pouco mais. Por isso, não saio logo do carro, coloco a bolsa no colo e procuro a chave, embora as luzes estejam acesas no andar de cima. Caramba. Estou sentada no banco do passageiro do Audi preto de Peter Kavinsky. Não é o que toda garota sempre quis? Não Peter Kavinsky especificamente... ou sim, talvez Peter Kavinsky especificamente.

Ele apoia a cabeça no banco e fecha os olhos.

— Você sabia que, quando as pessoas brigam, isso quer dizer que ainda gostam uma da outra? — Como Peter não responde, eu continuo: — A Genevieve deve mesmo ter você na palma da mão.

Espero que ele negue, mas não. Em vez disso, diz:

— É, mas eu queria que não fosse assim. Não quero que ninguém seja dono de mim. Não quero pertencer a ninguém.

Margot diria que pertence a si mesma. Kitty diria que não pertence a ninguém. E acho que eu diria que pertenço às minhas irmãs e ao meu pai, mas isso nem sempre será verdade. Pertencer a alguém... Eu não tinha percebido, mas, agora que estou pensando no assunto, parece que é tudo que eu sempre quis. Ser de alguém de verdade, e que essa pessoa fosse minha.

— Então esse é o motivo por que você está fazendo isso. — Em parte, é uma pergunta, mas na verdade já sei a resposta. — Para provar que não pertence a ela. E que seu lugar não é com ela. — Eu hesito. — Você acha que tem diferença? Entre *pertencer* a alguém e *estar* com alguém?

— Claro. Um implica escolha, o outro, não.

— Você deve amar muito a Genevieve para se dar todo esse trabalho.

Peter faz um som de desdém.

— Você é romântica demais.

— Obrigada — digo, apesar de saber que ele não falou como elogio. Respondo só para irritá-lo.

Sei que consegui quando ele pergunta com expressão azeda:

— O que você sabe sobre o amor, Lara Jean? Você nunca namorou.

Fico tentada a inventar alguém, um garoto do acampamento, de outra cidade, de qualquer lugar. *O nome dele é Clint* está na ponta da minha língua. Mas seria humilhante demais, porque ele saberia que é mentira; já contei a ele que nunca namorei. E, mesmo que não tivesse falado, é bem mais patético inventar um namorado do que apenas admitir a verdade.

— Não, eu nunca namorei. Mas muitas pessoas que conheço namoraram e não se apaixonaram nem uma vez. Eu já me apaixonei.

É *por isso* que estou fazendo isso.

Peter dá uma risada debochada.

— Por quem? Josh Sanderson? Aquele idiota?

— Ele não é idiota — defendo-o, franzindo a testa. — Você nem o conhece. Não sabe do que está falando.

— Qualquer pessoa com meio cérebro consegue perceber o quão idiota aquele cara é.

— Você está chamando minha irmã de burra? — pergunto.

Se ele disser uma coisa ruim que seja sobre minha irmã, é o fim. Essa coisa toda vai acabar. Não preciso dele tanto assim.

Peter ri.

— Não. Estou dizendo que você é!

— Quer saber? Não precisa mais responder. Está claro que você nunca amou ninguém além de si mesmo.

Tento abrir a porta do passageiro, mas está trancada.

— Lara Jean, eu só estava brincando. Para com isso.

— A gente se vê na segunda.

— Espera, espera. Primeiro me responde uma coisa. — Peter se recosta no banco. — Por que você nunca namorou ninguém?

Eu dou de ombros.

— Não sei… Talvez porque ninguém tenha me convidado para sair?

— Mentira. Eu sei que o Martinez convidou você para o baile, e você disse não.

Fico surpresa por ele saber disso.

Para todos os garotos que já amei

— Por que vocês, garotos, ficam se chamando pelos sobrenomes? — pergunto para ele. — É tão... — eu me esforço para encontrar a palavra certa — ... falso?

— Não mude de assunto.

— Acho que eu disse não porque fiquei com medo.

Eu olho pela janela e passo o dedo no vidro, desenhando um *M* de Martinez.

— Do *Tommy*?

— Não. Eu gosto do Tommy. Não é isso. É assustador quando é real. Quando não é só na sua imaginação, mas, tipo, ter uma pessoa de verdade na sua frente, com, sei lá, expectativas. E vontades.

Eu finalmente olho para Peter, e fico surpresa com o quanto ele está prestando atenção; seus olhos estão alertas e concentrados como se ele estivesse realmente interessado no que estou dizendo.

— Mesmo quando gostei muito de alguém, amei até, eu preferia ficar com minhas irmãs, porque é o meu lugar — continuo.

— Espera. E agora?

— Agora? Ah, não gosto de você assim, então...

— Que bom — diz Peter. — Vê se não se apaixona por mim de novo, tá? Não dá para ter mais garotas apaixonadas por mim. É muito cansativo.

Dou uma gargalhada alta.

— Você é tão metido.

— Estou brincando — protesta ele, mas sei que não está. — O que você viu em mim, afinal?

Ele abre um sorriso, já arrogante de novo, convencido do próprio charme.

— Sinceramente? Eu não saberia dizer.

O sorriso enfraquece, mas se recompõe rápido, só que agora Peter não está mais tão seguro de si.

— Você disse que era porque eu faço as pessoas se sentirem especiais. Você... você disse que era porque danço bem e fiz dupla na aula de ciências com Jeffrey Suttleman!

— Uau, você decorou mesmo cada palavra daquela carta, hein? — provoco. Sinto uma pequena onda de satisfação ao ver o sorriso de Peter sumir completamente. Essa onda vem seguida de remorso, porque feri os sentimentos dele sem nenhum motivo. O que deu em mim para fazer isso? Querendo consertar as coisas, acrescento: — Não, é verdade. Você tinha mesmo algo de especial na época.

Acho que só piorei a situação, porque ele faz uma careta.

Não sei mais o que dizer, então abro a porta do carro e saio.

— Obrigada pela carona, Peter.

Quando entro em casa, passo primeiro na cozinha para checar os cupcakes. Estão organizados em potes plásticos. A cobertura está meio desajeitada, e os confeitos, irregulares, mas de um modo geral parecem muito bons. Isso é um alívio. Pelo menos Kitty não vai passar vergonha na feira por minha causa!

De: Margot Covey (mcovey@st-andrews.ac.uk)
Para: Lara Jean Covey (larajeansong@gmail.com)

Como está indo a escola? Entrou para algum clube? Acho que você deveria considerar a revista literária ou o projeto das Nações Unidas. E não esqueça que este fim de semana é o Dia de Ação de Graças coreano e você tem que ligar para a vovó, senão ela vai ficar triste! Estou com saudades.

P.S.: Por favor, mande biscoitos recheados! Sinto falta das nossas competições de comilança.

Com amor, M

De: Lara Jean Covey (larajeansong@gmail.com)
Para: Margot Covey (mcovey@st-andrews.ac.uk)

Está tudo bem na escola. Ainda não estou em nenhum clube novo, mas vamos ver. Já anotei na agenda que tenho que ligar para a vovó. Não se preocupe, está tudo sob controle!

Beijos

Para todos os garotos que já amei

39

A MÃE DE PETER TEM UM ANTIQUÁRIO CHAMADO LINDEN & WHITE na rua de paralelepípedos do Centro. O que ela mais vende é mobília, mas também tem mostruários de joias, cada um representando uma década. Minha década favorita é a de 1900. Tem um pingente de ouro em formato de coração com um diamante pequenininho no meio; parece uma estrela explodindo. Custa quatrocentos dólares. O antiquário fica ao lado da livraria McCalls, por isso às vezes dou uma passadinha na loja para olhar o pingente. Sempre acho que não estará mais lá, mas sempre está.

Uma vez, compramos um broche de ouro em formato de trevo da década de 1940 para o Dia das Mães. Margot e eu montamos uma barraca para vender limonada todos os sábados durante um mês e conseguimos juntar dezesseis dólares. Lembro o orgulho que sentimos quando demos o dinheiro para nosso pai, arrumadinho dentro de um saco plástico. Na época, achei que estávamos pagando a maior parte e papai só ia ajudar um pouco. Agora, percebo que o broche custou bem mais do que dezesseis dólares. Eu deveria perguntar a ele quanto custou de verdade. Mas talvez eu não queira saber. Talvez seja melhor não saber. Enterramos mamãe com o broche, era o favorito dela.

Estou de pé em frente ao mostruário, com os dedos encostados no vidro, quando Peter aparece, vindo dos fundos da loja.

— Oi — diz ele, surpreso.

— Oi — respondo. — O que você está fazendo aqui?

Peter me olha como se eu fosse burra.

— Minha mãe é a dona, lembra?

— Eu sei disso. Só nunca vi você aqui. Você trabalha na loja?

— Não, tive que trazer uma encomenda para minha mãe. Agora ela está dizendo que tenho que pegar um conjunto de cadeiras em Huntsburgh amanhã — diz Peter, mal-humorado. — São duas horas para ir e voltar. Um saco.

Assinto, solidária, e me afasto do mostruário. Finjo olhar para um globo rosa e preto. Na verdade, acho que Margot gostaria dele. Poderia ser um bom presente de Natal para ela. Observo-o com mais atenção.

— Quanto custa este globo?

— O preço que está na etiqueta. — Peter apoia o cotovelo no mostruário e se inclina para a frente. — Você devia ir.

Eu olho para ele.

— Aonde?

— Buscar as cadeiras comigo.

— Você acabou de reclamar do quanto vai ser um saco.

— É, sozinho. Se você for, talvez seja um pouco menos pior.

— Nossa, obrigada.

— De nada.

Eu reviro os olhos. Peter diz "de nada" para tudo! É tipo *Não, Peter, esse não foi um agradecimento genuíno, então você não precisa responder.*

— Então, você vai ou não?

— Ou não.

— Ah, vamos! Vou buscar as cadeiras em uma propriedade à venda. O dono era recluso. As coisas estão lá há cinquenta anos. Aposto que vai ter coisas para você olhar. Você gosta de coisas antigas, não gosta?

— Gosto — respondo, surpresa por ele saber isso sobre mim. — Na verdade, eu sempre quis ir a uma venda dessas. Como o dono morreu? Quanto tempo passou até que alguém encontrasse o corpo?

— Caramba, como você é mórbida. — Ele estremece. — Não sabia que você tinha esse lado.

— Eu tenho muitos lados — digo para ele, e me inclino para a frente. — E aí? Como ele morreu?

— Ele não morreu, sua esquisita. Só está velho. A família vai mandar o cara para um asilo. — Peter ergue uma sobrancelha para mim. — Então pego você amanhã às sete.

— Sete? Você não falou nada sobre sair às sete da manhã em um sábado!

— Desculpa — diz ele parecendo culpado. — Temos que chegar cedo, antes que todas as coisas boas sejam vendidas.

Naquela noite, preparo o almoço do dia seguinte para mim e para Peter. Faço sanduíches de rosbife com queijo e tomate, maionese para mim e mostarda para ele. Peter não gosta de maionese. São as coisas engraçadas que você aprende em um relacionamento de mentira.

Kitty entra na cozinha e tenta pegar uma metade de sanduíche. Dou um tapa na mão dela.

— Não é para você.

— Então é para quem?

— É para o meu almoço amanhã. Meu e do Peter.

Ela sobe em um banco e me observa embrulhar os sanduíches em papel-alumínio. Sanduíches ficam bem mais bonitos em papel-alumínio do que dentro de potes plásticos. Sempre que posso, uso papel-alumínio.

— Eu gosto do Peter — diz Kitty. — Ele é muito diferente do Josh, mas gosto dele.

Eu olho para ela.

— O que você quer dizer?

— Não sei. Ele é engraçado. Faz um monte de brincadeiras. Você deve estar muito apaixonada se está fazendo sanduíches para ele. Quando a Margot e o Josh começaram a namorar, ela fazia macarrão com molho de três queijos o tempo todo, porque é o prato favorito dele. Qual é o prato favorito do Peter?

— Eu… eu não sei. Quer dizer, ele gosta de tudo.

Kitty me olha de soslaio.

— Se você é a namorada dele, deveria saber qual é a sua comida favorita.

— Sei que ele não gosta de maionese — digo.

— Isso é porque maionese é nojento. Josh também odeia maionese.

Sinto uma pontada. Josh odeia mesmo maionese.

— Kitty, você sente falta do Josh?

Ela assente.

— Eu queria que ele ainda viesse aqui. — Um olhar de saudade surge no rosto dela, e estou quase lhe dando um abraço quando Kitty coloca as mãos nos quadris. — Mas não use todo o rosbife, preciso dele para meu lanche da semana que vem.

— Se acabar, faço salada de atum. Caramba.

— É bom mesmo — diz Kitty, e sai correndo.

"É bom mesmo"? De onde ela tira essas coisas?

Às sete e meia, estou sentada à janela esperando Peter chegar. Carrego um saco de papel pardo com nossos sanduíches e minha câmera, para o caso de haver alguma coisa sinistra ou legal que eu possa fotografar. Estou imaginando uma mansão velha, cinza e em ruínas, como se vê nos filmes de terror, com um portão e um laguinho sujo ou um labirinto no jardim.

A minivan da mãe de Peter para na porta da minha casa às 7h45, o que me deixa irritada. Eu poderia ter dormido mais uma hora inteira. Corro até o carro e entro, e, antes que eu possa falar qualquer coisa, ele diz:

— Desculpa, desculpa. Mas olha só o que eu trouxe para você. — Ele me passa um donut em um guardanapo, ainda quente. — Eu parei e comprei bem na hora que abriram, às sete e meia. É de café com chocolate e açúcar.

Eu arranco um pedaço e coloco na boca.

— Hum!

Ele me olha de soslaio enquanto acelera o carro.

— Então fiz a coisa certa ao me atrasar, né?

Eu concordo enquanto dou uma mordida grande.

— Você fez a coisa perfeita — digo, com a boca cheia. — Ei, trouxe água?

Para todos os garotos que já amei

Peter me entrega uma garrafa de água pela metade, e tomo um grande gole.

— É o melhor donut que já comi — comento.

— Que bom. — Peter olha para mim e ri. — Você está com açúcar na cara toda.

Eu limpo a boca com o outro lado do guardanapo.

— Nas bochechas também — diz ele.

— Tudo bem, tudo bem. — O carro fica em silêncio, o que me deixa nervosa. — Que tal um pouco de música?

Pego meu celular.

— Na verdade, você se importa se ficarmos em silêncio por um tempo? Não consigo ouvir música antes de a cafeína começar a agir.

— Hã... claro.

Não sei se isso quer dizer que ele quer que eu fique quieta também. Eu não teria concordado com esse passeio se soubesse que teria que ficar em silêncio.

Peter está com uma expressão serena no rosto, como se fosse o capitão de um barco de pesca e estivéssemos flutuando placidamente em alto-mar. Só que não está dirigindo devagar; ele está dirigindo muito rápido.

Consigo ficar em silêncio por uns dez segundos.

— Espera, você quer que eu fique quieta também?

— Não, eu só não quero música. Você pode falar o quanto quiser.

— Tudo bem.

Mas fico em silêncio, porque é constrangedor quando alguém diz que você pode falar o quanto quiser.

— Ei, qual é a sua comida favorita?

— Eu gosto de tudo.

— Mas qual é sua *favorita*? Tipo, sua favorita de todas. É macarrão com queijo, frango frito, bife ou pizza?

— Gosto disso tudo. Igualmente.

Solto um suspiro irritado. Por que Peter não entende o conceito de escolher uma coisa favorita?

Peter imita meu suspiro e ri.

— Tudo bem. Gosto de pão de canela. É minha comida favorita.

— Pão de canela? — repito. — Você gosta de pão de canela mais do que de patas de caranguejo? Mais do que de cheesebúrger?

— Sim.

— Mais do que de bife?

Peter hesita. Mas responde:

— Sim! Agora pare de criticar minha escolha. Não vou mudar de ideia.

Eu dou de ombros.

— Tudo bem.

Eu espero, dando a ele uma chance de me perguntar qual é minha comida favorita, mas ele não pergunta.

— Minha comida favorita é bolo — digo, por fim.

— Que tipo de bolo?

— Não importa. Qualquer um.

— Você acabou de me encher porque não escolhi!

— Mas é tão difícil escolher um tipo! — exclamo. — Tem aquele bolo de coco com cobertura de glacê parecida com uma bola de neve. Gosto muito desse. Mas também gosto de cheesecake, de torta de limão e de bolo de cenoura. E também de bolo *red velvet* com cobertura de cream cheese, e bolo de chocolate com cobertura de ganache. — Eu faço uma pausa. — Você já comeu bolo de azeite de oliva?

— Não. Parece estranho.

— É muito, muito gostoso. Úmido e delicioso. Vou fazer para você.

Peter geme.

— Você está me deixando com fome. Eu devia ter comprado um saco inteiro de donuts.

Eu abro o saco de papel pardo e pego o sanduíche dele. Escrevi um *P* no papel-alumínio para saber qual era o dele.

— Você quer um sanduíche?

— Você fez para mim?

Para todos os garotos que já amei

181

— Bom, eu estava preparando um para mim. Seria falta de educação trazer só um sanduíche e comer na sua frente.

Peter aceita o sanduíche e come com a parte de baixo ainda envolta no papel.

— Está gostoso — comenta, assentindo. — Que mostarda é essa?

— Mostarda de cerveja — respondo, satisfeita. — Meu pai compra de um catálogo de comida bacana. Ele adora cozinhar.

— Você não vai comer o seu?

— Estou guardando para depois.

No meio do caminho, Peter começa a costurar no trânsito e fica olhando para o relógio no painel.

— Por que você está com tanta pressa? — pergunto.

— Os Epstein — diz ele, batendo com os dedos no volante.

— Quem são os Epstein?

— Um casal idoso que tem um antiquário em Charlottesville. Da última vez, Phil chegou cinco minutos antes de mim e fez a limpa. Isso não vai acontecer hoje.

Impressionada, digo:

— Uau, eu não fazia ideia de que a concorrência nessa área era tão acirrada.

Como um sabe-tudo, Peter dá um sorrisinho.

— E as áreas não são todas assim?

Reviro os olhos para a janela. Peter é tão Peter.

Estamos parados em um sinal de trânsito quando Peter se senta ereto de repente.

— Ah, merda! Os Epstein!

Eu estava quase dormindo. Meus olhos se abrem na mesma hora.

— Onde? Onde?

— Carro vermelho! Dois carros à frente, à direita.

Eu estico o pescoço para olhar. É um casal de cabelo grisalho, com uns sessenta ou setenta anos. É difícil ter certeza, tão de longe.

Assim que o sinal fica verde, Peter acelera e sai dirigindo pelo acostamento. Eu grito "Vai, vai, vai!", e logo passamos pelos Epstein. Meu coração está disparado e não consigo deixar de colocar a cabeça para fora da janela e gritar, porque é tão emocionante. Meu cabelo balança ao vento, e sei que vai ficar todo embaraçado, mas não me importo.

— Uhullll! — grito.

— Você é louca — diz Peter, me puxando pela barra da camisa.

Ele está me olhando como olhou no dia em que eu o beijei no corredor. Como se eu fosse uma pessoa diferente do que ele imaginava.

Quando chegamos à casa, já há alguns carros estacionados. Estico o pescoço para tentar ver melhor. Eu estava esperando uma mansão com portão de ferro fundido e talvez uma ou duas gárgulas, mas é só uma casa normal. Devo parecer decepcionada, porque, quando para o carro, Peter diz para mim:

— Não julgue uma venda pela casa. Já vi todo tipo de tesouro em casas normais e lixo em casas elegantes.

Eu saio do carro e me abaixo para amarrar o cadarço.

— Vamos, Lara Jean! Os Epstein vão chegar a qualquer momento!

Peter segura minha mão e corremos até a porta da frente; estou ofegante e tentando acompanhá-lo. As pernas dele são tão mais compridas do que as minhas.

Assim que entramos, Peter vai direto até um homem de terno, e eu me inclino para tentar recuperar o fôlego. Algumas pessoas andam pela casa e olham a mobília. Tem uma mesa de jantar comprida no meio de uma sala cheia de louça, cristais e enfeites de porcelana. Vou até lá para olhar. Gosto de uma cremeira branca com flores cor-de--rosa, mas não sei se posso tocar e ver quanto custa. Pode ser muito caro.

Tem uma cesta grande com enfeites de Natal antigos: Papais Noéis e renas de plástico e ornamentos de vidro. Estou remexendo na cesta quando Peter se aproxima com um sorriso enorme no rosto.

Para todos os garotos que já amei

— Missão cumprida. — Ele indica um casal idoso que está olhando um aparador de madeira e sussurra: — Os Epstein.

— Você comprou as cadeiras? — grita o sr. Epstein. Ele está tentando parecer casual, não irritado, mas mantém as mãos na cintura e uma postura muito rígida.

— Você sabe que sim — responde Peter. — Boa sorte da próxima vez. — Para mim, ele diz: — Está vendo alguma coisa legal?

— Um monte. — Eu mostro uma rena rosa. É de cristal e tem o nariz azul. — Isto ficaria lindo na minha penteadeira. Você pode perguntar ao cara quanto custa?

— Não, mas você pode perguntar. Vai ser bom para aprender a negociar.

Peter segura minha mão e me leva até o homem de terno. Ele está preenchendo uma papelada em uma prancheta. Parece ocupado e importante. Nem sei se eu deveria estar aqui. Acho que não preciso da rena *de verdade*.

Mas Peter está me olhando com expectativa, então pigarreio e pergunto:

— Com licença, senhor, quanto custa essa rena?

— Ah, ela faz parte de um lote — responde ele.

— Ah. Hã, me desculpe, mas o que é um lote?

— Quer dizer que é parte de um conjunto. Você tem que comprar o conjunto inteiro. Custa setenta e cinco dólares. É vintage, entende?

Começo a recuar.

— Obrigada — digo.

Peter me puxa e dá um sorriso largo para o homem.

— Você não pode juntar com as cadeiras? Um brinde com a compra?

O homem suspira.

— Não quero separar o conjunto.

Ele se vira para mexer nos papéis na prancheta.

Peter me lança um olhar como quem diz *É você que quer a rena, é você que tem que falar*. Olho para ele como quem diz *Não quero tanto assim*, e Peter balança a cabeça com firmeza e me empurra na direção do homem.

— Por favor, senhor. Pago dez dólares por ela. Ninguém vai saber que falta uma rena. E, olha, a patinha está lascada embaixo, está vendo?

Eu mostro a rena.

— Tudo bem, tudo bem. Pode levar — diz o homem, meio irritado, então abro um sorriso para ele e pego a carteira na bolsa, mas ele faz sinal indicando que não precisa.

— Obrigada! Muito obrigada.

Seguro a rena contra o peito. Talvez barganhar não seja tão difícil quanto eu pensava.

Peter pisca para mim e diz para o homem:

— Vou estacionar a minivan mais perto para podermos carregar as cadeiras.

Eles saem pela porta dos fundos e fico andando pela casa, olhando as fotos emolduradas nas paredes. Fico curiosa para saber se também estão à venda. Algumas parecem bem velhas: são fotos em preto e branco de homens de terno e chapéu. Uma das fotos mostra uma garota com vestido de crisma, todo branco e rendado como um vestido de noiva. A garota não está sorrindo, mas tem um brilho malicioso nos olhos que me faz lembrar Kitty.

— É minha filha, Patrícia. — Eu me viro. Um senhor idoso de suéter azul e calça jeans grossa está encostado na escada, me olhando. Parece muito frágil; a pele é branca e fina como papel. — Ela mora em Ohio. É contadora.

Ele ainda está me olhando, como se *eu* lhe lembrasse alguém.

— Sua casa é linda — digo, apesar de não ser. É velha e precisa de uma boa reforma. Mas as coisas lá dentro são lindas.

— Está vazia agora. Todas as minhas coisas foram vendidas. Não vou poder levar comigo, sabe.

— O senhor quer dizer quando morrer? — sussurro.

Ele me encara.

— Não. Quero dizer para o asilo.

Ops.

— Certo — digo, e dou uma risadinha, como costumo fazer quando fico constrangida.

— O que você está segurando?

Eu mostro.

— Isto. Ele... o homem de terno me deu. Você quer de volta? Eu não paguei. Faz parte de um lote.

Ele sorri, e as rugas na pele fina ficam mais fundas.

— Era a favorita da Patty.

Eu a estendo na direção dele.

— Talvez ela queira guardar...

— Não, pode ficar. É sua. Ela nem se deu o trabalho de me ajudar com a mudança. — Ele assente, ressentido. — Tem mais alguma coisa que você queira levar? Tenho um baú cheio de roupas antigas dela.

Eca. Drama familiar. Melhor não me envolver nisso. Mas roupas vintage! Isso é tentador.

Quando Peter me encontra, estou sentada de pernas cruzadas no chão da sala de música, olhando dentro de um baú velho. O sr. Clarke está cochilando no sofá ao meu lado. Encontrei um minivestido da década de 1960 rosa como algodão-doce pelo qual fiquei maluca e uma blusa sem mangas de botão com pequenas margaridas que posso amarrar na cintura.

— Olha, Peter! — Mostro o vestido. — O sr. Clarke disse que posso ficar com ele.

— Quem é o sr. Clarke? — pergunta Peter, e a voz dele preenche a sala.

Eu aponto para o senhor cochilando e levo o dedo aos lábios.

— Bem, é melhor a gente sair logo daqui, antes que o cara responsável pelas vendas o veja dando coisas de graça.

Eu me levanto depressa.

— Tchau, sr. Clarke — digo, mas não alto demais. Acho que é melhor deixá-lo dormir. Ele estava chateado antes, quando me contou sobre o divórcio.

O sr. Clarke abre os olhos.

— Esse é seu namorado?

— Na verdade, não — respondo.

Mas Peter coloca o braço sobre meus ombros.

— Sim, senhor. Sou o namorado dela.

Não gosto do jeito como ele fala, como se estivesse debochando de mim e do sr. Clarke.

— Obrigada pelas roupas, sr. Clarke — digo, e ele se senta mais ereto e estica a mão para pegar a minha. Eu seguro a dele, e o sr. Clarke beija minha mão. Seus lábios parecem as asas de uma mariposa seca.

— De nada, Patty.

Dou um aceno de adeus e pego minhas coisas novas. Quando saímos pela porta da frente, Peter pergunta:

— Quem é Patty?

Mas finjo não escutar.

Acho que adormeço em dois segundos por causa da agitação do dia, porque a próxima coisa que percebo é que estamos parados na porta da minha casa, e Peter está sacudindo meu ombro.

— Chegamos, Lara Jean.

Abro os olhos. Estou segurando o vestido e a blusa contra o peito como se fossem um cobertorzinho de criança, e minha rena está no colo. Meus novos tesouros. Sinto como se tivesse acabado de roubar um banco e conseguido fugir.

— Obrigada pelo dia de hoje, Peter.

— Obrigado por ir comigo. — E, de repente, ele acrescenta: — Ah, é. Eu me esqueci de dizer uma coisa. Minha mãe quer que você vá jantar lá em casa amanhã à noite.

Meu queixo cai.

— Você contou sobre nós para sua mãe?

Peter me olha com irritação.

Para todos os garotos que já amei 187

— A Kitty sabe sobre nós! Além do mais, minha mãe e eu somos bem próximos. Na nossa família, somos só ela, eu e meu irmão, Owen. Se você não quiser ir, não precisa. Mas saiba que minha mãe vai achar você mal-educada por recusar o convite.

— Só estou dizendo... Quanto mais gente souber, mais difícil será gerenciar tudo. Você precisa restringir as mentiras ao menor número possível de pessoas.

— Como você sabe tanto sobre mentir?

— Ah, eu mentia o tempo todo quando era criança.

Mas eu não as encarava como mentiras. Achava que era brincar de faz-de-conta. Uma vez falei para Kitty que ela era adotada e que a família dela era de um circo itinerante. Foi por isso que ela começou a fazer ginástica olímpica.

40

NÃO SEI COMO ME VESTIR PARA O JANTAR NA CASA DE PETER. NA loja, a mãe dele está sempre tão elegante. Não quero conhecê-la e depois deixá-la pensando em como sou pior em comparação a Genevieve. Não entendo por que preciso conhecê-la.

Mas quero que ela goste de mim.

Reviro o armário e depois vou para o de Margot. Finalmente, escolho um suéter creme, uma blusa com gola Peter Pan e uma saia rodada de veludo mostarda. Também coloco meia-calça e sapatilhas. Passo um pouco de maquiagem, coisa que raramente uso. Aplico blush pêssego nas bochechas e experimento sombra nos olhos, mas acabo tirando tudo e recomeçando, dessa vez só com rímel e brilho labial.

Mostro o resultado para Kitty.

— Parece um uniforme — diz ela, por fim.

— De um jeito bom?

Kitty assente.

— Como se você trabalhasse em uma loja legal.

Antes que Peter chegue para me buscar, vou até o computador e pesquiso que garfo usar para quê, só por garantia.

É estranho. Sentada à mesa da cozinha de Peter, sinto como se estivesse vivendo a vida de outra pessoa. No fim das contas, a mãe dele fez pizza, então eu nem precisava me preocupar com os garfos. E a casa deles não é chique por dentro; é só uma casa normal e bonita. Tem um batedor de manteiga de verdade na cozinha, fotos de Peter e do irmão emolduradas nas paredes, e tudo é decorado em um padrão xadrez vermelho e branco.

Tem um monte de coberturas de pizza na bancada da cozinha; não só pepperoni, calabresa, cogumelos e pimentão, mas também corações de alcachofra, azeitonas gregas, mozarela fresca e dentes de alho inteiros.

A mãe de Peter é legal. Ela não para de colocar salada no meu prato durante o jantar, e eu não paro de comer apesar de estar satisfeita. Eu a vejo olhando para mim, e ela está com um sorrisinho no rosto. Quando sorri, ela fica parecida com Peter.

O irmão mais novo se chama Owen. Tem doze anos. É um Peter em miniatura, mas não fala tanto quanto ele. Nem tem o mesmo jeito tranquilo. Owen pega uma fatia de pizza e a enfia na boca, apesar de estar quente demais. Ele sopra ar quente e quase cospe um pedaço no guardanapo, mas a mãe diz:

— Não ouse, Owen. Temos visita.

— Me deixa em paz — murmura Owen.

— Peter disse que você tem duas irmãs — diz a sra. Kavinsky com um sorriso largo. Ela corta um pedaço de alface em pedaços menores. — Sua mãe deve amar ter três meninas.

Eu abro a boca para responder, mas, antes que consiga dizer qualquer coisa, Peter interrompe:

— A mãe da Lara Jean morreu quando ela era pequena.

Ele fala como se a mãe já devesse saber, e o rosto dela fica tomado de constrangimento.

— Sinto muito. Lembrei agora.

— Ela adorava mesmo ter três meninas — digo, mais do que depressa. — Eles tinham certeza de que minha irmã mais nova, Kitty, seria um menino. Minha mãe dizia que estava tão acostumada com meninas que ficava nervosa quando pensava no que ia fazer com um menino. Por isso, ela ficou muito aliviada quando a Kitty nasceu. Minha irmã Margot e eu também ficamos; nós rezávamos todas as noites para termos uma irmã e não um irmão.

— Qual é o problema com os meninos? — protesta Peter.

A sra. Kavinsky está sorrindo agora. Ela coloca outra fatia de pizza no prato de Owen e diz:

— Vocês são bárbaros. Animais selvagens. Aposto que Lara Jean e as irmãs dela são uns anjos.

Peter ri com deboche.

— Bem... A Kitty talvez seja um pouco selvagem — admito. — Mas eu e Margot, minha irmã mais velha, somos bem tranquilas.

A sra. Kavinsky pega o guardanapo e tenta limpar molho de tomate do rosto de Owen, mas ele afasta a mão dela.

— Mãe!

Quando ela se levanta para tirar outra pizza do forno, Peter diz para mim:

— Está vendo como minha mãe o trata como um bebê?

— Com você é muito pior — retruca Owen. Para mim, ele murmura: — O Peter não sabe nem fazer macarrão instantâneo.

Eu dou uma gargalhada.

— E você sabe?

— Claro, eu faço minha própria comida há anos — diz ele.

— Eu também gosto de cozinhar — digo, e tomo um gole de chá gelado. — Deveríamos dar uma aula de culinária para o Peter.

Owen me observa.

— Você usa mais maquiagem do que a Genevieve.

Eu me encolho como se tivesse levado um tapa. Só estou usando rímel! E um pouco de brilho labial! Sei que Genevieve usa bronzer, sombra e corretivo todos os dias. Além de rímel, delineador e batom!

Mais do que depressa, Peter diz:

— Cala a boca, Owen.

Owen está rindo. Eu semicerro os olhos. O garoto é só um pouco mais velho do que Kitty! Eu me inclino para a frente e passo a mão na frente do rosto.

— Isto *tudo* é natural. Mas obrigada pelo elogio, Owen.

— De nada — responde ele, igual ao irmão mais velho.

No caminho para casa, eu digo:

— Ei, Peter.

Para todos os garotos que já amei

— O quê?

— Deixa pra lá.

— O quê? Pergunta logo.

— Bem… seus pais são separados, não é?

— É.

— E você tem contato com seu pai?

— Não muito.

— Ah, tá. Eu só queria saber.

Peter olha para mim com expectativa.

— O quê? — pergunto.

— Só estou esperando a próxima pergunta. Você nunca faz uma só.

— Você sente falta dele?

— De quem?

— Do seu pai!

— Ah. Não sei. Acho que sinto mais falta de como era quando ele estava com a gente. Ele e minha mãe, eu e Owen. Éramos uma equipe. Ele ia a todos os jogos de lacrosse. — Peter fica quieto por um instante. — Ele… cuidava das coisas.

— Acho que é isso que os pais fazem.

— É o que ele está fazendo pela família nova — diz Peter, sem amargura. — E você? Sente falta da sua mãe?

— Às vezes, quando penso nela. — Então, eu digo: — Sabe do que eu sinto falta? Da hora do banho. Sinto falta de quando ela lavava meu cabelo. Você não acha que alguém lavar seu cabelo é a melhor sensação do mundo? Água quente, bolhas e dedos no seu cabelo. É tão gostoso.

— É mesmo.

— Não penso nela o dia inteiro, mas… mas às vezes coisas do tipo "o que ela pensaria de mim agora?" me vêm à cabeça. Ela só me conheceu como uma menina, agora sou uma adolescente. E fico me perguntando: "Se ela me visse na rua, será que me reconheceria?"

— É claro que reconheceria. Ela é sua mãe.

— Eu sei, mas eu mudei muito.

Uma expressão de desconforto surge no rosto dele, e posso ver que está arrependido de reclamar do pai, porque pelo menos ele ainda está vivo. Como Peter está me olhando com pena, eu me empertigo e digo com voz altiva:

— Sou muito madura, sabe.

Ele está sorrindo agora.

— Ah, é?

— Ah, sim, sou muito refinada, Peter.

Quando Peter me deixa em casa, na hora em que vou sair, ele me para.

— Deu para ver que minha mãe gostou de você.

Isso me deixa secretamente feliz. Sempre foi importante para mim que as mães das outras pessoas gostassem de mim.

Era a parte de que eu mais gostava quando ia na casa de Genevieve, passar o tempo com a mãe dela. Wendy era tão estilosa. Ela usava blusa de seda com uma calça bonita e um colar chamativo só para ficar em casa. Com o cabelo perfeito, sempre bem penteado e liso. Genevieve tem o mesmo cabelo, mas não tem o nariz perfeito e reto da mãe. O dela tem um calombinho na ponte que acho que só a deixa mais bonita.

— E com certeza você não usa mais maquiagem do que a Gen. Ela sempre sujava minhas camisas brancas de bronzer.

Para alguém que esqueceu Genevieve, Peter fala bastante sobre ela. Mas não é só ele. Eu também estava pensando nela. Mesmo quando não está aqui, ela está presente. Aquela garota tem um alcance e tanto.

Para todos os garotos que já amei

41

DURANTE A AULA DE QUÍMICA, PETER ESCREVE UM BILHETE: *Posso ir à sua casa hoje para estudar para a prova?*

Eu respondo: *Não me lembro de nosso contrato incluir grupos de estudo.* Depois que lê, Peter se vira e me lança um olhar ofendido. Eu respondo apenas com movimentos labiais: *Estou brincando!*

Durante o jantar, anuncio que Peter vai lá em casa estudar química e que vamos precisar da cozinha por um tempo, e meu pai ergue as sobrancelhas.

— Deixe a porta aberta — brinca ele.

Nossa cozinha nem tem porta.

— Pai — resmungo, e Kitty me acompanha.

— Peter é seu namorado? — pergunta papai, casualmente.

— Hã... mais ou menos — digo.

Depois que comemos e Kitty lava a louça, transformo a cozinha em uma sala de estudos. Meu livro e minhas anotações estão empilhados no meio da mesa, com uma fileira de marcadores de texto nas cores azul, amarelo e rosa, uma tigela de pipoca de micro-ondas e um prato de brownies de manteiga de amendoim que fiz à tarde. Deixo Kitty comer dois pedaços e só.

Ele disse que chegaria por volta das oito. Primeiro acho que ele está atrasado, como sempre, mas os minutos passam e percebo que não vem. Mando uma mensagem, mas Peter não responde.

Kitty vai até a cozinha no intervalo e fica rondando para tentar pegar outro pedaço de brownie, e acabo deixando.

— O Peter não vem? — pergunta ela.

Finjo que estou tão concentrada no estudo que não escuto.

Por volta das dez, ele manda uma mensagem dizendo: Desculpa, tive um problema. Não vai dar para ir hoje. Ele não diz onde está nem o que está fazendo, mas eu sei. Está com Genevieve. No almoço, andava distraído; ficava mandando mensagens pelo celular. Mais tarde, eu os vi em frente ao vestiário feminino. Eles não me viram, mas eu, sim. Eles estavam apenas conversando, mas com Genevieve nunca é *apenas* alguma coisa. Ela colocou a mão no braço dele; ele tirou o cabelo dela da frente dos olhos. Posso ser namorada só de mentira, mas isso não é só uma coisinha de nada.

Continuo estudando, mas é difícil me concentrar quando fico magoada. Digo para mim mesma que é só porque me dei o trabalho de fazer brownies e arrumar a cozinha. É falta de educação marcar um compromisso e não aparecer. Ele não tem educação? Será que gostaria se eu fizesse o mesmo? E qual é o sentido de toda essa mentira se ele vai voltar para ela de qualquer jeito? O que eu ganho com isso? As coisas estão melhores entre mim e Josh, praticamente voltaram ao normal. Se eu quisesse, podia acabar com tudo.

Na manhã seguinte, acordo ainda chateada. Ligo para Josh para pedir carona para a escola. Por um segundo, tenho medo de ele não atender; faz tempo que não conversamos. Mas ele atende e diz que não tem problema.

Vamos ver o que Peter acha de aparecer para me buscar e eu não estar em casa.

No caminho para a escola, começo a ficar inquieta. Talvez Peter tenha tido um motivo legítimo para não aparecer. Talvez não estivesse com Genevieve e acabei fazendo uma coisa muito mesquinha só por raiva.

Josh está me olhando, desconfiado.

— O que foi?

— Nada.

Ele não acredita em mim, consigo perceber.

— Você e o Kavinsky brigaram?

— Não.

Para todos os garotos que já amei

Josh suspira.

— Tome cuidado. — Ele fala de um jeito condescendente de irmão mais velho que me dá vontade de gritar. — Não quero ver você magoada por causa daquele cara.

— Josh! Ele não vai me magoar. Caramba!

— Ele é um babaca. Sinto muito, mas é. Todos os caras do time de lacrosse são. Caras como o Kavinsky só ligam para uma coisa. Assim que conseguem o que querem, ficam entediados.

— Não o Peter. Ele namorou a Genevieve por quase quatro anos!

— Acredite em mim. Você não tem muita experiência com garotos, Lara Jean.

— Como você sabe? — pergunto, baixinho.

Josh me lança um olhar de *Para com isso*.

— Porque eu conheço você.

— Não tão bem quanto pensa.

Ficamos em silêncio o resto do caminho.

Não vai ser nada de mais. Peter vai parar na porta da minha casa, vai ver que não estou lá e vai embora. E daí se ele teve que desviar cinco minutos do caminho. Eu esperei ontem à noite durante duas malditas horas.

Quando chegamos à escola, Josh segue para o corredor do último ano e eu vou para o corredor do segundo. Fico lançando olhares para o armário de Peter, mas ele não chega. Espero no meu armário até o sinal tocar, mas ele não aparece. Corro para a primeira aula, a mochila sacolejando nas costas.

O sr. Schuller está fazendo a chamada quando levanto o rosto e vejo Peter na porta, me olhando com raiva. Ele faz sinal para eu sair. Engulo em seco, desvio o olhar depressa para o caderno e finjo que não o vi. Mas ele sussurra meu nome, e sei que tenho que ir falar com ele.

Trêmula, eu levanto a mão.

— Sr. Schuller, posso ir ao banheiro?

— Você deveria ter ido antes da aula — murmura ele, mas faz sinal para eu ir.

Saio para o corredor e puxo Peter para longe da porta, para que o sr. Schuller não possa nos ver.

— Onde você estava hoje de manhã? — pergunta Peter.

Eu cruzo os braços e tento me empertigar. É difícil, porque sou baixinha e ele é muito alto.

— Olha quem fala.

Peter bufa.

— Pelo menos eu mandei uma mensagem de texto! Já te liguei umas dezessete vezes. Por que seu celular está desligado?

— Você sabe que não podemos ficar com o celular ligado na escola! Ele bufa.

— Lara Jean, esperei vinte minutos na porta da sua casa.

Caramba.

— Ah, desculpa.

— Como você veio para a escola? Com o Sanderson?

— É.

Peter suspira.

— Olha, se você ficou com raiva porque eu não pude ir ontem, devia ter me ligado e dito em vez da merda que fez hoje de manhã.

— Bem, e a merda que *você* fez ontem à noite? — pergunto, baixinho.

Um sorriso curva os cantos da boca dele.

— Você acabou de dizer "merda"? É muito engraçado saindo da sua boca.

Eu o ignoro.

— Então... onde você estava? Estava com a Genevieve?

Não pergunto o que realmente quero saber: *Vocês dois estão juntos?* Ele hesita.

— Ela precisava de mim.

Não consigo nem olhar para ele. Por que Peter é tão burro? Por que ela o controla tanto? É por causa de todo o tempo que eles passaram juntos? É o sexo? Não entendo. É decepcionante a falta de autocontrole que os garotos têm.

Para todos os garotos que já amei

197

— Peter, se você vai sair correndo cada vez que ela chamar, não vejo sentido em continuar com essa farsa.

— Covey, para com isso! Eu já pedi desculpas. Não fica com raiva.

— Você não pediu desculpas — digo. — Quando foi que você pediu desculpas?

Com expressão arrependida, ele diz:

— Desculpa.

— Não quero mais que você se encontre com a Genevieve. Como você acha que isso me faz parecer aos olhos dela?

Peter olha para mim com firmeza.

— Não posso negar ajuda a Gen, então não me peça isso.

— Mas Peter, ela tem um namorado novo, não precisa de você.

Ele faz uma careta, e na mesma hora eu me arrependo do que disse.

— Desculpa — sussurro.

— Tudo bem. Eu não espero que você entenda. Gen e eu... A gente se entende.

Ele não sabe, mas, quando fala de Genevieve, seu rosto fica mais suave. Uma mistura de carinho com impaciência. E outra coisa. Amor. Peter pode negar o quanto quiser, mas sei que ele ainda a ama.

Solto um suspiro.

— Você pelo menos estudou para a prova?

Ele balança a cabeça, e suspiro de novo.

— Pode ler minhas anotações no almoço — digo, e volto para a aula.

Está começando a fazer sentido para mim. O motivo de ele sustentar uma mentira dessas, o motivo de passar o tempo com uma pessoa como eu. Não é para poder esquecer Gen. É para não esquecer. Eu sou a desculpa dele. Só estou guardando o lugar de Genevieve para ela. Quando entendo isso, todo o resto começa a fazer sentido.

42

Os pais de Josh brigam muito. Não sei se é normal brigar tanto assim, porque só tenho pai, mas não me lembro dos meus pais brigarem desse jeito. Nossas casas são próximas o bastante para eu ouvir às vezes, se a janela estiver aberta. As brigas costumam começar com alguma coisa pequena, como a sra. Sanderson deixar sem querer a porta do carro aberta e a bateria morrer, e terminam com alguma coisa grande, como o fato de o sr. Sanderson trabalhar demais, ser egoísta por natureza e parecer não pertencer àquela família.

Quando eles brigam feio, Josh vem para a nossa casa. Quando éramos mais novos, ele saía escondido de pijama com o travesseiro embaixo do braço e ficava até a mãe vir procurá-lo. Não é algo sobre o que a gente converse. Talvez ele e Margot, mas não ele e eu. O máximo que Josh já falou sobre isso era que às vezes preferia que eles se divorciassem para as brigas poderem finalmente acabar. Mas eles não se divorciaram.

Posso ouvi-los hoje. Já os ouvi em outras noites, depois que Margot foi embora, mas essa briga está particularmente ruim. Tanto que fecho a janela. Pego meu dever de casa, desço para o térreo e acendo a luz da sala, para Josh saber que pode vir, se quiser.

Meia hora depois, alguém bate à porta. Eu me enrolo no cobertor azul-bebê e abro.

É Josh. Ele dá um sorriso acanhado.

— Oi. Posso ficar um pouco aqui?

— Claro que pode. — Deixo a porta aberta e volto para a sala. — Tranque depois de entrar.

Josh assiste à tevê e faço meu dever de casa. Estou marcando passagens importantes no meu livro de história americana quando Josh me pergunta:

— Você vai tentar um papel em *Arcadia*? É a peça da primavera. Anunciaram ontem.

— Não — digo, mudando a cor do marca-texto. — Por que eu faria isso?

Odeio falar em público e ficar de pé na frente das pessoas, e Josh sabe disso.

— Dã, porque é sua peça favorita. — Josh muda o canal. — Acho que você seria uma ótima Thomasina.

Dou um sorriso.

— Obrigada, mas não, obrigada.

— Por que não? Poderia ser mais um item para colocar no seu formulário de inscrição para a faculdade.

— Não vou estudar teatro nem nada do tipo.

— Sair um pouco da sua zona de conforto só iria lhe fazer bem — diz ele, esticando os braços atrás da cabeça. — Correr um risco. Veja só a Margot. Ela está do outro lado do mundo, na Escócia.

— Não sou a Margot.

— Não estou dizendo que você devia se mudar para o outro lado do mundo. Sei que você jamais faria isso. Ei, que tal o Conselho de Honra? Você adora julgar as pessoas!

Faço uma careta para ele.

— Ou o projeto das Nações Unidas. Aposto que você ia gostar. Só estou dizendo… seu mundo poderia ser bem maior do que jogar damas com Kitty e andar por aí no carro do Kavinsky.

Paro de marcar uma frase no meio. Ele está certo? Meu mundo é mesmo pequeno assim? Não que o dele seja enorme!

— Josh — começo a dizer. Mas paro, porque não sei como vou terminar a frase. Então só jogo o marca-texto nele.

A caneta bate na testa dele.

— Ei! Você podia ter acertado meu olho!

— E você teria merecido.

— Tudo bem, tudo bem. Você sabe que não foi bem o que eu quis dizer. Só acho que você deveria dar às pessoas a chance de conhecerem você. — Josh aponta o controle remoto para mim. — Se as pessoas a conhecessem, amariam você.

Ele parece tão seguro. Josh, você parte meu coração. E é um mentiroso. Porque você me conhece, me conhece melhor do que quase qualquer um, mas não me ama.

Depois que Josh volta para casa, arrumo a sala, tranco todas as portas e apago a luz. Pego um copo de água e subo a escada.

A luz do meu quarto está acesa, e Chris está dormindo na cama. Empurro-a para o lado para poder deitar também. Ela se mexe um pouco.

— Quer comer asinha de frango? — murmura Chris.

— Está tarde para comer asinha de frango — digo, e puxo a colcha para cobrir nós duas. — Você quase esbarrou com o Josh.

Ela abre os olhos.

— Josh estava aqui? Por quê?

— Por nenhum motivo.

Não vou contar os segredos de Josh, nem mesmo para Chris.

— Ah, não diga nada para o Kavinsky.

— Ele não se importaria — afirmo.

Chris balança a cabeça.

— Todos os garotos se importam.

— O Peter não é assim. Ele é bastante seguro.

— Esses são os que mais se importam. — Estou prestes a perguntar o que ela quer dizer, mas, antes que eu consiga, ela diz: — Vamos fazer alguma coisa louca.

— Como o quê?

Estamos no meio da semana; não posso ir a lugar nenhum e ela sabe bem disso. Mas gosto de ouvir seus planos. São como histórias para dormir.

— Como... não sei. Podíamos entrar no asilo escondidas e tirar de lá aquela velhinha sobre a qual você sempre fala. Qual é o nome dela mesmo? Thunder?

Para todos os garotos que já amei

Dou uma risadinha.

— Stormy.

— É, Stormy. — Ela boceja. — Ela parece saber como se divertir. Aposto que compraria coquetéis para nós.

— Stormy vai dormir às nove da noite para manter a beleza. Vamos fazer isso amanhã.

Até amanhã, Chris já terá esquecido, mas ainda é uma ideia legal. Ela fecha os olhos de novo. Eu a cutuco.

— Chris, acorda. Vai escovar os dentes.

Guardo uma escova de dentes na gaveta do banheiro só para ela. Pintei uma letra *C* com esmalte vermelho, para que não se misture com as outras escovas.

— Não consigo. Estou cansada demais para me mexer.

— Um segundo atrás, você queria tirar Stormy de Belleview, e agora está cansada demais para lavar o rosto e escovar os dentes?

Chris sorri, mas não abre os olhos.

Apago o abajur na mesa de cabeceira.

— Boa noite, Chris.

Ela se aconchega mais perto de mim.

— Boa noite.

43

As OPÇÕES PARA GAROTAS ORIENTAIS NO HALLOWEEN SÃO MUITO LIMITADAS. Eu já me vesti de Velma do *Scooby-Doo*, mas as pessoas ficavam me perguntando se eu era um personagem de mangá. Eu até botei peruca! Então agora estou decidida a só me vestir de personagens asiáticos.

Margot nunca se veste de pessoa; ela sempre escolhe um objeto inanimado ou alguma espécie de conceito. Ano passado, ela foi de "desculpa formal": usou um vestido longo que encontramos por dez dólares no brechó e pendurou um cartaz no pescoço escrito *Me desculpe*. A fantasia dela ficou em segundo lugar no concurso da escola. O primeiro foi para um alienígena rastafári.

Kitty vai de ninja, o que fica em sintonia com minha ideia de fantasia oriental.

Este ano, vou me vestir de Cho Chang, de *Harry Potter*. Estou usando um cachecol da Corvinal, uma veste preta de coral velha que encontrei no eBay, uma gravata do meu pai e uma varinha. Não vou ganhar nenhum concurso, mas pelo menos as pessoas vão saber quem sou. Eu queria nunca mais ter que responder a pergunta *De quem você está fantasiada?*

Estou esperando a carona de Peter para a escola e mexendo nas meias longas, que não consigo deixar esticadas.

— Lara Jean!

Automaticamente, respondo:

— Josh!

É nossa versão de Marco Polo.

Levanto o rosto. Lá está Josh, de pé na frente do carro. Com a roupa completa de Harry Potter. Vestes pretas, óculos, cicatriz em forma de raio na testa, varinha.

Nós dois caímos na gargalhada. Dentre tantas fantasias!

— O pessoal do clube de quadrinhos vai como personagens de livros de fantasia — diz Josh, com pesar. — Eu ia como Drogo, de *Guerra dos Tronos*, porque, você sabe, tenho o físico perfeito para isso, mas...

Dou uma risadinha enquanto tento imaginar Josh de delineador, trança comprida e sem camisa. É uma imagem engraçada. Eu não chamaria Josh exatamente de magrelo, mas...

— Ei, não precisa rir tanto — protesta ele. — Não foi tão engraçado. — Ele balança a chave. — Precisa de carona, Cho?

Olho para o celular. Peter está cinco minutos atrasado, como sempre. Não que eu possa reclamar, porque é carona de graça para a escola e eu poderia estar pegando o ônibus. Mas, se eu for com Josh, não vou precisar correr para a aula, posso passar no meu armário, posso ir ao banheiro, posso comprar um suco na máquina. Mas ele já deve estar quase chegando.

— Obrigada, mas vou esperar o Peter.

Josh assente.

— Ah, é... certo.

Ele começa a entrar no carro.

— *Expelliarmus*! — grito.

Josh gira e responde:

— *Finite*!

Nós sorrimos um para o outro como dois bobos.

Ele sai dirigindo, e eu abraço os joelhos. Josh e eu lemos Harry Potter na mesma época, quando eu estava no sexto ano, e ele, no sétimo. Margot já tinha lido. Nenhum de nós consegue ler tão rápido quanto ela. Minha irmã ficou maluca esperando que chegássemos ao terceiro livro para podermos conversar sobre ele.

Quanto mais tempo espero Peter, mais irritada fico. Tiro a veste e coloco de volta algumas vezes. É de poliéster, um tecido que não deixa a pele respirar, e bem desconfortável. Quando ele chega, corro até o carro e entro sem dizer oi. Espalho a veste no colo como se fosse um cobertor, porque a saia é muito curta.

Os olhos dele estão arregalados.

— Você está ótima — diz ele, parecendo surpreso. — Está vestida de quê? Algum personagem de anime?

— Não — digo em tom cortante. — Sou Cho Chang. — Peter continua com a expressão vazia, então acrescento: — De Harry Potter.

— Ah, tá. Legal.

Eu olho para ele. Ele está usando uma camisa normal de botão e calça jeans.

— Cadê sua fantasia?

— Meus amigos e eu vamos mudar de roupa antes do concurso. O efeito é melhor se aparecermos todos ao mesmo tempo.

Sei que ele quer que eu pergunte qual é a fantasia, mas não estou com vontade de falar com ele, então fico lá sentada, sem dizer nada, olhando pela janela. Fico esperando que me pergunte qual é o problema, mas ele fica calado. Está tão distraído, acho que nem reparou que fiquei irritada.

— Eu gostaria que você não chegasse sempre atrasado — disparo.

Peter franze a testa.

— Caramba, desculpa. Eu estava tentando arrumar minha fantasia.

— Hoje você estava tentando arrumar a fantasia. Mas você se atrasa todas as vezes.

— Eu não me atraso todas as vezes!

— Você chegou atrasado hoje e ontem e na quinta passada. — Eu fico olhando pela janela. As folhas secas de outono já estão caindo. — Se você não vai chegar na hora, prefiro não pegar mais carona com você.

Não preciso olhar, posso senti-lo me olhando com raiva.

— Tudo bem. Isso quer dizer que posso dormir mais cinco minutos, então acho ótimo.

— Que bom.

Durante o concurso, Chris e eu ficamos sentadas no balcão do teatro. Chris está vestida de Courtney Love. Está usando um vestidinho rosa, meias até os joelhos furadas e muita maquiagem borrada ao redor dos olhos.

— Você também devia ir lá para baixo — digo. — Aposto que ganharia alguma coisa.

— As pessoas desta escola nem saberiam quem ela é — responde Chris com desprezo. Mas consigo perceber que na verdade ela quer muito ir lá.

Os amigos de Peter estão todos vestidos de super-heróis. Tem o Batman, o Super-Homem, o Homem de Ferro, o Incrível Hulk, com vários níveis de qualidade. Peter fez o melhor possível. É claro que ele foi de Peter Parker. Que outra fantasia Kavinsky usaria? A fantasia dele de Homem-Aranha é autêntica: máscara com olhos de papel laminado amarelo, luvas e botas. Ele age com o maior exagero no palco. Todos os garotos estão correndo de um lado para o outro com as capas voando, fingindo lutar uns contra os outros. Peter tenta escalar uma coluna, mas o sr. Yelznik o impede antes que ele consiga subir muito. Eu comemoro quando o grupo vence como melhor fantasia em conjunto.

Genevieve está vestida de Mulher-Gato. Está usando uma legging imitando couro, um bustiê e orelhas pretas de gato. Eu me pergunto se ela sabia do tema de super-heróis, se Peter contou a ela ou se ela teve a ideia sozinha. Todos os garotos do auditório ficam loucos quando ela sobe no palco para concorrer à melhor fantasia do segundo ano.

— Que piranha — diz Chris. Seu tom de voz é quase melancólico.

Genevieve vence, é claro. Olho discretamente para Peter, e ele está assobiando e batendo com os pés no chão junto com os amigos.

Depois do concurso, estou pegando meu livro de química no armário quando Peter se aproxima e se encosta no armário ao lado do meu. Ele ainda está com a máscara.

— Oi.

— Oi.

Ele não diz mais nada, só fica ali. Eu fecho a porta do armário e giro a tranca.

— Parabéns por ter ganhado como melhor fantasia em grupo.

— Só isso? É só o que você vai dizer?

Hã?

— O que mais eu devo dizer?

Nessa hora, Josh passa com Jersey Mike, que está vestido de hobbit, com pés peludos e tudo. Andando de costas, Josh aponta a varinha para mim.

— *Expelliarmus!*

Automaticamente, aponto a varinha para ele e digo:

— *Avada Kedavra!*

Josh leva a mão ao peito como se tivesse levado um tiro.

— Pegou pesado! — grita ele, e desaparece no corredor.

— Hã… você não acha estranho minha suposta namorada usar fantasia de casal com outro cara? — pergunta Peter.

Eu reviro os olhos. Ainda estou com raiva dele por causa do que aconteceu de manhã.

— Desculpa. Não posso falar com você enquanto você estiver vestido assim. Como posso ter uma conversa séria com uma pessoa usando lycra dos pés à cabeça?

Peter tira a máscara.

— Estou falando sério! Como você acha que isso fica para mim?

— Primeiro de tudo, nós não combinamos as fantasias. E segundo, ninguém liga para isso! Quem repararia em uma coisa dessas?

— As pessoas reparam. — Peter bufa. — Eu reparei.

— Ah, desculpa. Lamento muito por uma coincidência dessas ter acontecido.

— Duvido muito que tenha sido coincidência — murmura Peter.

— O que você quer que eu faça? Quer que eu passe na loja de Halloween na hora do almoço para comprar uma peruca ruiva de Mary Jane?

Com a voz mais calma, Peter diz:

— Você pode fazer isso? Seria legal.

— Não, eu não posso. Quer saber por quê? Porque sou *oriental*, e as *pessoas* vão pensar que sou um personagem de mangá. — Entrego a varinha para ele. — Segura isso.

Para todos os garotos que já amei

Eu me inclino e puxo a barra da veste para poder ajeitar a meia. Ele franze a testa.

— Eu poderia ter me fantasiado de alguém do livro, se você tivesse me avisado.

— É verdade, hoje você faria uma ótima Murta Que Geme.

Peter me olha sem entender e, sem acreditar, eu digo:

— Espera um minuto... você nunca leu *Harry Potter*?

— Li os dois primeiros livros.

— Então você deveria saber quem é a Murta Que Geme!

— Faz muito tempo — diz Peter. — Ela era uma daquelas pessoas nos quadros?

— Não! E como você conseguiu parar em *A câmara secreta*? O terceiro é o melhor da série toda, isso é loucura. — Eu observo o rosto dele. — Você não tem alma?

— Sinto muito não ter lido todos os livros do Harry Potter! Sinto muito se tenho uma vida e não participo do clube de Final Fantasy ou seja lá como se chama aquele clube nerd...

Pego a varinha da mão dele e balanço na frente do rosto.

— *Silencio!*

Peter cruza os braços. Com um sorrisinho, ele diz:

— Seja lá qual foi o feitiço que você tentou lançar em mim, não deu certo, então acho que você precisa voltar para Hogwarts. — Ele parece tão orgulhoso da referência a Hogwarts que quase chega a ser fofo.

Rápida como um gato, puxo a máscara e coloco a mão sobre a boca dele. Com a outra mão, balanço a varinha de novo.

— *Silencio!*

Peter tenta dizer alguma coisa, mas aperto a mão com mais força.

— O quê? O que foi? Não consigo ouvir você, Peter Parker.

Peter estica a mão e faz cócegas em mim, e dou uma gargalhada tão intensa que quase largo a varinha. Saio correndo para longe dele, mas Peter corre atrás de mim e finge lançar teias nos meus pés. Rindo, eu fujo dele pelo corredor, desviando de grupos de alunos. Ele me persegue até a aula de química. Um professor grita para pararmos de correr. Obedecemos, mas, assim que dobramos a esquina, saio correndo de novo, e ele também.

Estou sem fôlego quando chego ao meu lugar. Peter se vira e lança uma teia na minha direção, e explodo em gargalhadas de novo. O sr. Meyers me olha com irritação.

— Acalmem-se — diz ele, e eu assinto, obediente.

Assim que ele vira as costas, escondo o rosto na manga e dou risadinhas. Ainda quero estar com raiva de Peter, mas não adianta.

Na metade da aula, ele me manda um bilhete. Tem teias de aranhas desenhadas nos cantos. Está escrito: *Vou chegar na hora amanhã*. Dou um sorriso enquanto leio. Guardo na mochila, dentro do livro de francês, para o papel não amassar. Quero guardar para, quando tudo isso acabar, eu ter alguma coisa para olhar e lembrar como era ser namorada de Peter Kavinsky. Mesmo que seja de mentirinha.

Para todos os garotos que já amei

44

QUANDO PARAMOS NA PORTA DE CASA, KITTY SAI CORRENDO E vai até o carro.

— Homem-Aranha! — Ela ainda está com a roupa de ninja, mas sem a máscara. — Você vai entrar?

Eu olho para Peter.

— Ele não pode. Tem que treinar para manter o condicionamento. Peter se exercita diariamente devido ao lacrosse. Ele é muito dedicado.

— Condicionamento? — repete Kitty, e sei que está imaginando Peter lavando o cabelo.

— Posso ficar um pouquinho — diz Peter, desligando o carro.

—Vamos mostrar a dança a ele!

— Kitty, não.

A dança é uma coisa que Margot e eu inventamos quando estávamos entediadas alguns verões atrás, na praia. Podemos dizer que nenhuma de nós é particularmente talentosa em coreografia.

Os olhos de Peter se iluminam. Ele aproveita qualquer oportunidade para gargalhar, principalmente se for às minhas custas.

— Quero ver a dança!

— Nem pensar — digo.

Estamos na sala, espalhados pelos sofás e poltronas. Servi chá gelado e uma tigela cheia de batatas chips, que já comemos toda.

— Ah, vai — diz ele, fazendo beicinho. — Me mostrem a dança. Por favor, por favor, quero muito ver a dança.

— Isso não vai dar certo comigo, Peter.

— O que não vai dar certo?

Eu balanço a mão na frente do rosto de menino bonito dele.

— *Isso*. Sou imune aos seus encantos, lembra?

Peter levanta as sobrancelhas como se eu o tivesse provocado.

— É um desafio? Estou avisando, você não quer entrar no ringue comigo. Vou destruir você, Covey.

Ele não tira os olhos dos meus por vários longos segundos, e consigo sentir meu sorriso sumir e minhas bochechas ficarem quentes.

— Anda, Lara Jean!

Eu pisco. Kitty. Eu tinha esquecido que ela ainda estava na sala. Fico de pé.

— Kitty, coloque a música. Peter acabou de desafiar a gente para uma competição de dança.

Ela dá um gritinho e corre para ligar o som. Afasto a mesa de centro. Tomamos nossos lugares na frente da lareira, de costas, com as cabeças baixas e as mãos unidas às costas.

Quando a melodia começa, nós pulamos e nos viramos. Chacoalhamos o quadril, damos um giro e deslizamos sobre os joelhos. Em seguida, corremos sem sair do lugar, um passo que Margot inventou chamado "A esteira". A música pausa, e Kitty e eu paramos no meio do movimento, mas logo recomeça, e fazemos o moonwalk e deslizamos sobre os joelhos de novo. Esqueço qual é o passo seguinte e dou uma espiada em Kitty, que está balançando os ombros e batendo palmas. Ah, é.

A coreografia termina com um espacate de braços cruzados, para enfatizar.

Peter está inclinado para a frente, rindo loucamente. Ele bate palmas e mais palmas e bate com os pés no chão.

Quando acaba, tento recuperar o fôlego.

— Agora é sua vez, Kavinsky.

— Não consigo — diz Peter, ofegante. — Como posso competir com uma performance dessas? Kitty, você me ensina aquele passo de break?

Kitty fica tímida de repente. Senta-se sobre as mãos, olha para ele de soslaio e balança a cabeça.

Para todos os garotos que já amei

— Por favor — pede ele.

Kitty finalmente cede, acho que só queria fazê-lo pedir. Vejo-os dançar a tarde toda, minha irmãzinha ninja e meu namorado de mentira Homem-Aranha. Primeiro, dou risada, mas uma preocupação surge do nada: não posso deixar Kitty ficar próxima demais de Peter. Isso é temporário. O jeito como Kitty olha para ele, com tanta admiração, como se ele fosse o herói dela...

Quando Peter precisa ir embora, eu o acompanho até o carro. Antes de ele entrar, digo:

— Acho que você não devia mais vir aqui. É confuso para a Kitty.

Ele franze a testa.

— Como é confuso para a Kitty?

— Porque... porque quando nosso... quando *isso* acabar, ela vai sentir sua falta.

— Vou continuar a vê-la por aí. — Peter me cutuca na barriga. — Quero guarda compartilhada.

Só consigo pensar no quanto ele foi paciente com ela, no quanto foi gentil. Impulsivamente, fico nas pontas dos pés e dou um beijo na bochecha dele, que dá um pulo de surpresa.

— Por que você fez isso?

Minhas bochechas queimam.

— Por ser tão legal com a Kitty.

Dou tchau e entro correndo em casa.

45

SE EU NÃO FOR AO MERCADO HOJE, TEREMOS QUE COMER OVOS mexidos no jantar. De novo.

O carro de Margot chegou do conserto e está parado na entrada da garagem há algumas semanas. Eu poderia ir ao mercado se quisesse. E quero. Mas não quero dirigir. Se eu já ficava nervosa antes, o acidente só deixou tudo pior. Por que eu tenho que me meter a ficar atrás de um volante? E se eu machucar alguém? E se machucar Kitty? Não deviam dar carteira de habilitação com tanta facilidade. Um carro é uma coisa muito perigosa. É praticamente uma arma.

Mas o mercado fica a menos de dez minutos. Eu nem preciso pegar a rodovia. E *realmente* não quero comer ovos mexidos no jantar de novo. Além do mais… se Peter e Genevieve voltarem, ele não vai mais me dar carona. Preciso fazer isso sozinha. Não posso ficar dependendo de outras pessoas.

— Vamos ao mercado, Kitty — digo.

Ela está deitada no chão em frente à tevê, apoiada nos cotovelos. Seu corpo parece mais comprido a cada dia. Em pouco tempo, ela vai estar mais alta do que eu. Kitty não afasta o olhar da televisão.

— Não quero ir. Quero ver tevê.

— Se você vier, deixo escolher o sabor do sorvete.

Kitty fica de pé.

No caminho, vou tão devagar que Kitty fica me dizendo qual é o limite de velocidade.

— Eles dão multa para quem anda muito abaixo do limite também, sabe.

— Quem falou isso?

— Ninguém. Eu sei. Aposto que vou dirigir melhor do que você, Lara Jean.

Seguro o volante com mais força.

— Aposto que vai.

Pestinha. Quando Kitty tirar a carteira, provavelmente vai andar em alta velocidade por aí, sem a menor preocupação com os outros. Mas é possível que, mesmo assim, dirija melhor do que eu. Um motorista descuidado é melhor do que um apavorado. Pode perguntar para qualquer um.

— Não tenho medo de tudo que nem você.

Eu ajusto o retrovisor.

— Você é muito orgulhosa.

— Só estou *dizendo.*

— Tem um carro vindo? Posso mudar de faixa?

Kitty vira a cabeça.

— Pode ir, mas vai logo.

— Quanto tempo eu tenho?

— Agora não dá mais. Espera... pode ir. Vai!

Passo para a pista da esquerda e olho no retrovisor.

— Bom trabalho, Kitty. Continue sendo meu segundo par de olhos.

Enquanto empurramos o carrinho pelo mercado, fico pensando na volta para casa e em ter que dirigir de novo. Meu coração ainda está disparado, mesmo quando estou tentando decidir se devíamos comer abobrinha ou vagem no jantar. Quando chegamos ao corredor de laticínios, Kitty já está reclamando.

— Você pode ir mais rápido? Não quero perder o próximo programa!

Para acalmá-la, digo:

— Vá pegar o sorvete.

Kitty sai correndo na direção da seção de congelados.

No caminho para casa, fico na pista da direita por vários quarteirões para não precisar trocar de faixa. O carro na minha frente é de uma senhora idosa, e ela se desloca na velocidade de uma lesma, o que para mim está ótimo. Kitty implora para trocarmos de faixa, mas eu a ignoro e continuo meu caminho. Minhas mãos apertam o volante com tanta força que os nós dos dedos estão brancos.

— O sorvete já vai ter derretido quando chegarmos em casa — reclama Kitty. — E perdi todos os meus programas. Você pode fazer o favor de ir para a pista rápida?

— Kitty! — grito. — Quer me deixar dirigir?

— Então dirija!

Eu me inclino para dar um tapa na cabeça dela, mas ela chega para perto da janela e não consigo alcançá-la.

— Você não consegue me tocar — cantarola com alegria.

— Pare de brincar e me ajude.

Um carro se aproxima pela direita, vindo disparado de uma saída da rodovia. Vai ter que entrar na minha pista daqui a pouco. Rapidamente, olho por cima do ombro na direção do ponto cego, para ver se posso mudar de faixa. Cada vez que preciso tirar os olhos da rua, mesmo que por um segundo, sinto um pânico intenso no peito. Mas não tenho escolha. Prendo a respiração e mudo de pista. Nada de ruim acontece. Expiro.

Meu coração fica acelerado durante todo o percurso. Mas conseguimos chegar em casa sem acidentes e sem ficarem buzinando para mim, o que já é uma pequena vitória. E o sorvete está ótimo, só um pouco derretido na parte de cima. Vai ficar cada vez mais fácil, acho. Eu espero. Só preciso continuar tentando.

Não posso suportar a ideia de Kitty debochando de mim. Sou a irmã mais velha. Tenho que ser alguém que ela admira, da mesma forma que admiro Margot. Como Kitty pode me admirar se eu for fraca?

Naquela noite, faço meu almoço e o de Kitty. Preparo o que nossa mãe preparava para nós às vezes, quando fazíamos piquenique na vinícola em Keswick. Corto uma cenoura e uma cebola em cubinhos e refogo com óleo de gergelim e um pouco de vinagre, depois acres-

Para todos os garotos que já amei

cento o arroz de sushi. Quando fica pronto, enrolo porções de arroz em casca de tofu. São como bolinhos de arroz dentro de bolsinhas. Não tenho uma receita exata para seguir, mas o gosto fica bom. Quando termino, pego uma escada e procuro os bentôs que minha mãe usava. Encontro-os no fundo do armário, em meio a potes de plástico.

Não sei se Kitty vai se lembrar de ter comido os bolinhos de arroz da mamãe, mas espero que o coração dela se lembre.

46

NA MESA DO ALMOÇO, PETER E OS AMIGOS devoram os bolinhos de arroz. Só consigo comer três.

— Está tão gostoso — Peter fica dizendo.

Ele estica a mão para pegar o último, então para e olha para mim, verificando se reparei.

— Pode comer — digo.

Sei no que ele está pensando. Na última fatia de pizza.

— Não, tudo bem, estou satisfeito.

— Coma.

— Não quero!

Eu pego o bolinho de arroz e enfio na cara dele.

— Diga "ah".

— Não — responde ele, teimoso. — Não vou dar a você a satisfação de estar certa.

Darrell dá uma gargalhada alta.

— Estou com inveja de você, Kavinsky. Eu queria que uma garota me desse almoço na boca. Lara Jean, se ele não quiser, eu quero.

Ele se inclina para a frente e abre a boca.

Peter o empurra.

— Sai fora, é meu!

Ele abre a boca, e eu lhe ofereço o bolinho como se Peter fosse uma foca no Sea World. Com a boca cheia de arroz e os olhos fechados, ele diz:

— Hum, hum, hum.

Dou um sorriso, porque é fofo. E, por um segundo, só por um segundo, eu esqueço. Esqueço que não é real.

Peter engole a comida.

— O que foi? Por que você está triste?

— Não estou triste. Estou com fome porque vocês comeram meu almoço.

Reviro os olhos para mostrar a ele que estou brincando. Mas na mesma hora Peter empurra a cadeira e fica de pé.

— Vou buscar um sanduíche para você.

Eu seguro a manga da camisa dele.

— Não. Eu só estava brincando.

— Tem certeza?

Eu assinto, e ele se senta.

— Se você ficar com fome mais tarde, podemos parar em algum lugar no caminho de casa.

— Falando nisso, meu carro chegou da oficina. Não vou precisar mais que você me dê carona.

— Ah, é? — Peter se recosta na cadeira. — Mas não me importo de ir buscar você. Sei que você odeia dirigir.

— A única forma de melhorar é praticando — digo, me sentindo como Margot. Margot, a Boa. — Além do mais, agora você vai ter de volta seus cinco minutos de sono.

Peter sorri.

— Verdade.

47

O JANTAR VIRTUAL DE DOMINGO FOI IDEIA MINHA.

O laptop está em cima de uma pilha de livros no meio da mesa. Meu pai e Kitty estão sentados na frente dele com fatias de pizza. É hora do almoço para nós e hora do jantar para Margot. Ela está sentada na escrivaninha do quarto com uma salada. Já está de pijama de flanela.

— Vocês estão comendo pizza de novo? — Margot olha para mim e para papai com reprovação. — A Kitty vai continuar baixinha se vocês não derem verduras a ela.

— Relaxa, Gogo, tem pimentão na pizza — digo e levanto minha fatia.

Todo mundo ri.

— Vai ter salada de espinafre no jantar de hoje — diz papai.

— Dá para bater minha porção de espinafre no liquidificador? — pergunta Kitty. — É a forma mais saudável de comer espinafre.

— Como você sabe? — pergunta Margot.

— O Peter me disse.

A fatia de pizza que estava a caminho da minha boca para no ar.

— Que Peter?

— O namorado da Lara Jean.

— Espera um minuto… Lara Jean está namorando quem?

Na tela do computador, os olhos de Margot estão arregalados e incrédulos.

— Peter Kavinsky — responde Kitty.

Eu faço cara feia para ela. Com os olhos, eu digo: *Obrigada por ser fofoqueira, Kitty.* Com os olhos, ela responde: *O que foi? Você já deveria ter contado para ela há séculos.*

Margot olha de Kitty para mim.

— Como isso aconteceu?

— Ah, só… aconteceu — respondo, sem jeito.

— Isso é sério? Por que você se interessaria por alguém como Peter Kavinsky? Ele é tão… — Margot balança a cabeça, sem acreditar. — Você sabia que o Josh o pegou colando, uma vez?

— O Peter cola? — repete papai, alarmado, olhando para mim.

— Foi só uma vez, no sétimo ano! O sétimo ano foi há tanto tempo que nem conta mais. E não foi em uma prova, era só um teste.

— Não acho que ele seja bom para você. Todos aqueles caras do lacrosse são tão babacas.

— Bem, o Peter não é como eles.

Não entendo por que Margot não pode simplesmente ficar feliz por mim. Eu ao menos fingi ficar feliz quando ela começou a sair com Josh. Ela podia fingir estar feliz por mim, também. E estou furiosa por ela ficar falando essas coisas na frente do nosso pai e de Kitty.

— Se você conversar com ele, Margot, se der uma chance, vai ver.

Não sei por que estou me dando o trabalho de tentar convencê-la sobre Peter, considerando que vamos acabar logo, mesmo. Mas quero que ela saiba que ele é um cara legal, porque ele é.

Margot faz uma cara de *ah, tá, claro*, e sei que ela não acredita em mim.

— E a Genevieve?

— Eles terminaram meses atrás.

Papai parece confuso.

— O Peter e a Genevieve eram namorados?

— Deixa pra lá, pai — digo.

Margot fica quieta comendo a salada, e acho que acabou, mas ela dispara:

— Mas ele não tira notas boas, não é? Na escola?

— Nem todo mundo pode ser o melhor aluno do ano! E há tipos diferentes de inteligência, sabia? Ele é esperto.

A reprovação de Margot me deixa muito irritada. Mais do que irritada. Furiosa. Que direito ela tem de se meter se nem mora mais aqui? Kitty tem mais direito do que ela.

— Kitty, você gosta do Peter, não gosta? — pergunto para ela. Sei que ela vai dizer sim.

Kitty se empertiga, e percebo que está satisfeita por ser incluída na conversa de "meninas grandes".

— Gosto.

Margot parece surpresa.

— Kitty, você conhece ele também?

— Claro. Ele vem aqui o tempo todo. Dá carona para a gente.

— No Audi? Que só tem dois lugares?

Margot olha para mim.

Kitty se anima.

— Não, na van da mãe dele! — Com olhos inocentes, ela diz: — Quero dar uma volta no conversível dele. Nunca andei de conversível.

— Então ele não dirige mais o Audi? — pergunta Margot.

— Não quando a Kitty vai com a gente — digo.

— Hum.

Isso é tudo que Margot diz, e a expressão cética em seu rosto me dá vontade de fechar a tela do laptop.

Para todos os garotos que já amei

48

DEPOIS DA ÚLTIMA AULA, RECEBO UMA MENSAGEM DE JOSH.

Eu, você e a lanchonete, como nos velhos tempos.

Só que os velhos tempos incluiriam Margot. Agora são os novos tempos, acho. Talvez isso não seja totalmente ruim. Novidades podem ser coisas boas.

Ok, mas vou pedir um queijo quente só para mim, porque você sempre come mais do que sua metade.

Beleza.

Estamos sentados em nossa mesa perto do *jukebox*.

Eu me pergunto o que Margot está fazendo agora. Já é noite na Escócia. Talvez esteja se preparando para ir ao pub com os amigos. Margot diz que os pubs são bem animados por lá; eles fazem eventos chamados *pub crawls*, em que vão de pub em pub e bebem em cada um deles. Margot não bebe muito, nunca a vi bêbada. Espero que ela esteja se divertindo.

Estico a mão para pegar moedas. Outra tradição de Lara Jean e Josh. Ele sempre me dá moedas para o *jukebox*. É porque guarda um monte de moedas no carro para pagar o pedágio, e eu nunca tenho moedas porque odeio carregá-las por aí.

Não consigo decidir se quero doo-wop ou rock alternativo, mas no último segundo escolho "Video Killed the Radio Star", a preferida de Margot. Para que, de certa forma, ela *esteja* aqui.

Josh sorri quando começa a tocar.

— Sabia que você ia escolher essa.

— Não, não sabia, porque eu não sabia que ia escolher até o momento em que apertei o botão.

Pego o cardápio e o examino como se já não o tivesse visto um milhão de vezes.

Josh ainda está sorrindo.

— Para que olhar o cardápio se já sabemos o que vamos pedir?

— Eu poderia mudar de ideia no último segundo — digo. — Talvez peça um sanduíche de atum, ou hambúrguer de peru, ou salada. Também posso me arriscar, sabe.

— Claro — concorda Josh, e sei que ele só está querendo me agradar.

A garçonete chega para anotar nosso pedido.

— Quero um queijo quente, uma sopa de tomate e um milk-shake de chocolate.

Josh olha para mim em expectativa. Há um sorriso surgindo nos cantos dos lábios dele.

— Ah... hã...

Eu olho o cardápio todo o mais rápido que consigo, mas não quero sanduíche de atum, nem hambúrguer de peru, nem salada. Desisto. Gosto do que gosto.

— Um queijo quente, por favor. E refrigerante de cereja preta.

— Assim que a garçonete se afasta, digo para ele: — Não quero ouvir uma palavra.

— Eu não ia falar nada.

E então, como estamos em silêncio, nós dois decidimos falar na mesma hora.

— Você tem falado com a Margot? — pergunto.

— Como estão as coisas com o Kavinsky? — questiona ele.

O sorriso fácil de Josh some, e ele desvia o olhar.

— É, a gente conversa pelo computador, às vezes. Acho... acho que ela está com saudades de casa.

Olho para ele de um jeito estranho.

Para todos os garotos que já amei

— Falei com ela ontem à noite, e ela não pareceu com saudades de casa. Parecia a mesma Margot de sempre. Contou para nós sobre o "Fim de Semana das Passas". Fiquei com vontade de ir para Saint Andrews também.

— O que é o "Fim de Semana das Passas"?

— Não entendi direito… Parece uma mistura entre beber muito e latim. Acho que é uma tradição escocesa.

— Você faria isso? — pergunta Josh. — Iria para algum lugar distante?

Eu suspiro.

— Não, provavelmente não. Isso é coisa da Margot, não minha. Mas seria legal ir visitá-la. Talvez meu pai me deixe ir nas férias.

— Acho que ela gostaria muito. Parece que nossa viagem a Paris não vai mais acontecer, né? — Ele dá uma risada constrangida e pigarreia. — Então, como estão as coisas com o Kavinsky?

Antes que eu possa responder, a garçonete chega com nossa comida. Josh empurra a tigela de sopa para o meio da mesa.

— Primeiro gole? — pergunta ele, levantando o milk-shake.

Com vontade, assinto e me inclino sobre a mesa. Josh segura o copo, e tomo um grande gole.

— Ahhh — digo, e volto a me sentar.

— Foi um gole bem grande — diz ele. — Por que você nunca pede um?

— Por que eu pediria se sei que você vai me oferecer o seu?

Eu arranco um pedaço de queijo quente e mergulho na sopa.

— O que você ia dizer? — insiste Josh. Como olho para ele sem entender, ele completa: — Você ia falar sobre o Kavinsky…

Eu estava torcendo para esse assunto não surgir. Não estou com vontade de contar mais mentiras para Josh.

— As coisas estão bem. — Josh está me olhando como se esperasse mais, então acrescento: — Ele é um doce.

Josh ri com deboche.

— Ele não é como você pensa. As pessoas gostam de julgá-lo, mas ele é diferente. — Fico surpresa ao perceber que estou falando a verdade. Peter *não é* como as pessoas pensam. É metido e sabe ser irritante e sempre se atrasa, mas tem coisas boas e surpreendentes nele.

— Ele... não é como você pensa.

Josh me olha com descrença. Em seguida, mergulha metade do sanduíche na sopa.

— Você já disse isso.

— Porque é verdade.

Ele dá de ombros como se não acreditasse em mim.

— Você devia ver como a Kitty fica perto do Peter. Ela é doida por ele.

Só percebo depois que as palavras saem da minha boca. Falo isso para magoá-lo.

Josh arranca mais um pedaço do queijo quente.

— Espero que ela não fique ligada demais a ele.

Apesar de eu ter pensado exatamente a mesma coisa por motivos diferentes, ainda dói ouvir isso.

De repente, aquele ar de naturalidade entre nós se perde. Josh se recolhe e fica distante, e me sinto magoada pelo que ele disse sobre Peter. Parece falsidade ficarmos sentados um na frente do outro fingindo que as coisas continuam como nos velhos tempos. Como poderiam, sem Margot aqui? Ela é o sentido de nosso pequeno triângulo.

— Ei — diz Josh de repente. Eu levanto o rosto. — Eu não quis dizer aquilo. Foi uma coisa horrível de se dizer. — Ele baixa a cabeça. — Acho... sei lá, talvez eu só esteja com ciúmes. Não estou acostumado a compartilhar as irmãs Song.

Fico derretida por dentro. Agora que ele disse uma coisa legal, estou me sentindo calorosa e generosa de novo. Não falo o que estou pensando, que é: *Você pode não estar acostumado a nos compartilhar, mas estamos muito acostumadas a compartilhar você.*

— Você sabe que a Kitty ainda gosta mais de você — comento, e isso o faz sorrir.

— Afinal, eu a ensinei a escarrar — diz Josh. — É impossível esquecer a pessoa que ensina você a fazer algo assim. — Ele toma um

Para todos os garotos que já amei

225

grande gole de milk-shake. — Ei, vai ter uma maratona de *Senhor dos Anéis* no Bess, este fim de semana. Quer ir?

— São umas… nove horas!

— É, nove horas de coisas incríveis.

— Verdade — concordo. — Quero ir, mas primeiro preciso ver com o Peter. Ele falou alguma coisa sobre irmos ao cinema este fim de semana e…

Josh me interrompe antes que eu possa terminar.

— Tudo bem. Posso ir com o Mike. Ou posso levar a Kitty. Está na hora de eu apresentá-la ao gênio que é o Tolkien.

Fico em silêncio. Kitty e eu somos intercambiáveis na mente dele? E Margot e eu?

Estamos dividindo um waffle quando Genevieve entra na lancho-nete com um garotinho que imagino ser o irmão mais novo dela. Não irmão de verdade; Gen é filha única. Ela é presidente de um programa em que alunos do ensino médio são colocados em dupla com crianças do fundamental, para ajudá-las nos estudos e levá-las para se divertir.

Eu afundo na cadeira, mas é claro que Gen me vê. Ela olha para mim e para Josh, depois acena. Não sei o que fazer, então retribuo o aceno. Tem alguma coisa perturbadora na forma como ela sorri para mim. O quanto realmente parece feliz.

Se Genevieve está feliz, isso não é bom para mim.

Durante o jantar, recebo uma mensagem de Peter.

> Se você vai andar com o Sanderson, pode pelo menos não fazer isso em público?

Por baixo da mesa, leio várias vezes. É possível que Peter esteja um pouquinho enciumado? Ou está mesmo preocupado com o que Genevieve vai pensar?

— O que você fica olhando toda hora? — pergunta Kitty.

Coloco o celular na mesa virado para baixo.

— Nada.

Kitty se vira para nosso pai.

— Aposto que era uma mensagem do Peter.

Enquanto passa manteiga no pão, meu pai diz:

— Gosto do Peter.

— Gosta? — pergunto.

Papai assente.

— Ele é um bom menino. Está muito envolvido com você.

— Envolvido comigo? — repito.

Para mim, Kitty diz:

— Você parece um papagaio.

Para papai, ela pergunta:

— O que isso quer dizer? Envolvido com ela?

— Quer dizer que ele está encantado por ela — explica papai. — Está enamorado.

— E o que é enamorado?

Ele ri e coloca o pãozinho na boca aberta e perplexa de Kitty.

— Quer dizer que ele gosta dela.

— Claro que ele gosta dela — concorda Kitty com a boca cheia. — Ele… ele olha muito para você, Lara Jean. Quando você não está prestando atenção. Ele olha para ver se você está se divertindo.

— Olha?

Meu peito fica quente, e posso me sentir começando a sorrir.

— Fico feliz de ver você feliz. Eu me preocupava de Margot assumir tanta responsabilidade em casa e ajudar como ela ajudou. Não queria que ela perdesse a experiência do ensino médio. Mas você conhece Margot. Ela é tão focada. — Papai estica a mão e aperta meu ombro. — Ver você saindo, fazendo coisas e amizades novas … deixa seu pai muito feliz. Muito, muito feliz.

Sinto um bolo crescer na garganta. Se ao menos não fosse tudo mentira.

— Não chore, papai — ordena Kitty, e papai assente e a puxa para um abraço.

Para todos os garotos que já amei

— Você pode me fazer um favor, Kitty? — diz ele.

— O quê?

— Pode ficar com essa idade para sempre?

— Só se você me der um cachorrinho.

Meu pai cai na gargalhada, e Kitty ri também.

Admiro muito minha irmãzinha às vezes. Ela sabe exatamente o que quer e faz o que for preciso para conseguir. Não tem a menor vergonha.

Vou falar com papai para ajudá-la. Nós duas vamos vencê-lo pelo cansaço. Vai haver um cachorrinho debaixo da árvore na manhã de Natal. Aposto que vai.

49

NA NOITE SEGUINTE, PETER E EU ESTUDAMOS NA STARBUCKS POR algumas horas. Bem, eu estudo e ele fica se levantando e indo falar com o pessoal da escola. A caminho de casa, ele pergunta:

— Você se inscreveu no passeio para a estação de esqui?

— Não. Eu esquio muito mal.

Só gente popular como Peter e os amigos vão no passeio para a estação de esqui. Eu poderia tentar convencer Chris a ir, mas ela provavelmente riria na minha cara. Ela não vai a nenhum passeio da escola.

— Você não precisa esquiar. Pode fazer snowboard. É o que eu faço.

Eu olho para ele.

— Você me imagina fazendo snowboard?

— Eu ensino. Vamos, vai ser divertido. — Peter segura minha mão. — Por favor, por favor, por favor, Lara Jean. Vamos, seja legal. Vai ser divertido, eu juro.

Ele me pega de surpresa. A viagem só acontece nas férias de inverno. Então ele quer levar isso, nós, adiante até lá. Por algum motivo, fico aliviada.

— Se você não quiser fazer snowboard — continua ele —, o hotel tem uma lareira de pedra enorme e poltronas confortáveis. Você pode se sentar e ler durante horas. E vendem o melhor chocolate quente do mundo, lá. Vou comprar um para você.

Ele aperta minha mão.

Meu coração dá um salto.

— Tudo bem, eu vou. Mas é melhor que o chocolate quente seja tão bom quanto você diz.

— Compro quantos você quiser.

— Então é melhor você levar um monte de moedas — digo, e Peter ri. — O que foi?

— Nada.

Quando chego em casa, saio do carro e ele vai embora, mas então lembro que deixei a bolsa no chão do carro dele, e papai e Kitty não estão em casa. Estão na escola de Kitty, em uma reunião de pais e professores.

Procuro cegamente debaixo do deque, tateando no escuro em busca da cópia da chave que deixamos escondida embaixo do carrinho de mão. Então lembro que a cópia está na gaveta da bagunça dentro de casa porque me esqueci de colocá-la de volta na última vez que fiquei trancada do lado de fora. Não tenho chave, celular, ou como entrar em casa.

Josh! Josh tem uma chave. Ele às vezes molha as plantas do meu pai, quando viajamos de férias.

Encontro uma pedrinha no caminho e atravesso o gramado até estar embaixo da janela de Josh. Jogo a pedra e erro. Encontro outra, e ela quica no vidro, quase sem fazer som. Tento de novo, com uma pedra maior. Essa eu acerto.

Josh abre a janela e coloca a cabeça para fora.

— Oi. O Kavinsky já foi embora?

Surpresa, eu digo:

— Foi. Esqueci a bolsa no carro dele. Você pode jogar a cópia da chave para mim?

Josh suspira, como se eu estivesse pedindo um favor enorme.

— Já volto.

Ele desaparece.

Fico esperando Josh voltar até a janela, mas ele não volta. Em vez disso, sai pela porta da frente. Está de casaco e calça de moletom. É o casaco de moletom favorito de Margot. Quando eles começaram a namorar, ela o usava o tempo todo, como se fosse uma jaqueta do time da escola.

Estico a mão para pegar a chave, e Josh me entrega.

— Obrigada, Josh.

Eu me viro para entrar, mas ele me impede.

— Espera. Estou preocupado com você.

— O quê? Por quê?

Ele dá um suspiro pesado e ajeita os óculos. Ele só usa os óculos à noite.

— Essa coisa com o Kavinsky...

— De novo, não. Josh...

— Ele está usando você, Lara Jean. E você merece mais do que isso. Você é... inocente. Não é como as outras garotas. Ele é um cara típico. Você não pode confiar nele.

— Acho que conheço o Peter bem melhor do que você.

— Só estou preocupado. — Josh pigarreia. — Você é como se fosse minha irmã mais nova.

Tenho vontade de bater nele por causa disso.

— Não sou, não.

Uma expressão de desconforto atravessa o rosto de Josh. Sei o que ele está pensando, porque nós dois estamos pensando a mesma coisa.

Nessa hora, faróis surgem na nossa rua. É o carro de Peter. Ele voltou. Devolvo a chave para Josh e corro até a porta de casa.

— Obrigada, Josh! — grito por cima do ombro.

Vou até a janela do motorista.

— Você esqueceu a bolsa — diz Peter, olhando na direção da casa de Josh.

— Eu sei — digo, sem fôlego. — Obrigada por voltar.

— Ele está ali?

— Não sei. Estava um minuto atrás.

— Então, só para garantir — diz Peter, e inclina a cabeça para fora e me dá um beijo na boca.

Fico perplexa.

Quando se afasta, Peter está sorrindo.

— Boa noite, Lara Jean.

Ele some na noite, e eu continuo ali, com os dedos nos lábios. Peter Kavinsky acabou de me beijar. Ele me beijou, e eu gostei. Tenho quase certeza de que gostei. Tenho quase certeza de que gosto dele.

Na manhã seguinte, estou guardando os livros no armário quando vejo Peter seguindo pelo corredor. Meu coração bate com tanta força que sinto o eco nos ouvidos. Ele ainda não me viu. Encaro o armário e começo a arrumar os livros em pilhas.

De trás da porta, ele diz:

— Oi.

— Oi — respondo.

— Pode deixar, Covey. Não vou mais beijar você, então não precisa se preocupar com isso.

Ah.

Então é isso. Não importa se eu gosto dele ou não, porque ele não gosta de mim. É meio bobo ficar tão decepcionada por uma coisa que você acabou de perceber que quer, não é?

Não deixe ele perceber que você está decepcionada.

Eu o encaro.

— Eu não estava preocupada.

— Estava, sim. Olhe para você: seu rosto está todo tenso.

Peter ri, e tento relaxar o rosto e parecer serena.

— Não vai mais acontecer. Foi só por causa do Sanderson.

— Que bom.

— Que bom — diz ele, e segura minha mão, fecha a porta do meu armário e me acompanha até a aula como um namorado de verdade, como se estivéssemos mesmo apaixonados.

Como posso saber o que é real e o que não é? Parece que sou a única que não sabe a diferença.

50

MEU PAI FICA ANIMADO QUANDO PEÇO A ELE PARA ASSINAR A permissão para o passeio de esqui.

— Ah, Lara Jean, isso é ótimo. Peter convenceu você? Você tem medo de esquiar desde os dez anos, caiu e não conseguia se levantar!

— É, eu lembro.

Minhas botas congelaram nos esquis e fiquei lá, caída, pelo que pareceram dias.

Meu pai assina a permissão.

— Ei, de repente poderíamos todos ir para Wintergreen no Natal. O Peter também. — Está explicado a quem puxei. Meu pai. Ele vive no mundo da fantasia. Ao me entregar o papel, ele completa: — Você pode usar a calça de neve da Margot. As luvas também.

Não digo para ele que não vou precisar porque vou ficar aconchegada no hotel lendo e tomando chocolate quente perto da lareira. Acho que vou levar minhas agulhas de tricô.

Quando falo com Margot ao telefone, naquela noite, conto que vou no passeio à estação de esqui, e ela fica surpresa.

— Mas você odeia esquiar.

— Vou experimentar snowboard.

— Só... tome cuidado — pede ela.

Penso que minha irmã está falando das pistas, mas, quando Chris vai lá em casa na noite seguinte, para pegar um vestido emprestado, descubro do que Margot estava falando.

— Você sabe que todo mundo transa na viagem, né? É praticamente um encontro sexual com a bênção da escola.

— *O quê?*

— Foi lá que perdi a virgindade, no primeiro ano.

— Pensei que você tivesse perdido no bosque perto da sua casa.

— Ah, é. Tanto faz, a questão é que transei nesse passeio.

— Tem professores tomando conta — digo, preocupada. — Como as pessoas podem fazer sexo com adultos por perto?

— Os adultos vão dormir cedo porque são velhos — diz Chris. — As pessoas saem escondidas. Além do mais, tem um ofurô. Você sabia que tem um ofurô?

— Não... O Peter não mencionou isso.

Bem, isso é fácil de resolver. Não vou colocar biquíni na mala. Não podem obrigar ninguém a entrar em um ofurô.

— Quando eu fui, as pessoas entraram peladas.

Meus olhos se arregalam. Peladas!

— Elas ficaram nuas?

— Bem, as garotas tiraram o sutiã do biquíni. Então se prepara. — Chris rói a unha. — Ano passado, soube que o sr. Dunhan entrou no ofurô com os alunos e foi bem estranho.

— Isso parece aquele programa, "Largados e pelados" — murmuro.

— Está mais para "Tarados e pelados".

Não que eu esteja com medo de Peter tentar alguma coisa comigo. Sei que não vai, porque ele não me vê assim. Mas será que as pessoas vão esperar isso? Vou ter que entrar escondida no quarto dele no meio da noite para as pessoas pensarem que estamos fazendo alguma coisa? Não quero me meter em confusão em uma viagem da escola, mas Peter consegue me convencer a fazer coisas que não quero.

Eu seguro a mão de Chris.

— Você pode vir também? Por favor, por favor!

Ela balança a cabeça.

— Você sabe que não. Eu não participo de passeios da escola.

— Mas você já foi!

— É, no primeiro ano. Agora, não vou mais.

— Mas eu preciso de você! — Desesperada, aperto as mãos dela. — Lembra que ajudei você ano passado, quando você foi àquele festival? Passei o fim de semana todo entrando e saindo da sua casa para sua mãe achar que você estava lá! Não se esqueça das coisas que fiz por você, Chris! Preciso de você!

Insensibilizada, Chris afasta as mãos das minhas e vai até o espelho examinar a pele do rosto.

— O Kavinsky não vai pressionar você a fazer sexo se você não quiser. Tirando o fato de ele ter namorado o demônio, ele não é um babaca. É bem tranquilo, na verdade.

— O que você quer dizer com tranquilo? No sentido de que não se importa muito com sexo?

— Ah, Deus, não. Ele e a Gen viviam o tempo todo com tesão. Ela toma pílula há mais tempo do que eu. Pena que todo mundo na minha família pensa que ela é uma santa. — Chris espreme uma espinha no queixo. — Que falsa. Eu devia mandar uma carta anônima para nossa avó... Mas eu não faria isso. Não sou fofoqueira como ela. Lembra aquela vez que ela contou para minha avó que eu ia para a escola bêbada? — Ela não espera que eu responda. Quando Chris começa a falar sobre Genevieve, não para nunca. — Ela queria usar o dinheiro que guardou para a minha faculdade com reabilitação! Fizeram uma reunião familiar sobre mim! Fico tão feliz de você ter roubado o Kavinsky dela.

— Eu não roubei. Eles já tinham terminado!

Chris ri com deboche.

— Claro, se prefere acreditar nisso. A Gen vai ao passeio, sabe? Ela é representante de turma, então basicamente é quem está organizando tudo. Tome cuidado. Não esquie sozinha.

Sufoco um gritinho.

— Chris, estou implorando. Por favor, vai comigo. — Em uma súbita onda de inspiração, acrescento: — Se você vier, a Genevieve vai ficar furiosa! Ela está organizando tudo, é a viagem dela. Tudo que ela menos quer é ver você lá.

Os lábios dela se abrem em um sorriso.

— Você sabe bem como me manipular. — Ela vira o queixo para mim. — Você acha que essa espinha está pronta para ser espremida?

Para todos os garotos que já amei

51

No Dia de Ação de Graças, papai limpa o peru para mim e sai para buscar nossa avó coreana, que mora a uma hora de distância, em uma comunidade de aposentados com um monte de outras avós coreanas. A mãe de meu pai, Nana, vai passar o dia com a família do namorado. Não me importo, porque sei que ela não teria nada de bom para dizer sobre a comida.

Faço um prato de vagem com raspas de laranja e dill, em um esforço sincero para ser moderna e criativa. Nomeio Kitty como experimentadora, e ela come um pedaço de vagem e diz que está com gosto de picles de laranja.

— Por que não podemos comer caçarola de vagem com anéis de cebola fritos? — pondera Kitty.

Ela está cortando penas coloridas para os jogos americanos no formato de peru que vai fazer.

— Porque estou tentando ser moderna e criativa — digo enquanto coloco uma lata de molho na frigideira.

— Mesmo assim vamos ter caçarola de brócolis? — pergunta Kitty, em dúvida. — As pessoas gostam disso.

— Você está vendo brócolis em algum lugar da cozinha? — pergunto. — Não, o verde desta refeição é a vagem.

— E purê de batata? Ainda vamos ter purê de batata, não é?

Purê de batata. Dou uma olhada na despensa. Esqueci as batatas. Comprei leite integral, manteiga e até um pouco de cebolinha para jogar por cima, como Margot sempre faz. Mas me esqueci das batatas.

— Liga para o papai e pede para ele comprar batatas no caminho de casa — digo enquanto fecho a porta da despensa.

— Não posso acreditar que você se esqueceu das batatas — diz Kitty, e balança a cabeça.

Eu olho para ela com irritação.

— Concentre-se no seu jogo americano.

— Não, porque se eu não tivesse perguntado sobre o purê de batata, a refeição estaria arruinada, então você deveria me agradecer.

Kitty se levanta a fim de ligar para papai.

— A propósito, esses perus mais parecem o logo de pavão da NBC do que perus de verdade! — grito.

Kitty não se deixa afetar, e como um pedaço de vagem. Está mesmo com gosto de picles de laranja.

Acabo assando o peru de cabeça para baixo. Além disso, Kitty ficou enchendo o saco por causa de salmonela, porque viu um vídeo sobre isso na aula de ciências, então acabo deixando-o no forno por tempo demais. O purê de batata fica bom, mas tem uns pedaços meio duros aqui e ali porque cozinhei as batatas em cima da hora.

Estamos sentados à mesa de jantar, e os jogos americanos de Kitty dão um toque especial.

Vovó está comendo um monte de vagem, e lanço um olhar triunfante para Kitty. *Está vendo? Alguém gostou.*

Depois que mamãe morreu, houve um tempo em que vovó veio morar conosco para ajudar a tomar conta das netas. Houve até uma conversa sobre ela ficar indefinidamente. Ela achava que papai não ia dar conta de nós três sozinho.

— Então, Danny — começa vovó.

Kitty e eu trocamos um olhar por cima da mesa porque sabemos o que vem em seguida.

— Você anda saindo com alguém? Tem encontros?

Meu pai fica vermelho.

— Er... não muito. Meu trabalho me deixa muito ocupado...

Vovó estala a língua.

— Não é bom para um homem ficar sozinho, Danny.

Para todos os garotos que já amei

— Tenho minhas garotas para me fazer companhia — responde meu pai, tentando parecer jovial, e não tenso.

Vovó lança um olhar gelado para ele.

— Não é isso que quero dizer.

Quando estamos lavando a louça, vovó me pergunta:

— Lara Jean, você se importaria se seu pai tivesse uma namorada?

É uma coisa que Margot e eu discutimos muitas vezes ao longo dos anos, quase sempre no escuro, tarde da noite. Se papai arrumasse uma namorada, com que tipo de mulher gostaríamos de vê-lo? Alguém com senso de humor, de coração gentil, todas as coisas de sempre. Alguém que fosse firme com Kitty, mas não a sufocasse tanto que acabasse reprimindo tudo que ela tem de especial. Mas também alguém que não tentasse ser nossa mãe; nesse ponto Margot era mais firme. Kitty precisa de uma mãe, mas ela diz que nós somos velhas o bastante e que não precisamos mais.

De nós três, Margot era a mais crítica. Ela é incrivelmente leal à memória de mamãe. Não que eu não seja, mas houve ocasiões ao longo dos anos em que pensei no quanto seria legal ter alguém. Alguém mais velho, uma mulher, que soubesse certas coisas, tipo o jeito certo de passar blush ou como jogar charme para se livrar de uma multa por excesso de velocidade. Coisas para o futuro. Mas nunca aconteceu. Papai saiu com algumas mulheres, mas não teve nenhuma namorada firme a ponto de apresentá-la para nós. E isso sempre foi uma espécie de alívio, mas, agora que estou ficando mais velha, fico pensando em como vai ser quando eu for embora e só ficarem Kitty e papai e, depois de um tempo, só papai. Não quero que ele fique completamente sozinho.

— Não — digo. — Eu não me importaria nem um pouco.

Vovó me olha com aprovação.

— Boa menina — diz ela, e me sinto feliz e acalorada por dentro, como eu me sentia depois de uma xícara do chá que minha mãe fazia quando eu não conseguia pegar no sono. Papai já fez isso algumas vezes, mas o gosto nunca foi igual, e nunca tive coragem de dizer a ele.

52

O FESTIVAL DE BISCOITOS DE NATAL COMEÇA NO DIA PRIMEIRO DE dezembro. Pegamos todos os livros e revistas de receitas de mamãe, os espalhamos no chão da sala e colocamos o CD de Natal do *Charlie Brown* para tocar. Nenhuma música natalina é permitida na nossa casa antes do mês de dezembro. Não lembro quem inventou essa regra, mas sempre a seguimos. Kitty tem uma lista de biscoitos que vamos fazer com certeza e outros que talvez façamos. Alguns são recorrentes. Meu pai adora meias-luas de noz-pecã, então temos que fazer esse. Biscoitos amanteigados, porque no Natal esses não podem faltar. Biscoitos de canela para Kitty, biscoitos de melado para Margot, biscoitos de gotas de chocolate para mim. De chocolate branco com cranberry é o favorito de Josh. Mas acho que este ano deveríamos fazer diferente e escolher outros biscoitos. Não completamente, mas com pelo menos alguns novos.

Peter está aqui; ele veio depois da aula para estudar química. Nós já terminamos há horas, e ele ainda está aqui. Ele, Kitty e eu estamos na sala vendo os livros de receitas. Meu pai está na cozinha ouvindo as notícias no rádio e preparando o almoço de amanhã.

— Por favor, chega de sanduíches de peru — grito.

Peter cutuca minha meia e diz, apenas com movimentos labiais: *mimadas*. Ele aponta para mim e para Kitty e balança o dedo.

— Nem ligo. Sua mãe faz seu almoço todos os dias, então cala a boca — sussurro.

— Ei, também estou cansado de sobras, mas o que vamos fazer? Jogar fora? — responde meu pai da cozinha.

Kitty e eu nos entreolhamos.

— Exatamente.

Meu pai tem um problema com desperdício de comida. Eu me pergunto se ele repararia se eu fosse escondida até a cozinha durante a noite e jogasse tudo fora. Provavelmente sim.

— Se tivéssemos um cachorro — fala Kitty em voz alta —, não haveria mais sobras.

Ela pisca para mim.

— Que raça de cachorro você quer? — pergunta Peter.

— Não dê esperanças a ela — digo, mas Peter faz sinal para eu não interferir.

Na mesma hora, Kitty diz:

— Um akita. Com pelo marrom-claro e rabo feito um pãozinho de canela. Ou um pastor alemão, que posso treinar para que seja cão-guia.

— Mas você não é cega — diz Peter.

— Mas posso ficar.

Sorrindo, Peter balança a cabeça. Ele me cutuca de novo e, com admiração, diz:

— Não dá para discutir com essa garota.

— É inútil, mesmo. — Eu ergo uma revista para mostrar a Kitty. — O que você acha? Biscoito recheado com creme?

Kitty anota na lista dos "talvez".

— Ei, e esse?

Peter empurra um livro para o meu colo. Está aberto em uma receita de biscoito de frutas cristalizadas.

Eu finjo ânsia de vômito.

— Você está de brincadeira? Está, não está? Biscoito de frutas cristalizadas? É nojento.

— Quando preparado direito, fica delicioso — defende Peter. — Minha tia-avó Trish fazia um bolo de frutas cristalizadas, colocava sorvete em cima e ficava incrível.

— Qualquer coisa fica boa com sorvete em cima — interrompe Kitty.

— Não dá para discutir com essa garota — digo, e Peter e eu trocamos sorrisos por cima da cabeça de Kitty.

— É verdade, mas esse não era um bolo de frutas cristalizadas qualquer. Não é como um pão molhado cheio de jujubas néon. Tem noz-pecã, cerejas e mirtilos secos e coisas gostosas. Acho que ela chamava o bolo de "Memória de Natal".

— Adoro essa história! — exclamo. — É minha favorita. É tão boa, mas tão triste. — Peter e Kitty parecem intrigados, então explico: — "Memória de Natal" é um conto de Truman Capote. É sobre um garoto chamado Buddy e sua prima mais velha, que cuidava dele quando ele era pequeno. Eles guardavam dinheiro o ano todo para fazer um bolo de frutas cristalizadas no Natal, depois mandavam de presente para os amigos, mas também para gente importante, como o presidente.

— E por que é tão triste? — pergunta Kitty.

— Porque eles eram melhores amigos e se amavam mais do que tudo, mas, no fim, acabam sendo separados, porque a família achava que ela não cuidava dele direito. E talvez não cuidasse mesmo, mas isso não importa, porque ela era a alma gêmea dele. A menina morre no fim, e Buddy nem pôde se despedir dela. É baseado em uma história real.

— Que deprimente — diz Peter. — Esquece os biscoitos de frutas cristalizadas.

Kitty risca os biscoitos da lista.

Estou folheando uma edição velha da revista *Good Housekeeping* quando a campainha toca. Kitty se levanta e corre para atender.

— Veja quem é antes de abrir!

Ela sempre esquece.

— Josh! — Eu a ouço gritar.

Peter levanta a cabeça.

— Ele veio ver a Kitty — digo para ele.

— Ah, sei.

Josh entra na sala com Kitty pendurada no pescoço como um macaco.

— Oi — diz, olhando para Peter.

— E aí, cara — cumprimenta Peter, com o máximo de simpatia que consegue. — Senta aí.

Para todos os garotos que já amei

Olho para ele de um jeito estranho. Um segundo atrás, ele estava resmungando, agora está todo simpático. Não entendo os garotos.

Josh levanta uma sacola de plástico.

— Trouxe de volta a caçarola.

— Josh? É você? — grita meu pai, da cozinha. — Quer um lanchinho? Um sanduíche de peru?

Tenho certeza de que ele vai dizer não, porque já deve ter comido tantos sanduíches de peru na casa dele quanto nós aqui, mas ele responde:

— Claro!

Josh se solta de Kitty e se senta no sofá.

— Festival de biscoitos de Natal? — pergunta para mim.

— Festival de biscoitos de Natal — confirmo.

— Você vai fazer meu favorito, não é?

Josh faz a cara de cachorro pidão que sempre me faz sorrir por não combinar nada com ele.

— Você é muito bobo — digo, balançando a cabeça.

— Qual é seu favorito? — pergunta Peter. — Porque acho que a lista está fechada.

— Tenho quase certeza de que já está na lista — diz Josh.

Eu olho de Josh para Peter. Não consigo dizer se eles estão brincando ou não.

Peter estica a mão e faz cócegas nos pés de Kitty.

— Leia a lista, Katherine.

Kitty ri e rola até o bloco. Em seguida, fica de pé e declama cheia de pompa:

— Biscoitos de M&M, sim. Biscoitos de cappuccino, talvez. Biscoitos de creme, talvez. Biscoitos de frutas cristalizadas, *de jeito nenhum...*

— Espera um minuto, eu também faço parte desse conselho — protesta Peter —, e vocês descartaram meu biscoito de frutas cristalizadas sem pensar duas vezes.

— Você disse para esquecer os biscoitos de frutas cristalizadas, tipo, cinco minutos atrás! — exclamo.

— Ah, mas agora quero que voltem a ser considerados.

— Lamento, mas você é voto vencido — respondo. — Kitty e eu votamos que não, então são dois contra um.

A cabeça de meu pai aparece na sala.

— Pode contar meu voto como sim para os biscoitos de frutas cristalizadas.

A cabeça dele volta a desaparecer na cozinha.

— Obrigado, dr. Covey. — Peter me puxa mais para perto. — Está vendo, eu sabia que seu pai estava do meu lado.

Eu dou uma gargalhada.

— Você é tão puxa-saco!

Nessa hora, olho para Josh, que está nos observando com uma expressão engraçada, como se se sentisse excluído. Isso faz eu me sentir mal. Eu me afasto de Peter e começo a folhear os livros de novo.

— A lista ainda está em construção — digo para Josh. — O conselho dos biscoitos vai considerar com carinho seus biscoitos de chocolate branco com cranberry.

— Agradeço profundamente — responde ele. — O Natal não é Natal sem seus biscoitos de chocolate branco com cranberry.

— Ei, Josh, você também é puxa-saco! — exclama Kitty, alegre.

Josh a agarra e faz cócegas até ela ficar com lágrimas nos olhos de tanto rir.

Depois que Josh vai embora e Kitty sobe as escadas para ver tevê, arrumo a sala, e Peter fica deitado no sofá me olhando. Fico achando que ele vai embora, mas ele não vai.

— Você se lembra do Halloween, quando você estava fantasiada de Cho Chang e o Sanderson de Harry Potter? — comenta Peter, do nada. — Aposto que não foi coincidência. Aposto um milhão de dólares que ele mandou a Kitty descobrir sua fantasia e correu para comprar uma de Harry Potter. O cara está a fim de você.

Fico paralisada.

— Não está. Ele ama minha irmã. Sempre amou e sempre vai amar.

Para todos os garotos que já amei

Peter balança a mão, como se isso não tivesse importância.

— Espere só. Assim que terminarmos, ele vai armar uma situação brega, tipo, uma serenata, para confessar o amor que sente por você. Acredite em mim, sei como os caras pensam.

Arranco a almofada na qual ele está apoiado e coloco na espreguiçadeira.

— Minha irmã vem para casa no Natal. *Eu* aposto um milhão de dólares que eles vão voltar.

Peter estica a mão para eu apertar e, quando a seguro, ele me puxa para o sofá. Sento ao seu lado, e nossas pernas se tocam. Ele está com um brilho malicioso nos olhos, e penso que talvez vá me beijar, e fico com medo, mas também ansiosa. Mas ouço Kitty descendo as escadas, e o momento passa.

53

— PODEMOS MONTAR A ÁRVORE NESTE FIM DE SEMANA? — pergunta Kitty, no café da manhã.

Meu pai ergue o rosto da tigela de mingau de aveia. Mingau de aveia, eca.

— Não vejo por que não.

— Margot pode ficar chateada se fizermos sem ela — digo.

Para falar a verdade, também quero montar a árvore. É tão aconchegante fazer o Festival de biscoitos de Natal com as luzes piscando na árvore, canções natalinas e a casa toda cheirando a açúcar e manteiga.

— A família da Brielle montou a árvore no dia seguinte ao de Ação de Graças — comenta Kitty.

— Então vamos montar — digo. — Podemos, pai?

— Ah, se a família da Brielle montou...

Vamos até a fazenda de árvores de Natal, que fica a uma hora de distância, porque é lá que estão as melhores. Kitty insiste em olhar todas as árvores para garantir que a nossa seja a melhor. Voto em um abeto balsâmico, porque é o mais cheiroso, mas Kitty não o acha alto o bastante. Escolhemos um abeto de Douglas, e durante todo o caminho para casa o ar fica com cheiro de manhã de Natal.

Josh sai correndo de casa quando nos vê lutando para levar a árvore para dentro. Ele e meu pai a carregam para a sala. Josh segura a árvore enquanto meu pai a prende à base. Tenho a sensação de que ele vai querer ficar para ajudar na decoração. Não consigo parar de pensar no que Peter disse. Que Josh talvez goste de mim.

— Um pouco para a esquerda — orienta Kitty. — Ainda não está reta.

Pego a caixa com pisca-piscas e enfeites e começo a separá-los. Minha favorita é a estrela azul que fiz no jardim de infância, com massa de modelar. É minha favorita porque tem um pedaço faltando; falei para Kitty que era um biscoito, e ela deu uma mordida como se fosse o Pac-man. Depois chorou, e fiquei encrencada, mas valeu a pena.

— Vamos usar as luzes coloridas ou as brancas, este ano? — pergunto.

— Brancas — afirma Kitty. — São mais elegantes.

— Mas as coloridas são divertidas — argumenta Josh. — E tradicionais.

Eu reviro os olhos.

— Divertidas, Josh?

Josh começa a fazer um discurso a favor das luzes coloridas, e nós dois discutimos até papai interceder e dizer que devemos fazer meio a meio. É quando as coisas finalmente parecem normais de verdade entre nós, agora que estamos discutindo como antigamente. Peter estava errado sobre Josh.

A árvore é tão alta que quase encosta no teto. Os pisca-piscas acabam, e meu pai sai para comprar mais. Josh coloca Kitty nos ombros para que ela possa botar a estrela no topo da árvore.

— Fico feliz de termos comprado uma das grandes este ano — digo, com um suspiro animado, então me jogo no sofá e olho para o fruto de nosso trabalho. Não tem nada mais aconchegante do que uma árvore de Natal iluminada.

Um pouco mais tarde, meu pai tem que ir ao hospital, e Kitty vai até a casa dos vizinhos, porque estão assando biscoitos com chocolate e marshmallow na lareira, então Josh e eu ficamos na sala arrumando tudo. Estou colocando ganchos de enfeite em saquinhos, e Josh está guardando os enfeites que sobraram em uma caixa de papelão. Ele levanta a caixa e esbarra em um dos galhos da árvore, e um enfeite de vidro escorrega e quebra.

Josh geme.

— Jo-osh — digo. — Fiz isso na aula de economia doméstica.

— Desculpa.

— Tudo bem. Não foi mesmo meu melhor trabalho. Coloquei penas demais.

Era uma bola de vidro transparente com penas e lantejoulas brancas dentro.

Vou buscar uma vassoura e, quando volto, Josh fala:

— Você age diferente perto do Kavinsky, sabia?

Levanto o rosto e paro de varrer.

— Não, não sabia.

— Você não age como você. Age como... como todas as garotas fazem perto dele. Você não é assim, Lara Jean.

— Eu ajo do mesmo jeito de sempre — respondo, irritada. — Como você poderia saber, Josh? Quase não anda mais com a gente.

Eu me abaixo e pego um caco de vidro.

— Cuidado — diz Josh. — Pode deixar, eu pego.

Ele se abaixa ao meu lado e estica a mão para pegar outro caco.

— Ai!

— Cuidado *você*! — Eu me aproximo e tento ver o dedo dele melhor. — Está sangrando?

Ele balança a cabeça.

— Estou bem. — Ele faz uma pausa, então diz: — Sabe o que não entendo?

— O quê?

Josh me olha com as bochechas vermelhas.

— Por que você nunca disse nada. Se gostou de mim durante todo aquele tempo, por que não disse nada?

Meu corpo todo fica tenso. Eu não estava esperando por isso. Não estou preparada. Engulo em seco.

— Você estava com a Margot.

— Eu não estive sempre com a Margot. As coisas que você escreveu... Você gostava de mim bem antes de eu gostar dela. Por que não me contou?

Eu suspiro.

Para todos os garotos que já amei

— Que importância isso tem agora?

— Tem importância. Você devia ter me contado. Devia ao menos ter me dado uma chance.

— Não teria feito diferença, Josh!

— Estou dizendo que teria!

Ele dá um passo na minha direção.

Desajeitada, eu me levanto. Por que ele está falando nisso logo agora, que as coisas estão voltando ao normal?

— Você é tão mentiroso. Nunca pensou em mim desse jeito, nem uma vez, então não me venha com essa história agora que estou com alguém.

— Você não sabe o que estou pensando — responde ele. — Você não consegue ler meus pensamentos, Lara Jean.

— Consigo, sim. Conheço você melhor do que qualquer pessoa. Sabe por quê? Você é previsível. Tudo que você faz. É tão previsível. O único motivo de você estar dizendo isso agora é porque está com ciúmes. E não é nem por minha causa. Você não liga para quem está comigo. Você só está com ciúme porque o Peter roubou seu lugar. A Kitty gosta mais dele do que de você, agora.

O rosto dele se fecha. Ele me olha com raiva, e eu olho para ele com raiva.

— Tudo bem! — grita ele. — Estou com ciúme! Está feliz agora?

De repente, ele dá um passo na minha direção e me beija. Na boca. Os olhos dele estão fechados, os meus estão bem abertos. Mas os fecho também e, por um segundo, só por um segundo, eu retribuo. Em seguida, interrompo o beijo e o empurro.

— Você previu isso, Lara Jean? — pergunta ele, com a voz triunfante.

Minha boca se abre e se fecha, mas nenhuma palavra sai. Largo a vassoura e corro escada acima, o mais rápido que consigo. Entro no quarto e tranco a porta. Josh acabou de me beijar. Na sala da minha casa. Margot vai voltar em poucas semanas. E tenho um namorado de mentira que acabei de trair.

54

DEPOIS DA TERCEIRA AULA, LUCAS ESTÁ ME ESPERANDO NO corredor.

Ele usa uma gravata fina e uma camisa de gola V e está segurando um saco enorme de Cheetos. Enfia um punhado deles na boca, e pó laranja cai na camisa branca. Os cantos da boca também estão um pouco alaranjados.

— Oi, preciso falar com você — diz ele, com a boca cheia.

Dou uma gargalhada.

— Não consigo acreditar que eu achava que você era refinado — digo, soprando pó de Cheetos da camisa dele. — O que você quer falar comigo? — Como ele hesita, acrescento, depois de roubar uns Cheetos: — Lucas, odeio quando as pessoas dizem que têm uma coisa para dizer e não dizem. É que nem quando dizem que têm uma história engraçada. É melhor contar a história de uma vez e deixar que eu decida se é engraçada ou não.

Lucas lambe queijo dos lábios.

— Você sabe que moro no mesmo bairro da Genevieve, certo? — Eu assinto. — Ontem à noite, vi o Kavinsky saindo da casa dela.

— Ah.

Isso é tudo que eu digo. Só "Ah".

— Normalmente, eu não acharia nada de mais, mas tem outra coisa. — Lucas limpa a boca com as costas da mão. — A Genevieve e o cara da faculdade terminaram no fim de semana. Você sabe o que isso quer dizer, certo?

Estou assentindo, mas me sinto dormente por dentro.

— Sei... Espera, o quê?

Lucas me olha com um pouco de pena e um pouco de impaciência.

— Ela vai tentar voltar com o Peter, Lara Jean!

— Certo — digo, e sinto uma pontada na hora que falo. — É claro que vai.

— Você tem que impedi-la — avisa ele.

— Eu vou — afirmo, e as palavras saem macias como gelatina, sem convicção alguma.

Eu não sabia até agora, mas acho que vinha esperando esse momento o tempo todo. Quando Genevieve fosse querer Peter de volta. Quando Peter concluísse que essa coisa toda foi só um pequeno desvio e chegara a hora de ele voltar para seu lugar de direito. Para a pessoa a quem pertence.

Eu não planejava contar a Peter que Josh me beijou. Não mesmo. Mas, quando Lucas e eu nos encaminhamos para a próxima aula, o vejo andando com Genevieve pelo corredor. Lucas me lança um olhar intenso, que finjo não ver.

Na aula de química, escrevo um bilhete para Peter.

Você estava certo sobre o Josh.

Bato nas costas dele e entrego o bilhete. Quando ele lê, senta-se ereto e imediatamente rabisca uma resposta.

Seja mais específica.

Ele me beijou.

Quando vejo Peter ficar tenso, tenho vergonha de dizer que me sinto um pouco vingada. Fico esperando uma resposta, mas ele não escreve nada. Assim que o sinal toca, ele se vira para mim.

— Como diabos isso aconteceu?

— Ele foi nos ajudar a montar a árvore.

— E aí, o quê? Ele beijou você na frente da Kitty?

— Não! Só estávamos nós dois em casa.

Peter parece muito irritado, e estou começando a me arrepender de ter contado.

— Ele acha que pode sair beijando a minha namorada a torto e a direito? É ridículo, merda. Vou falar com ele.

— O quê? Não!

— Eu tenho que falar, Lara Jean. Não pode ficar por isso mesmo.

Fico de pé e começo a guardar minhas coisas na mochila.

— É melhor você não dizer nada para ele, Peter. Estou falando sério.

Peter me observa em silêncio.

— Você retribuiu o beijo?

— E isso importa?

Ele parece surpreso.

— Você está com raiva de mim por algum motivo?

— Não — digo. — Mas vou ficar se você disser qualquer coisa para o Josh.

— Tá — diz ele.

— Tá — respondo.

Para todos os garotos que já amei

55

Não vejo Josh desde que ele me beijou, mas, quando chego em casa naquela noite, depois de estudar na biblioteca, ele está me esperando, sentado na varanda, usando o moletom azul-marinho. As luzes estão acesas, meu pai está em casa. A luz do quarto de Kitty está acesa. Eu preferia continuar ignorando Josh, mas aqui está ele, na minha casa.

— Oi — diz ele. — Posso falar com você?

Eu me sento ao lado dele e olho para a frente, para o outro lado da rua. A sra. Rothschild também montou a árvore de Natal. Ela sempre a coloca em frente à janela perto da porta, para as pessoas poderem vê-la da rua.

— Temos que decidir o que vamos fazer antes de a Margot chegar. Foi minha culpa o que aconteceu. Eu é que devo contar para ela.

Olho para ele sem acreditar.

— Contar para ela? Você está maluco? Não vamos contar para a Margot, porque não temos nada para contar.

Ele faz uma careta.

— Não quero esconder nada dela.

— Você devia ter pensado nisso antes de me beijar! — sussurro, irritada. — E, para sua informação, se alguém fosse contar para ela, seria eu. Eu sou a irmã dela. Você só foi o namorado. E nem é mais, então...

Uma expressão de dor surge no rosto dele e permanece lá.

— Eu nunca fui só namorado da Margot. Isso também é estranho para mim, sabe? É que, desde que recebi a carta... — Ele hesita. — Esquece.

— Fala logo — insisto.

— Desde que recebi aquela carta, as coisas ficaram confusas entre nós. Não é justo. Você pôde dizer tudo que queria dizer, e eu tenho que reorganizar o modo como penso em você, tenho que absorver toda a situação. Você me pegou desprevenido e então me afastou. Começou a namorar o Kavinsky, parou de ser minha amiga. — Ele suspira. — Desde que recebi sua carta... não consigo parar de pensar em você.

Não sei o que eu estava esperando que ele fosse dizer, mas definitivamente não era isso.

— Josh...

— Sei que você não quer ouvir, mas me deixe dizer o que preciso, ok?

Eu assinto.

— Odeio o fato de você estar com o Kavinsky. Odeio. Ele não é bom o bastante para você. Me desculpe por dizer isso, mas não é. Na minha opinião, nenhum garoto vai ser bom o bastante. Muito menos eu. — Josh baixa a cabeça, então olha para mim de repente. — Teve uma vez, acho que foi dois verões atrás. Estávamos voltando a pé da casa de alguém, acho que foi da casa do Mike.

Era um dia quente de verão, e o Sol estava se pondo. Eu fiquei com raiva porque Jimmy, o irmão mais velho de Mike, tinha prometido que nos levaria em casa, mas foi para algum lugar e não voltou, por isso tivemos que voltar a pé. Eu estava de salto, e meus pés estavam doendo muito. Josh ficava me dizendo para acompanhá-lo.

— Estávamos sozinhos — disse ele, baixinho. — Você estava com aquela blusa marrom franjada de camurça que gostava de usar, a de alcinhas, que deixava o umbigo aparecendo.

— Meu estilo Pocahontas misturado com Cher dos anos setenta. Ah, eu amava aquela blusa.

— Eu quase beijei você naquele dia. Pensei em fazer isso. Tive um impulso estranho. Eu só queria ver como seria.

Meu coração para.

— E depois?

Para todos os garotos que já amei

— E depois, não sei. Acho que esqueci.

Solto um suspiro.

— Sinto muito por você ter recebido aquela carta. Não era para você ler. Era só para mim.

— Talvez tenha sido o destino. Talvez tudo devesse acontecer assim porque... porque era para ser nós dois desde o início.

Digo a primeira coisa que me vem à mente.

— Não era, não.

E percebo que é verdade.

Esse é o momento em que me dou conta de que não o amo, que já tem um tempo que não o amo. Talvez nunca tenha amado. Porque ele está bem ali, à disposição. Eu poderia beijá-lo de novo, poderia tomá-lo para mim. Mas não quero. Quero outra pessoa. É estranho ter passado tanto tempo desejando uma coisa, uma pessoa, e de repente isso parar.

Enfio as mãos nas mangas do casaco.

— Você não pode contar para a Margot. Você precisa me prometer, Josh.

Com relutância, ele assente.

— A Margot tem falado com você? — pergunto.

— Tem. Ela me ligou outro dia. Disse que quer se encontrar comigo enquanto estiver por aqui. Quer passar o dia em Washington. Ir ao Smithsonian, jantar em Chinatown.

— Ótimo. Então é isso que vocês vão fazer.

Dou uma batidinha no joelho dele, mas afasto a mão rapidamente.

— Josh, temos que agir como antes. Como sempre. Se fizermos isso, tudo vai ficar bem.

Eu repito isso para mim mesma em pensamento. *Tudo vai ficar bem.* Tudo vai voltar a ser como era antes. Josh e Margot. Eu. Peter.

56

No dia seguinte, depois da última aula, vou procurar Peter na sala de musculação. Ele está sentado no supino. Acho melhor conversar com ele agora, não no carro. Vou sentir falta de andar de carro com ele. Estava começando a me acostumar. Vou sentir falta de ser a namorada de mentira de alguém. De Peter, na verdade. Até passei a gostar de verdade de Darrell, Gabe e dos outros amigos dele. Eles não são tão babacas quanto as pessoas dizem. São caras legais.

A sala de musculação está vazia, exceto por Peter. Ele está no supino levantando peso. Quando me vê, sorri.

— Você veio me espiar?

Ele se senta e seca o suor do rosto com a gola da camiseta.

Meu coração se aperta dolorosamente.

— Estou aqui para terminar. Para terminar de mentira, quer dizer.

Peter leva um susto.

— Espera. O quê?

— A gente não precisa mais continuar com a farsa. Você conseguiu o que queria, não é? Manteve a dignidade, e eu também. Conversei com o Josh e tudo voltou ao normal entre nós. E minha irmã vem passar uns dias em casa. Então… missão cumprida.

Lentamente, ele assente.

— É, acho que sim.

Meu coração está se partindo, mas continuo sorrindo.

— Então, tudo bem. — Com um floreio, tiro o contrato da bolsa. — Nulo e inválido. As duas partes cumpriram suas obrigações uma com a outra de forma absoluta.

Só estou falando palavras aleatórias de advogado.

— Você carrega isso com você?

— Claro! A Kitty é muito xereta. Ela encontraria em dois segundos.

Eu seguro a folha de papel e me preparo para rasgá-la ao meio, mas Peter a arranca da minha mão.

— Espera! E o passeio para a estação de esqui?

— O que é que tem?

— Você vai de qualquer jeito, não vai?

Eu não tinha pensado nisso. O único motivo para eu ir era Peter. Não posso ir agora. Não quero testemunhar a volta de Peter e Genevieve. Não posso. Quero que eles retornem da viagem magicamente juntos de novo, e vai parecer que isso tudo não passou de um sonho.

— Eu não vou.

Ele arregala os olhos.

— Não me venha com essa, Covey! Não vai furar agora. Já nos inscrevemos, pagamos o valor do depósito e tudo. Vamos fazer nosso *grand finale* lá. — Começo a protestar, mas Peter balança a cabeça. — Você vai, então pegue o contrato de volta.

Peter dobra o papel e o coloca com cuidado na minha bolsa.

Por que é tão difícil dizer não para ele? É essa a sensação de estar apaixonada por alguém?

57

Tenho a ideia durante os anúncios da manhã, quando divulgam que nossa escola vai sediar um evento do Projeto das Nações Unidas no fim de semana. John Ambrose McClaren era o presidente das Nações Unidas do fundamental. Eu me pergunto se ele está na equipe da escola dele.

Comento sobre isso com Peter no almoço, antes de qualquer dos amigos dele se sentar.

— Você sabe se o John McClaren ainda participa do projeto das Nações Unidas?

Ele me olha de um jeito engraçado.

— Como eu poderia saber?

— Sei lá. Eu só queria saber.

— Por quê?

— Talvez eu vá para o evento no fim de semana. Tenho a sensação de que ele vai estar lá.

— Sério? — Peter ri. — Se ele estiver, o que você vai fazer?

— Ainda não decidi. Talvez eu vá falar com ele, talvez não. Só quero ver como ele está.

— Podemos pesquisar on-line agora e eu mostro para você.

Eu balanço a cabeça.

— Não, isso seria trapacear. Quero ver com meus próprios olhos. Quero ser surpreendida.

— Nem me peça para acompanhar você. Não vou desperdiçar um sábado inteiro com o Projeto das Nações Unidas.

— Eu não planejava pedir para você ir.

Peter me olha com mágoa.

— O quê? Por que não?

— É algo que quero fazer sozinha.

Peter solta um assobio baixo.

— Uau. O corpo nem esfriou ainda.

— Hã?

— Você é uma conquistadora, Covey. Ainda nem terminamos e você já está a fim de outros caras. Eu ficaria magoado se não estivesse impressionado.

Isso me faz sorrir.

No oitavo ano, beijei John McClaren em uma festa. Não foi um beijo romântico. Na verdade, mal foi um beijo. Estávamos brincando de "girar a garrafa" e, quando chegou a vez dele, prendi a respiração e rezei para que a garrafa apontasse para mim. E apontou! Quase ficou virada para Angie Powell, mas a sorte estava do meu lado e ele foi meu por um centímetro. Tentei ficar com o rosto o mais imóvel possível para não sorrir. John e eu fomos até o meio da roda e demos um beijinho meio xoxo. Todo mundo resmungou, e o rosto dele ficou muito vermelho. Fiquei decepcionada; acho que talvez eu esperasse mais, um beijo com mais intensidade. Com mais *tchan*. Mas foi só aquilo. Talvez eu tenha uma segunda chance. Talvez isso me faça esquecer Peter.

58

FICO PENSANDO NO QUE VOU DIZER QUANDO ENTRO NA ESCOLA na manhã de sábado. Talvez só *Oi, John, como vai? Sou a Lara Jean.* Não o vejo desde o oitavo ano. E se ele não me reconhecer? E se nem se lembrar de mim?

Olho os cartazes no saguão e encontro o nome de John na Assembleia Geral. Ele estará representando a República Popular da China.

A Assembleia Geral vai se reunir no auditório. Há mesas montadas para cada representante e, no pódio montado no palco, uma garota de terninho preto faz um discurso sobre a não proliferação de armamentos nucleares.

Pretendo me sentar nos fundos e assistir, mas não encontro um lugar vazio, então fico de pé no fundo do auditório com os braços cruzados e procuro John. Tem muita gente ali, e todo mundo está virado para a frente, então é difícil saber quem é quem.

Um garoto de terno azul-marinho se vira e olha para mim.

— Você é estafeta? — sussurra ele.

Ele está segurando um pedaço de papel dobrado.

Fico sem resposta.

— Hã...

Não sei bem o que é um estafeta, mas vejo uma garota andando pela sala entregando bilhetes às pessoas.

O garoto coloca o papel na minha mão, vira-se e rabisca no caderno. O bilhete está endereçado para o Brasil, enviado pela França. Então acho que sou estafeta.

As mesas não estão em ordem alfabética, e começo a andar de um lado para outro para tentar encontrar o Brasil. Eu finalmente encontro: um cara de gravata-borboleta, e outras pessoas estão levantando a mão com bilhetes para eu entregar. Em pouco tempo, também estou correndo de um lado para outro.

Pelo canto do olho, vejo a mão de um garoto levantada para eu pegar o bilhete e me apresso, e ele vira a cabeça só um pouco. E, ah, meu Deus, é John Ambrose McClaren, representante da República Popular da China, a poucos metros de mim.

Ele tem cabelo louro-claro cortado curto. As bochechas são rosadas do jeito que eu lembro. Ainda têm aquele aspecto saudável que o faz parecer mais novo. Ele está usando calça de sarja e uma camisa social azul-clara com suéter azul-marinho por cima. Parece sério, concentrado, como se fosse um representante de verdade e aquilo tudo não passasse de fingimento.

Sinceramente, ele está do jeito que imaginei que ficaria.

John segura o papel com a mão estendida enquanto toma notas, a cabeça baixa. Estico a mão para pegar. Quando meus dedos se fecham ao redor do bilhete, ele ergue o rosto para mim e arregala os olhos, surpreso.

— Oi — sussurro.

Nós dois ainda estamos segurando o bilhete.

— Oi — responde ele.

Ele pisca e solta o papel, e saio andando, com o coração disparado. Escuto quando ele chama meu nome em um sussurro alto, mas não paro.

Olho para o papel. A caligrafia dele é caprichada, precisa. Entrego o bilhete aos Estados Unidos, depois ignoro a Grã-Bretanha, que está balançando um bilhete para mim, e saio pela porta dupla do auditório para a tarde ensolarada.

Acabei de ver John McClaren. Depois de todos esses anos, eu finalmente o vi. E ele me reconheceu. Na mesma hora, soube quem eu era.

Recebo uma mensagem de texto de Peter na hora do almoço.

Você encontrou o McClaren?

Escrevo que sim, mas apago antes de mandar. Acabo respondendo que não. Não sei bem por que faço isso. Acho que talvez eu queira guardar essa informação só para mim. Fico feliz em saber que John se lembrou de mim, e talvez isso baste.

Para todos os garotos que já amei

59

VAMOS TODOS BUSCAR MARGOT NO AEROPORTO. KITTY FEZ UM cartaz que diz *Bem-vinda, Gogo*. Fico com os olhos grudados no portão de desembarque, e, quando ela sai, quase não a reconheço. O cabelo dela está curto! Na altura do pescoço! Quando Margot nos vê, acena, e Kitty larga o cartaz e sai correndo na direção dela. De repente, estamos todos abraçados, e nosso pai está com lágrimas nos olhos.

— O que você achou? — pergunta Margot para mim, e sei que está falando sobre o cabelo.

— Faz você parecer mais velha — minto, e Margot abre um sorriso. Na verdade, fica parecendo mais nova, mas eu sabia que ela não queria ouvir isso.

No caminho de casa, Margot faz papai parar em uma lanchonete para comermos um cheesebúrger, apesar de dizer que não está com fome.

— Senti tanta falta disso — diz Margot, mas só dá algumas mordidas e deixa o resto para Kitty.

Estou animada para mostrar a Margot todos os biscoitos que fizemos, mas, quando a levo para a sala de jantar e mostro todas as latas, ela franze a testa.

— Vocês fizeram o festival de biscoitos de Natal sem mim?

Sinto uma pontada de culpa, mas não achava mesmo que ela fosse se importar. Afinal, Margot estava na Escócia, fazendo coisas muito mais divertidas do que biscoitos.

— Ah, fizemos. Tivemos que fazer. As aulas terminam amanhã. Se tivéssemos esperado você, não terminaríamos a tempo. Mas congelamos metade da massa no freezer, e você ainda pode nos ajudar a assar o restante para os vizinhos. — Abro a grande lata azul para ela poder ver os biscoitos enfileirados em camadas. Fico orgulhosa por todos estarem do mesmo tamanho. — Fizemos uns biscoitos novos, este ano. Experimente o de creme de laranja, está delicioso.

Margot remexe na lata e franze a testa.

— Vocês não fizeram biscoito de melado?

— Este ano, não... Decidimos fazer os de creme de laranja no lugar. — Ela pega um, e a vejo morder o biscoito. — Bom, não é?

Ela assente.

— É.

— Foi a Kitty que escolheu.

Margot olha para a sala.

— Quando vocês montaram a árvore?

— A Kitty não aguentou esperar — digo, e parece uma desculpa, mas é a verdade. Tento não soar na defensiva quando acrescento: — Acho que vai ser legal aproveitar a árvore o máximo possível.

— Mas quando vocês montaram?

— Faz duas semanas...

Por que ela está tão mal-humorada?

— Tem muito tempo. A árvore vai estar seca até o Natal.

Margot vai até a árvore e muda o enfeite de coruja de madeira para outro galho.

— Rego ela todos os dias e coloco um pouco de suco de limão, como vovó ensinou.

Por algum motivo, isso parece uma briga, e nós nunca brigamos. Mas então, Margot boceja.

— Estou com o fuso horário todo bagunçado. Acho que vou tirar um cochilo.

Quando uma pessoa fica longe muito tempo, você começa a guardar na memória todas as coisas que quer contar. Tenta manter tudo organizado na cabeça. Mas é como tentar segurar um punhado de areia: os grãos mais finos escapam da mão, e, de repente, você só está

Para todos os garotos que já amei

segurando ar e brita. É por isso que não se pode tentar guardar tudo assim.

Porque, na hora em que finalmente elas se reencontram, acabam colocando em dia as coisas importantes, porque dá muito trabalho contar os pormenores. Mas são os detalhes que compõem a vida. Como um mês atrás, quando papai escorregou em uma casca de banana, uma casca de banana de verdade que Kitty havia deixado cair no chão da cozinha. Kitty e eu rimos um tempão. Eu devia ter mandado um e-mail para Margot na mesma hora, devia ter tirado uma foto da casca de banana. Agora, tudo parece *você tinha que estar lá* e *ah, deixa pra lá, acho que não é tão engraçado assim.*

É assim que as pessoas perdem contato? Não achava que isso pudesse acontecer com irmãs. Talvez com outras pessoas, mas não com a gente. Antes de Margot partir, eu sabia em que ela estava pensando sem precisar perguntar. Sabia tudo sobre ela, mas agora não sei mais nada. Não sei qual é a vista da janela dela, nem se ela ainda acorda cedo todos os dias para tomar um café da manhã caprichado ou se, talvez, agora que está na faculdade, prefere sair à noite e dormir até mais tarde. Não sei se prefere os garotos escoceses aos americanos, ou se a colega de quarto dela ronca. Só sei que gosta das aulas e que foi visitar Londres uma vez. Basicamente, não sei nada.

Nem ela. Há coisas importantes que não contei... Que minhas cartas foram enviadas. A verdade sobre mim e Peter. A verdade sobre mim e Josh.

Eu me pergunto se Margot também sente essa distância entre nós. Se ela ao menos notou.

Nosso pai faz espaguete à bolonhesa para o jantar. Kitty come o dela com um picles grande e um copo de leite, o que parece nojento, mas dou uma mordida e vejo que picles com espaguete fica bom. Leite também.

Kitty está colocando mais macarrão no prato quando pergunta:

— Lara Jean, o que você vai dar para o Peter de Natal?

Olho para Margot, que está me encarando.

— Não sei. Ainda não pensei nisso.

— Posso ir com você escolher?

— Claro, se eu comprar alguma coisa para ele.

— Você tem que comprar. Ele é seu namorado.

— Ainda não consigo acreditar que você está namorando Peter Kavinsky — interrompe Margot.

Ela não fala de um jeito legal, como se fosse uma coisa boa.

— Margot, não quero discutir sobre isso.

— Desculpe, só não gosto dele.

— Você não precisa gostar dele. Eu é que preciso — digo, e Margot dá de ombros.

Papai fica de pé e bate palmas.

— Temos três sabores de sorvete para sobremesa! Creme, banana com chocolate e morango. Seus favoritos, Margot. Kitty, me ajude a pegar as tigelas.

Eles levam os pratos sujos para a cozinha.

Margot olha pela janela, para a casa de Josh.

— O Josh quer me ver mais tarde. Espero que ele finalmente aceite que terminamos e não tente vir aqui todos os dias enquanto eu estiver em casa. Ele precisa seguir em frente.

Que coisa cruel de se dizer. É ela que liga para ele, não o contrário.

— Ele não anda morrendo de saudades de você, se é o que você imagina — digo. — Ele sabe que acabou.

Margot olha para mim, surpresa.

— Ah, espero que seja verdade.

Para todos os garotos que já amei

265

60

— ACHO QUE DEVERÍAMOS FAZER UM RECITAL NATALINO ESTE ANO — diz Margot, sentada no sofá.

Quando nossa mãe estava viva, todo Natal fazíamos o que ela chamava de "recital natalino". Ela fazia um monte de comida e convidava amigos para irem lá em casa em uma noite de dezembro, e Margot e eu usávamos vestidos combinando e tocávamos cantigas natalinas no piano a noite toda. As pessoas ficavam andando pela sala e cantavam junto, e Margot e eu nos revezávamos ao piano. Eu odiava os recitais porque eu era a pior do grupo da minha idade, e Margot, a melhor. Era humilhante ter que tocar alguma coisa fácil como "Für Elise" enquanto as outras crianças já estavam tocando Liszt. Sempre odiei o recital natalino. Eu implorava para não ter que tocar.

Certo Natal, mamãe comprou vestidos vermelhos de veludo iguais, e dei um ataque e disse que não queria usar, apesar de ter adorado o vestido. Eu só não queria ter que tocar piano ao lado de Margot. Gritei com ela, corri para o quarto, tranquei a porta e me recusei a sair. Mamãe foi até lá e tentou me fazer descer, mas eu não quis, e ela não voltou. As pessoas começaram a chegar, Margot começou a tocar piano, e eu fiquei no andar de cima. Fiquei chorando no meu quarto, pensando em todas as pastinhas e canapés que mamãe e papai fizeram e que eu não comeria, achando que minha mãe provavelmente nem me queria lá embaixo, depois de como me comportei.

Depois que ela morreu, nunca mais fizemos um recital natalino.

— Você está falando sério? — pergunto a ela.

— Por que não? — Margot dá de ombros. — Vai ser divertido. Vou planejar tudo, você não precisa fazer nada.

— Você sabe que eu odeio tocar piano.

— Então não toque.

Kitty está olhando de mim para Margot com uma expressão preocupada.

— Posso fazer uns golpes de tae kwon do — oferece ela, mordendo o lábio.

Margot estica os braços e abraça Kitty.

— É uma ótima ideia. Eu toco piano, você faz tae kwon do e Lara Jean vai...

— Olhar — concluo.

— Eu ia dizer receber os convidados, mas você que sabe.

Não respondo.

Mais tarde, estamos assistindo à tevê. Kitty está dormindo toda encolhida no sofá, como se fosse um gato. Margot quer acordá-la e fazê-la ir para a cama, mas falo para deixá-la dormir e a cubro com uma colcha.

— Você pode me ajudar a convencer papai a dar um cachorrinho para a Kitty no Natal?

Margot geme.

— Cachorros dão muito trabalho. Você tem que levá-los para passear um milhão de vezes por dia para fazer xixi. E eles soltam bastante pelo. Você nunca mais vai poder usar calça preta. Além disso, quem vai passear com ele, dar comida, dar banho e levar no veterinário?

— A Kitty. E eu vou ajudar.

— A Kitty não está pronta para assumir essa responsabilidade.

Os olhos de Margot dizem *Você também não*.

— A Kitty amadureceu muito desde que você foi embora. — *E eu também*. — Você sabia que ela prepara o próprio lanche, agora? E ajuda a dobrar as roupas? E não preciso pegar no pé dela por causa do dever de casa. Ela faz sozinha.

— É mesmo? Estou impressionada.

Por que ela não pode simplesmente dizer *Bom trabalho, Lara Jean?* Esse é o problema. Queria que ao menos ela pudesse reconhecer que estou fazendo minha parte para manter a família unida desde que ela foi embora. Mas não.

61

Às seis e meia da manhã do dia da viagem para a estação de esqui, meu pai me deixa na escola. Ainda nem amanheceu. Parece que a cada dia o sol demora mais para aparecer. Antes que eu saia do carro, meu pai tira um gorro do bolso do casaco. É rosa-claro com um pompom. Ele coloca na minha cabeça, cobrindo as orelhas.

— Encontrei no armário do corredor. Acho que era da sua mãe. Ela era uma ótima esquiadora.

— Eu sei. Eu lembro.

— Promete que vai esquiar pelo menos uma vez?

— Prometo.

— Estou tão feliz de você estar indo nessa viagem. É bom experimentar coisas novas.

Dou um sorriso fraco. Se ele soubesse o que acontece na estação de esqui, não ficaria tão feliz. Vejo Peter e os amigos conversando em frente ao ônibus fretado.

— Obrigada pela carona, pai. Até amanhã à noite.

Dou um beijo na bochecha dele e pego a bolsa.

— Fecha o casaco — grita ele, quando bato a porta do carro.

Fecho o casaco e observo o carro se afastar. Do outro lado do estacionamento, Peter está conversando com Genevieve. Ele diz alguma coisa, e ela ri. Em seguida, me vê e faz sinal para eu me aproximar. Genevieve se afasta, olhando para a prancheta. Quando chego lá, ele pega a bolsa pendurada em meu ombro e coloca ao lado da dele.

— Vou colocar no ônibus.

— Está muito frio — digo, batendo os dentes.

Peter me puxa para perto de si e me abraça.

— Vou manter você aquecida.

Olho para ele com cara de *que brega*, mas ele está com a atenção voltada para outra coisa. Está observando Genevieve. Ele apoia o queixo no meu ombro, e eu me contorço para me soltar.

— O que foi?

— Nada — respondo.

A sra. Davenport e o treinador White estão olhando as bolsas dos alunos. A sra. Davenport está olhando as das garotas, e o treinador White, as dos garotos.

— O que eles estão procurando? — pergunto a Peter.

— Álcool.

Pego o celular e mando uma mensagem para Chris.

Não traga álcool! Estão verificando as bolsas!

Nenhuma resposta.

Você está acordada??

Acorda!

Nessa hora, o carro da mãe dela para no estacionamento, e Chris cambaleia para fora. Está com cara de quem acabou de acordar.

Que alívio! Peter pode conversar com Genevieve o quanto quiser; vou me sentar com Chris e comer os lanches que preparei. Tenho jujubas de morango, ervilhas com *wasabi,* que Chris ama, e palitinhos de biscoito com chocolate.

Peter resmunga.

— A Chris vem?

Eu o ignoro e aceno para ela.

Genevieve está de pé ao lado do ônibus, segurando a prancheta, quando vê Chris. Ela franze a testa e anda até a prima.

— Você não se inscreveu para o passeio.

Eu corro até as duas e fico ao lado de Chris.

— Nos anúncios da semana passada, disseram que ainda havia vagas — digo a ela.

— É, para as quais você tinha que se inscrever. — Genevieve balança a cabeça. — Sinto muito, mas Chrissy não pode ir se não se inscreveu nem fez o depósito.

Faço uma careta. Chris odeia ser chamada de "Chrissy". Sempre odiou. Ela passou a usar o apelido Chris no primeiro ano do ensino médio, e as únicas pessoas que ainda a chamam assim são Genevieve e a avó delas.

Peter surge ao meu lado.

— O que está acontecendo? — pergunta ele.

Genevieve cruza os braços.

— A Chrissy não se inscreveu para o passeio. Sinto muito, mas ela não pode ir.

Estou em pânico, mas Chris continua com um sorrisinho debochado e não diz uma palavra. Peter revira os olhos.

— Gen, deixe ela ir. Quem liga se ela não se inscreveu?

As bochechas dela ficam vermelhas de raiva.

— Eu não criei as regras, Peter! Então ela deveria poder ir de graça? Isso é justo com as outras pessoas?

Chris finalmente se pronuncia:

— Ah, já falei com a Davenport e ela disse que estava tudo bem. — Chris faz biquinho para Genevieve. — Que pena, Gen.

— Tanto faz, não ligo.

Genevieve se vira e sai andando na direção da sra. Davenport. Chris fica observando-a se afastar, sorrindo. Eu puxo a manga do casaco dela.

— Por que você não falou logo no começo? — sussurro.

— Porque era mais divertido assim, óbvio. — Ela coloca o braço sobre meus ombros. — Vai ser um fim de semana interessante, Covey.

— Você não trouxe álcool, trouxe? — sussurro, preocupada. — Estão olhando as bolsas.

Para todos os garotos que já amei

— Não se preocupe comigo. Já cuidei de tudo.

Quando olho para ela com dúvida, ela sussurra:

— Tem um vidro de xampu cheio de tequila no fundo da mala.

— Espero que você tenha lavado isso muito bem! Você pode passar mal!

Estou imaginando Chris e os amigos tentando beber doses de tequila cheias de bolhas e depois tendo que ir para o hospital para fazer uma lavagem estomacal.

Chris mexe no meu cabelo.

— Ah, Lara Jean.

Entramos no ônibus, e Peter se senta em um banco no meio, mas eu sigo em frente, para o fundo.

— Ei — diz ele, surpreso. — Você não vai se sentar comigo?

— Vou me sentar com a Chris.

Tento continuar seguindo pelo corredor, mas Peter segura meu braço.

— Lara Jean! Você está de brincadeira? Você tem que se sentar comigo. — Ele olha ao redor para ver se tem alguém ouvindo. — Você é minha *namorada*.

Eu solto meu braço.

— Vamos terminar em breve, não vamos? É melhor assim, vai deixar as coisas mais realistas.

Quando me sento ao lado dela, Chris está balançando a cabeça para mim.

— O que foi? Eu não posso deixar você se sentar sozinha. Você veio por minha causa, afinal. — Eu abro a mochila e mostro os lanches. — Eu trouxe seus preferidos. O que você quer comer primeiro? Jujuba ou biscoito com chocolate?

— Nem amanheceu direito ainda — reclama ela. E depois: — Me passa as jujubas.

Sorrindo, abro o saco para ela.

— Pode comer à vontade.

Paro de sorrir quando vejo Genevieve entrar no ônibus e se sentar ao lado de Peter.

— Isso é culpa sua — diz Chris.

— Fiz isso por você!

Mas não é verdade. Acho que talvez eu só esteja cansada dessa coisa de ser namorada de alguém, mas não de verdade.

Chris se espreguiça.

— Sei que você gosta desse papo de botar as amigas em primeiro lugar, mas, se eu fosse você, tomaria cuidado. Minha prima é pior que uma barracuda.

Coloco uma jujuba na boca e mastigo. É difícil de engolir. Vejo Genevieve cochichar algo no ouvido de Peter, e Chris adormece na mesma hora, como disse que faria, com a cabeça no meu ombro.

O hotel é exatamente como Peter descreveu: tem uma lareira grande, tapetes de pele de urso e vários cantinhos para se aconchegar. Está nevando lá fora, flocos pequenininhos e leves. Chris está de bom humor; na metade do caminho, acordou e começou a flertar com Charlie Blanchard, que vai levá-la na pista diamante negro. Até demos a sorte de pegar um quarto duplo, em vez de triplo, porque todas as outras garotas haviam se dividido em trios.

Chris foi fazer snowboard com Charlie. Ela me perguntou se eu queria ir junto, mas agradeci e recusei. Tentei esquiar junto com Margot uma vez, e acabamos descendo a pista em momentos diferentes, tendo que ficar esperando e se perdendo uma da outra o dia todo.

Se Peter me convidasse para fazer snowboard com ele, acho que iria. Mas ele não me convida, e estou com fome, então volto para o hotel para almoçar.

A sra. Davenport está lá olhando o celular e tomando sopa. Ela é jovem, mas parece velha. Acho que é a base pesada e o cabelo repartido no meio. Ela não é casada. Chris me disse que a viu discutindo com um cara em frente a Waffle House uma vez, então acho que tem um namorado.

Para todos os garotos que já amei

Quando me vê sentada sozinha, comendo um sanduíche perto da lareira, ela faz sinal para eu me aproximar. Levo meu prato até a mesa dela. Eu preferia comer sozinha e ler meu livro, mas não tenho muita escolha.

— Você precisa ficar aqui no hotel o fim de semana todo ou também pode ir esquiar? — pergunto.

— Oficialmente, tenho que cuidar desta área — diz ela, limpando os cantos da boca. — O treinador White toma conta das pistas.

— Isso não parece muito justo.

— Não me importo. Na verdade, gosto de ficar no hotel. É tranquilo. Além do mais, alguém tem que estar aqui para o caso de haver uma emergência. — Ela toma mais uma colherada de sopa. — E você, Lara Jean? Por que não está nas pistas com todo mundo?

— Não sou boa esquiadora — respondo, constrangida.

— Ah, é? Eu soube que o Kavinsky é ótimo no snowboard. Devia pedir para ele ensinar a você. Vocês não estão namorando?

A sra. Davenport adora ficar sabendo dos dramas dos alunos. Ela chama de "ficar de olho", mas na verdade é uma fofoqueira. Se você der abertura, ela vai atrás do máximo de sujeira que puder. Sei que ela e Genevieve são próximas.

Tenho um vislumbre rápido de Genevieve e Peter no ônibus com as cabeças próximas, e a imagem faz meu coração ficar apertado. Nosso contrato ainda não acabou. Por que eu deveria deixá-la tê-lo de volta antes da hora?

— Sim, estamos juntos. — Fico de pé. — Quer saber? Acho que vou tentar a sorte nas pistas.

62

ESTOU TODA EMBRULHADA NO MACACÃO DE ESQUI ROSA DE MARGOT, com o gorro com pompom e a parca, e me sinto como um ovo de páscoa sabor morango. Quando tento colocar os esquis, um grupo de garotas da escola passa com calças de esquiar bem bonitas parecidas com calças de ginástica. Eu nem sabia que isso existia.

Eu sempre penso que poderia gostar de esquiar, aí vou esquiar e me lembro, *ah, é, eu odeio*. Todos estão na pista diamante negro, uma pista avançada, e eu estou no círculo verde, também conhecido como pista coelhinho. Sigo em ziguezague pelo caminho todo, e criancinhas passam voando por mim, o que me faz perder a concentração, porque fico morrendo de medo de atropelá-las. Elas voam como esquiadores olímpicos. Algumas nem estão usando os bastões. Elas são como Kitty. Ela consegue descer a pista diamante negro. Ela e meu pai adoram esquiar. Margot também, mas agora ela prefere o snowboard.

Estou procurando Peter, mas ainda não o encontrei, e está começando a ficar meio chato ficar aqui sozinha.

Estou pensando em experimentar a pista intermediária só para ver como é quando vejo Peter e os amigos dele carregando pranchas de snowboard. Sem Genevieve por perto.

— Peter! — grito, sentindo alívio.

Ele vira a cabeça e acho que me vê, mas continua andando.

Hã.

Ele me viu. Eu sei que me viu.

Depois do jantar, Chris volta para as pistas para fazer snowboard. Ela diz que está viciada na adrenalina. Estou voltando para o quarto quando esbarro em Peter de novo, desta vez de bermuda e um casaco de moletom com capuz. Ele está com Gabe e Darrell. Os três estão com toalhas ao redor do pescoço.

— Oi, Laranjinha — diz Gabe, batendo em mim com a toalha. — Onde você andou o dia todo?

— Por aí. — Encaro Peter, mas ele não olha nos meus olhos. —Vi vocês nas pistas.

— E por que você não chamou a gente? — pergunta Darrell. — Eu queria exibir minhas piruetas para você.

—Ah, eu chamei o Peter, mas acho que ele não me ouviu — respondo, provocativa.

Peter finalmente me olha nos olhos.

— Não. Não ouvi.

A voz dele está fria e indiferente, tão atípica que o sorriso some do meu rosto.

Gabe e Darrell trocam olhares.

— Encontramos você no ofurô — dizem para Peter, e saem andando.

Peter e eu ficamos no saguão, os dois sem dizer nada.

— Por acaso você está chateado comigo? — pergunto, por fim.

— Por que eu estaria chateado?

E ficamos em silêncio de novo.

— Sabe, foi você que me convenceu a vir neste passeio. O mínimo que poderia fazer é falar comigo.

— E o mínimo que você poderia fazer era sentar comigo no ônibus!

Meu queixo cai.

—Você está chateado só porque eu não sentei com você no ônibus?

Peter suspira com impaciência.

— Lara Jean, quando se está namorando alguém, existem… certas coisas que a gente faz, certo? Como sentar junto no passeio da escola. É o esperado.

— Só não entendo qual é o problema.

Como ele pode estar tão zangado por uma coisa tão pequena?

— Deixa pra lá.

Ele se vira como se fosse ir embora, e eu seguro a manga do moletom dele. Não quero brigar; só quero que seja divertido e leve como sempre é entre nós. Quero que ele pelo menos ainda seja meu amigo. Principalmente agora que estamos no fim.

— Não precisa ficar com raiva de mim. Eu não sabia que era tão importante. Juro que vou sentar com você na volta, ok?

Ele franze os lábios.

— Mas você entende por que fiquei com raiva?

Eu assinto.

— Aham.

— Tudo bem, então você deveria saber que perdeu donuts de café com chocolate e açúcar.

Eu abro a boca.

— Como você conseguiu? Achei que a loja não abria tão cedo!

— Eu saí e comprei ontem à noite especificamente para a viagem de ônibus — diz Peter. — Para nós dois.

Own. Fico tocada.

— E sobrou algum?

— Não. Comi tudo.

Ele parece tão arrogante que estico a mão e bato nos cordões do moletom.

— Sacanagem — digo, mas de maneira afetuosa.

Peter segura minha mão.

— Quer ouvir uma coisa engraçada?

— O quê?

— Acho que comecei a gostar de você.

Fico completamente paralisada. Em seguida, solto a mão da dele e começo a prender o cabelo em um rabo de cavalo, então lembro que não tenho elástico. Meu coração está disparado no peito, e de repente fica difícil pensar.

Para todos os garotos que já amei

— Para de brincadeira.

— Não estou brincando. Por que você acha que beijei você naquele dia na casa do McClaren, no sétimo ano? Foi por isso que aceitei essa coisa toda. Sempre achei você bonita.

Meu rosto fica quente.

— De um jeito peculiar.

Peter dá o sorriso perfeito.

— E daí? Devo gostar de coisas peculiares, então.

Ele inclina o rosto para perto do meu, e eu digo de repente:

— Mas você ainda não é apaixonado pela Genevieve?

Peter franze a testa.

— Por que você sempre fala sobre a Gen? Estou tentando falar sobre nós, mas você só quer falar sobre ela. É, a Gen e eu temos uma história. Eu sempre vou gostar dela. — Ele dá de ombros. — Mas agora… eu gosto de você.

As pessoas estão entrando e saindo do hotel. Um cara da escola passa e dá um tapinha no ombro de Peter.

— E aí? — cumprimenta Peter.

Quando ele vai embora, Peter olha para mim.

— Então, qual é sua resposta?

Ele está me olhando com expectativa. Espera que eu diga sim.

Quero dizer sim, mas não quero ficar com um garoto cujo coração pertence a outra pessoa. Só uma vez, quero ser a primeira escolha de alguém.

— Você pode achar que gosta de mim, mas não é verdade. Se gostasse, não ia mais pensar nela.

Peter balança a cabeça.

— O que a Gen e eu temos não tem nada a ver com o que eu sinto por você.

— Como isso pode ser verdade, se desde o primeiro minuto isso tudo foi por causa da Genevieve?

— Não é justo — protesta ele. — Quando começamos, você gostava do Sanderson.

— Não gosto mais. — Eu engulo em seco. — Mas você ainda ama a Genevieve.

Frustrado, Peter recua e passa as mãos no cabelo.

— Deus, e agora você é uma especialista no amor? Você gostou de uns cinco caras na vida. Um era gay, um mora em Indiana ou Montana ou qualquer outro lugar, o McClaren se mudou antes que alguma coisa pudesse acontecer, o outro estava namorando sua irmã. Ah, e tem eu. Hum... O que todos nós temos em comum? Qual é nosso denominador comum, hein?

Sinto o sangue subir para o rosto.

— Isso não é justo.

Peter se inclina para mais perto.

— Você só gosta de caras com quem não tem chances, porque tem medo. Do que você tem tanto medo?

Eu me afasto dele até encostar na parede.

— Não tenho medo de nada.

— Até parece. Você prefere criar uma versão idealizada de alguém na sua mente a ficar com a pessoa de verdade.

Eu olho para ele com raiva.

— Você só está irritado porque não morri de felicidade de o grande Peter Kavinsky ter se declarado para mim. Seu ego é mesmo enorme.

Os olhos dele brilham.

— Ei, desculpe por não ter aparecido na porta da sua casa com flores para declarar meu amor eterno por você, Lara Jean. Mas isso não acontece na vida real. Vê se cresce.

Já chega. Não preciso ficar ouvindo isso. Eu me viro e saio andando. Por cima do ombro, grito:

— Divirta-se no ofurô.

— Eu sempre me divirto.

Estou tremendo.

É verdade? Será que ele está certo?

No quarto, coloco a camisola de flanela e meias grossas. Nem vou escovar os dentes. Apago a luz e me deito na cama. Mas não consigo dormir. Cada vez que fecho os olhos, vejo o rosto de Peter.

Como ele ousa dizer que preciso crescer? O que ele sabe sobre as coisas? Como se ele fosse tão maduro!

Mas... será que ele está certo sobre mim? Só gosto de garotos impossíveis? Eu sempre soube que Peter era muita areia para meu caminhãozinho. Sempre soube que ele não era meu. Mas hoje ele disse que gosta de mim. Ele falou o que eu mais desejava ouvir. Então por que eu não respondi que gosto dele também? Porque eu gosto dele. Claro que gosto. Que garota não se apaixonaria por Peter Kavinsky, o garoto mais bonito de todos os Garotos Bonitos? Agora que o conheço de verdade, sei que ele é bem mais do que isso.

Não quero mais ter medo. Quero ser corajosa. Quero... que a vida comece a acontecer. Quero me apaixonar e quero que um garoto se apaixone por mim.

Antes que eu possa me convencer do contrário, coloco o casaco acolchoado, enfio o cartão magnético do quarto no bolso e vou para o ofurô.

63

O OFURÔ FICA ATRÁS DO PRÉDIO PRINCIPAL, NO MEIO DO BOSQUE, em uma plataforma de madeira. No caminho, encontro um grupo de cabelo molhado voltando para o quarto antes do toque de recolher, às onze horas. Já são 22h45. Não tenho muito tempo. Espero que Peter ainda esteja lá. Não quero perder a coragem. Assim, acelero o passo, e é nessa hora que o vejo sozinho no ofurô, com a cabeça inclinada para trás e os olhos fechados.

— Oi — digo, e minha voz ecoa no bosque.

Ele abre os olhos de repente. Nervoso, olha por cima do meu ombro.

— Lara Jean! O que você está fazendo aqui?

— Vim ver você — respondo, e minha respiração sai em nuvens brancas.

Começo a tirar as botas e as meias. Minhas mãos estão tremendo, e não é por causa do frio. Estou nervosa.

— Hã... o que você está fazendo?

Peter está me olhando como se eu fosse louca.

— Vou entrar!

Tremendo, abro o casaco acolchoado e o coloco no banco. Vapor sobe da água. Mergulho os pés e me sento na beirada do ofurô. Está mais quente do que um banho habitual, mas é gostoso. Peter ainda olha para mim com cautela. Meu coração está disparado, e é difícil olhar nos olhos dele. Nunca senti tanto medo na vida.

— Aquilo que você falou antes... você me pegou de surpresa, eu não soube o que dizer. Mas... Bem, eu também gosto de você.

Minha voz sai tão desajeitada e insegura que desejo poder recomeçar e repetir tudo com tranquilidade e confiança. Tento mais uma vez, com voz mais alta.

— Eu gosto de você, Peter.

Peter pisca e parece muito jovem de repente.

— Não entendo vocês, garotas. Penso que entendi, mas então... então...

— Então?

Prendo a respiração enquanto espero. Estou muito nervosa; fico engolindo em seco, e o som soa alto em meus ouvidos. Até minha respiração parece mais alta, até meus batimentos cardíacos.

As pupilas dele estão dilatadas, e Peter me olha com intensidade. Está me encarando como se nunca tivesse me visto.

— E então, não sei.

Acho que paro de respirar quando o ouço dizer "não sei". Fiz uma besteira tão grande que agora ele está em dúvida? Não pode terminar assim, não quando finalmente encontrei coragem. Não posso deixar. Meu coração está acelerado, com um zilhão de batimentos por minuto, quando me aproximo dele. Eu inclino a cabeça e encosto os lábios nos dele. Peter parece surpreso, mas logo corresponde o beijo com seus lábios macios, e no começo fico nervosa, mas ele apoia a mão na minha nuca e acaricia meu cabelo de um jeito tranquilizador, e de repente não estou mais tão nervosa. Que bom que estou sentada, porque meus joelhos ficam bambos.

Ele me puxa para a água, e fico sentada dentro do ofurô. Minha camisola está encharcada, mas não ligo. Não ligo para nada. Eu nunca imaginei que beijar pudesse ser tão bom.

Meus braços estão grudados nas laterais do corpo, para que os jatos não façam a saia subir. Peter está segurando meu rosto e me beijando.

— Você está bem? — sussurra ele.

A voz dele está diferente: rouca, urgente e meio vulnerável. Ele não parece o Peter que eu conheço. Não está tranquilo nem entediado nem achando graça. Sei pela forma como ele me olha agora que faria qualquer coisa que eu pedisse, e é uma sensação estranha e poderosa.

Abraço o pescoço dele. Gosto do cheiro do cloro em sua pele. Peter está com cheiro de piscina, verão e férias. Não é como nos filmes. É muito melhor, porque é real.

— Toca no meu cabelo de novo — peço, e os cantos da boca dele se levantam.

Eu me inclino na direção dele e o beijo. Ele começa a passar os dedos no meu cabelo, e a sensação é tão boa que não consigo pensar direito. É melhor do que lavar o cabelo no salão. Passo as mãos pelas costas dele, na linha da coluna, e Peter treme e me puxa mais para perto. As costas de um garoto são bem diferentes das costas de uma garota: mais musculosas e sólidas.

Entre beijos, ele diz:

— Passou do toque de recolher. Temos que voltar.

— Não quero.

Só quero ficar e estar ali, com Peter, naquele momento.

— Eu também não, mas não quero meter você em confusão — retruca ele.

Peter parece preocupado, e isso é tão fofo.

Delicadamente, toco na bochecha dele com as costas da mão. É tão macia. Seu rosto é tão bonito que eu poderia ficar olhando para ele durante horas.

Eu me levanto, e na mesma hora começo a tremer. Começo a torcer a água da camisola, e Peter sai do ofurô e coloca a toalha sobre os meus ombros. Ele me dá a mão, e eu saio, batendo os dentes. Ele começa a me secar com a toalha, meus braços e minhas pernas. Eu me sento para colocar as meias e as botas. Ele me ajuda a colocar o casaco e fecha o zíper.

Voltamos correndo para o hotel. Antes de ele ir para o corredor dos garotos, e eu, para o das garotas, dou mais um beijo nele e sinto como se estivesse voando.

Para todos os garotos que já amei

64

QUANDO VEJO PETER PERTO DO ÔNIBUS, NA MANHÃ SEGUINTE, ELE está com os amigos do time de lacrosse. Fico tímida e nervosa, mas, quando ele me vê, seu rosto se abre em um sorriso.

— Vem cá, Covey. — Eu me aproximo, e ele coloca minha bolsa no ombro. No meu ouvido, ele diz: — Você vai se sentar comigo, não vai?

Eu assinto.

Quando seguimos para o ônibus, alguém assovia. Tenho a sensação de que as pessoas estão olhando fixamente para nós. Acho que é só minha imaginação, mas então vejo Genevieve me observando e sussurrando com Emily Nussbaum. Sinto um arrepio na espinha.

— A Genevieve não para de me olhar — sussurro para Peter.

— É porque você é adoravelmente peculiar — diz ele, apoiando as mãos nos meus ombros e me dando um beijo na bochecha, e esqueço Genevieve.

Peter e eu nos sentamos no meio do ônibus, com Gabe e os caras do lacrosse. Aceno para Chris vir ficar com a gente, mas ela já está aconchegada com Charlie Blanchard. Não tive oportunidade de contar a ela sobre a noite de ontem. Quando voltei para o quarto, ela já estava dormindo. De manhã, nós duas dormimos até tarde, e não tive tempo. Vou contar depois. Mas é legal Peter e eu sermos os únicos a saber.

No caminho de volta, compartilho meus biscoitos de chocolate com os garotos e jogamos uma partida animada de Uno, que eu também levei.

* * *

Uma hora depois do começo da viagem, paramos em uma lanchonete para tomar café da manhã. Como um pão de canela, e Peter e eu ficamos de mãos dadas por debaixo da mesa.

Vou ao banheiro, e lá está Genevieve, sozinha, passando brilho labial com um pincelzinho. Entro na cabine para fazer xixi e torço para ela já ter ido embora quando eu saio, mas Gen ainda está lá. Lavo as mãos rapidamente.

— Você sabia que quando éramos crianças eu queria ser você? — comenta ela.

Eu gelo. Genevieve fecha o espelhinho.

— Queria que seu pai fosse meu pai e Margot e Kitty fossem minhas irmãs. Adorava ficar na sua casa. Sempre torcia para você me convidar para ir dormir lá. Eu odiava ficar em casa com meu pai.

— E-eu não sabia — respondo, hesitante. — Eu gostava de ir para a sua casa porque a sua mãe era legal comigo.

— Ela gostava mesmo de você.

Reúno toda minha coragem e pergunto:

— Então por que você parou de ser minha amiga?

Genevieve semicerra os olhos.

— Você não sabe mesmo?

— Não.

— Você beijou o Peter no sétimo ano. Você sabia que eu gostava dele, mas o beijou mesmo assim. — Eu me encolho, e ela continua: — Eu sempre soube que esse seu jeito de boazinha era falso. Não me surpreende você e minha prima serem melhores amigas, agora. Mas pelo menos a Chris assume que é uma piranha. Ela não finge.

Meu corpo todo fica rígido.

— Do que você está falando?

Ela ri, e é arrepiante o quanto parece feliz. É nessa hora que sei que estou ferrada. Eu me preparo para a crueldade que vai sair dos lábios dela, mas mesmo assim não estou pronta para o que vem em seguida.

— Estou falando sobre você e Peter terem transado no ofurô ontem à noite.

Para todos os garotos que já amei

Minha mente fica completamente vazia. Por um segundo, tudo fica preto. Consigo sentir meu corpo oscilar. Alguém traga os sais aromáticos, acho que vou desmaiar.

Minha cabeça gira.

— Quem contou isso para você? — pergunto, engasgada. — Quem disse isso?

Genevieve inclina a cabeça para o lado.

— Todo mundo.

— Mas… mas nós *não*…

— Desculpe, mas acho isso nojento. Transar em um ofurô, um ofurô *público*, é simplesmente… — Ela treme. — Só Deus sabe que tipo de coisa está flutuando lá, agora. *Famílias* usam aquele ofurô, Lara Jean. Pode haver uma família lá agora mesmo.

Lágrimas surgem nos meus olhos.

— Nós só nos beijamos. Não sei por que as pessoas diriam isso.

— Hã, porque Peter está dizendo que vocês fizeram?

Meu corpo todo fica gelado. Não é verdade. Não pode ser verdade.

— Todos os caras acham que ele é um deus porque conseguiu convencer a doce Lara Jean a trepar no ofurô. Na verdade, o único motivo de Peter namorar você era para eu ficar com ciúmes. O ego do Peter não conseguiu aceitar o fato de que o troquei por um cara mais velho. Ele estava *usando* você. Se conseguiu sexo com isso, melhor ainda. Você sabe que ele sempre vem correndo quando eu chamo. É porque ele me ama. Ele nunca vai amar outra garota tanto quanto me ama. — O que ela vê no meu rosto deve agradá-la, porque ela sorri. — Agora que Blake e eu terminamos… bem, acho que você já entendeu, não é?

Fico muda e entorpecida enquanto ela ajeita o cabelo em frente ao espelho.

— Mas não se preocupe. Agora que todos sabem que você é uma piranha, tenho certeza de que vai ter um monte de caras querendo ficar com você. Por uma noite.

Eu saio correndo. Saio do banheiro feminino e da lanchonete, volto para o ônibus e começo a chorar.

65

As pessoas estão começando a voltar para o ônibus. Sinto seus olhares em mim e mantenho o rosto virado para a janela. Passo o dedo no vidro embaçado. A janela está tão fria que deixa uma marca.

Chris se senta ao meu lado.

— Hã... acabei de ouvir uma história muito doida.

— O que você ouviu? — pergunto, sem emoção. — Que Peter e eu transamos no ofurô ontem à noite?

— Ah, meu Deus! É! Você está bem?

Meu peito parece apertado. Se eu respirar, sei que vou começar a chorar de novo. Fecho os olhos.

— É mentira. Quem contou isso para você?

— Charlie.

Peter está vindo pelo corredor. Ele para ao nosso lado e olha para mim, preocupado.

— Ei, por que você não voltou para a mesa? Está tudo bem?

— Todo mundo está dizendo que fizemos sexo no ofurô — respondo, baixinho.

Peter resmunga.

— As pessoas precisam cuidar das próprias vidas.

Ele não parece surpreso.

— Você já sabia?

— Alguns dos caras vieram falar comigo hoje de manhã.

— Mas... de onde eles tiraram essa ideia?

Acho que vou vomitar.

Peter dá de ombros.

— Sei lá, talvez alguém tenha visto a gente. Que importância tem? Não é verdade.

Aperto bem os lábios. Não posso chorar agora porque, se começar, não vou conseguir parar nunca mais. Vou chorar o caminho todo para casa, todo mundo vai ver, e não vou suportar. Fixo o olhar em algum ponto acima do ombro de Peter.

— Não estou entendendo. Por que você está com raiva de mim?

Ele ainda está confuso. As pessoas estão começando a se acumular atrás de Peter. Elas querem chegar a seus lugares.

— As pessoas estão esperando atrás de você — digo a ele.

— Chris, pode devolver meu lugar?

Chris olha para mim, e eu balanço a cabeça.

— É meu lugar agora, Kavinsky.

— Para com isso, Lara Jean — diz Peter, tocando em meu ombro.

Eu afasto a mão dele, que fica surpreso. As pessoas estão olhando para nós, sussurrando e rindo. Peter olha por cima do ombro com o rosto vermelho. E finalmente continua pelo corredor.

— Você está bem? — pergunta Chris.

Consigo sentir as lágrimas surgindo nos olhos.

— Não. Nem um pouco.

Ela suspira.

— Não é justo com as garotas. As coisas são fáceis para os garotos. Tenho certeza de que todo mundo deu os parabéns a Peter, dando tapinhas nas costas dele por ser tão garanhão.

Fungando, eu pergunto:

— Você acha que foi ele quem inventou isso?

— Sei lá.

Uma lágrima escorre pela minha bochecha, e Chris a limpa com a manga do suéter.

— Pode não ter sido ele. Mas não importa, Lara Jean, porque mesmo se ele não originou o boato, duvido que tenha desencorajado, você sabe como é.

Eu balanço a cabeça.

— Estou dizendo que tenho certeza de que ele negou tudo, mas com um sorriso arrogante na cara. Caras como Peter são assim. Adoram parecer o maioral, adoram ter a admiração de todos os garotos.

— Com amargura, ela completa: — Eles ligam mais para a reputação deles do que para a sua. — Ela balança a cabeça. — Mas o que está feito, está feito. Você só precisa manter a cabeça erguida e agir como se não desse a menor bola.

Eu assinto, mas mais lágrimas escorrem.

— Ele não vale a pena, Lara Jean. Deixa a Gen ficar com ele. — Chris bagunça meu cabelo. — O que mais você pode fazer?

Genevieve é a última a entrar no ônibus. Eu me ajeito depressa, seco as lágrimas e me preparo para o pior. Mas ela não vai para o lugar dela. Para no de Bethy Morgan e sussurra alguma coisa no ouvido dela. Bethy arqueja e se vira para olhar para mim.

Ah, meu Deus.

Chris e eu vemos Genevieve ir de assento em assento.

— Aquela vaca — murmura Chris.

Lágrimas ardem nos meus olhos.

— Vou dormir um pouco.

Apoio a cabeça no ombro de Chris e choro. Ela fica com o braço ao redor dos meus ombros.

Para todos os garotos que já amei

66

Margot e Kitty me buscam na escola. Elas me perguntam como foi a viagem, se fiquei o dia todo na pista coelhinho. Tento responder de um jeito bem animado; até invento uma história de que desci uma pista intermediária.

— Está tudo bem? — pergunta Margot.

Hesito. Margot sempre sabe quando não estou falando a verdade.

— Só estou cansada. Chris e eu ficamos acordadas até tarde conversando.

— Durma um pouco quando chegar em casa — aconselha ela.

Meu celular vibra, e olho para a tela. É uma mensagem de Peter.

Podemos conversar?

Desligo o celular.

— Acho que vou dormir o Natal inteiro — digo.

Agradeço a Deus e a Jesus pelo feriado de Natal. Pelo menos, tenho dez dias antes de ter que voltar à escola e encarar todo mundo. Talvez eu não volte nunca. Talvez consiga convencer meu pai a me dar aulas em casa.

Quando papai e Kitty vão para a cama, Margot e eu ficamos embrulhando presentes na sala. No meio do processo, Margot decide que deveríamos fazer o recital natalino no dia seguinte ao Natal. Eu torci para ela ter esquecido essa ideia, mas a memória de Margot sempre foi infalível.

— Vai ser uma festa pós-Natal e pré-véspera de Ano-Novo — diz, amarrando um laço de fita em um dos presentes de papai para Kitty.

— Isso é daqui a poucos dias — comento, cortando com cuidado um pedaço de papel de presente com desenhos de cavalinhos. Estou tomando cuidado porque quero guardar uma tira para uma página do *scrapbook* de Margot, que está quase pronto. — Ninguém vai vir.

— Vai, sim! Não fazemos um há séculos; um monte de gente vinha. — Margot se levanta e começa a pegar os livros de receita da mamãe e a empilhá-los na mesa de centro. — Não seja estraga-prazeres. Acho que é uma tradição que deveríamos recuperar pelo bem da Kitty.

Corto um pedaço de fita verde. Talvez essa festa me ajude a parar de pensar em tudo o que aconteceu.

— Que tal aquela receita de frango mediterrâneo que mamãe fazia? Com o molho de iogurte e mel.

— Isso! E se lembra da pasta de caviar? As pessoas *amam* a pasta de caviar. Temos que fazer também. Devemos fazer canudos de queijo ou almofadinhas de queijo?

— Almofadinhas.

Margot está tão empolgada que, mesmo em meu estado atual de autopiedade, não consigo ficar irritada com ela.

Ela pega caneta e papel na cozinha e começa a fazer uma lista.

— Falamos no prato de frango, na pasta de caviar, almofadinhas de queijo, ponche... Podemos fazer biscoitos ou brownies também. Vamos convidar todos os vizinhos: Josh e os pais, os Shah, a sra. Rothschild. Quais dos seus amigos você quer convidar? A Chris?

Eu balanço a cabeça.

— Chris vai visitar os parentes em Boca Raton.

— E o Peter? Ele pode trazer a mãe, e ele não tem um irmão mais novo?

Posso ver que ela está se esforçando.

— Vamos deixar Peter de fora — digo.

Ela franze a testa e ergue o rosto da lista.

— Aconteceu alguma coisa no passeio?

Rápido demais, eu respondo:

— Não. Não aconteceu nada.

Para todos os garotos que já amei

— Então por que não? Quero conhecê-lo melhor, Lara Jean.

— Acho que ele também vai viajar.

Dá para ver que Margot não acredita em mim, mas também não insiste no assunto.

Ela envia os convites virtuais naquela mesma noite, e logo chegam cinco confirmações. Na seção de comentários, tia D. (que não é nossa tia de verdade, e sim uma das melhores amigas de mamãe) escreve: *Margot, mal posso esperar para ouvir você e seu pai cantarem "Baby, It's Cold Outside"!* Outra tradição dos recitais de Natal. Margot e papai cantam "Baby, It's Cold Outside", e eu sempre tenho que cantar "Santa Baby". Eu fazia isso deitada no piano usando os saltos de mamãe e a estola de pele de raposa da vovó. Mas não farei isso este ano. De jeito nenhum.

No dia seguinte, quando Margot tenta me convencer a ir com ela e Kitty entregar as cestas de biscoitos para os vizinhos, imploro para não ir e digo que estou cansada. Vou para o quarto, dou os toques finais no *scrapbook* de Margot, escuto só as músicas lentas de *Dirty Dancing* e fico checando meu celular para ver se Peter mandou outra mensagem. Ele não mandou, mas Josh, sim.

Soube o que aconteceu. Você está bem?

Então até Josh sabe? Ele nem é do nosso ano. Será que a escola toda já sabe?

Eu respondo:

Não é verdade.

Ele manda de volta:

Nem precisa me dizer, não acreditei nem por um segundo.

Isso me dá vontade de chorar.

Ele e Margot têm se encontrado desde que ela voltou, mas não fizeram a viagem a Washington que Josh mencionou. Acho melhor tirar a página de Josh e Margot do *scrapbook* de uma vez.

Fico acordada até tarde esperando Peter mandar outra mensagem. Eu decido que, se Peter ligar ou me mandar uma mensagem hoje, vou saber que ele também está pensando em mim, e talvez eu o perdoe. Mas ele não manda mensagem nem liga.

Por volta das três da manhã, jogo fora os bilhetes dele. Apago a foto de Peter do meu celular; apago o número. Imagino que, se eu o apagar o bastante, vai ser como se nada tivesse acontecido, e meu coração não vai doer tanto.

67

Na manhã de Natal, Kitty acorda todo mundo enquanto ainda está escuro, tradição dela, e nosso pai faz waffles, tradição dele. Só comemos waffles no Natal porque concordamos que dá muito trabalho pegar a grelha, limpá-la e depois guardar de volta na prateleira mais alta, onde sempre fica. Além disso, comer waffles vira uma tradição especial dessa forma.

Nós nos revezamos abrindo os presentes para fazer com que demore mais. Dou a Margot o cachecol e o *scrapbook*, que ela adora. Ela examina cada página e elogia meu trabalho artesanal, impressionada com minhas escolhas de fonte e recortes de papel. Margot o abraça contra o peito.

— É o presente perfeito.

Sinto toda a tensão e os sentimentos ruins entre nós evaporarem. O presente de Margot para mim é um suéter de caxemira rosa-claro da Escócia. Experimento por cima da camisola. É muito macio e elegante.

O presente de Margot para Kitty é um kit de arte com pastéis, aquarelas e canetas especiais, que faz Kitty gritar como um porquinho. Em troca, Kitty dá para ela meias com macacos. Dou a Kitty uma cesta nova para a bicicleta e a colônia de formigas que ela pediu meses atrás, e Kitty me dá um livro sobre tricô.

— Para você poder melhorar — explica ela.

Nós três juntamos dinheiro para o presente de nosso pai, um suéter escandinavo grosso que o faz parecer um esquimó. Fica um pouco grande, mas ele insiste que gosta daquele jeito. Ele dá para Margot um e-reader novo e moderno, para Kitty um capacete de bicicleta com o nome dela (Katherine, não Kitty) e para mim um vale-presente da Linden & White.

— Eu queria ter comprado aquele colar com pingente de coração que você sempre olha, mas tinha sido vendido — diz ele. — Mas aposto que você vai encontrar outro como aquele.

Dou um pulo e o abraço. Sinto vontade de chorar.

Papai Noel, ou seja, papai, nos dá presentes bobos como sacos de carvão e pistolas de água com tinta invisível dentro, mas também coisas práticas como meias esportivas, tinta para impressora e meu tipo favorito de caneta. Parece que Papai Noel também faz compras em lojas de departamento.

Quando acabamos de abrir os presentes, posso ver que Kitty está decepcionada por não encontrar nenhum cachorrinho, mas ela não diz nada. Eu a puxo para meu colo.

— Talvez no seu aniversário mês que vem — sussurro.

Ela assente.

Papai vai ver se a grelha de waffle já está quente, e a campainha toca.

— Kitty, você pode atender? — grita ele da cozinha.

Ela vai até a porta e, segundos depois, ouvimos um grito agudo. Margot e eu damos um pulo e corremos até lá, e bem ali, no capacho, há uma cesta com um filhotinho marrom com um laço no pescoço. Nós duas começamos a pular e a gritar junto com ela.

Kitty pega o cachorrinho no colo e corre para a sala com ele, onde nosso pai está sorrindo.

— Papai, papai, papai! — grita ela. — Obrigada, obrigada, obrigada!

Papai conta que escolheu o filhote no abrigo de animais duas noites antes, e nossa vizinha, a sra. Rothschild, estava escondendo-o em casa. É macho, aliás; descobrimos isso bem depressa, pois ele faz xixi por todo o chão da cozinha. É um vira-lata de wheaten terrier, e Kitty declara que é muito melhor do que um akita ou um pastor alemão.

— Eu sempre quis um cachorro com franjinha — digo, aninhando-o contra a bochecha.

Para todos os garotos que já amei

— Que nome vamos dar para ele? — pergunta Margot.

Nós olhamos para Kitty, que morde o lábio inferior, pensativa.

— Não sei — responde ela, por fim.

— Que tal Sandy? — sugiro.

Kitty faz expressão de desprezo.

— Não é original.

— E que tal François? Podemos chamá-lo de Frankie.

— Não, obrigada — diz Kitty. Inclinando a cabeça, ela diz: — Que tal Jamie?

— Jamie — repete papai. — Gostei.

Margot assente.

— Soa bem mesmo.

— Qual é o nome completo? — pergunto, colocando-o no chão.

— Jamie Fox-Pickle, mas só vamos chamá-lo assim quando ele fizer besteira. — Ela bate palmas e chama com voz infantil: — Vem, Jamie!

Ele corre até ela, balançando o rabo como louco.

Nunca a vi tão feliz nem com tanta paciência. Ela passa todo o dia de Natal tentando ensinar truques a ele e levando-o lá fora para fazer xixi. Os olhos dela não param de brilhar. Acabo desejando ser pequena de novo, para que tudo pudesse ser resolvido com um cachorrinho de presente de Natal.

Só olho o celular uma vez para ver se Peter ligou. E ele não ligou.

68

NA MANHÃ DO RECITAL NATALINO, ACORDO DEPOIS DAS DEZ, E eles já estão trabalhando há horas. Margot é a chef, e papai, o ajudante. Ela o mandou picar cebolas e aipo e lavar panelas. Para nós, ela diz:

— Lara Jean, preciso que você limpe o banheiro do primeiro andar, passe pano no chão e arrume. Kitty, você vai cuidar da decoração.

— Podemos pelo menos comer cereal primeiro? — pergunto.

— Podem, mas sejam rápidas.

Ela volta a pegar colheradas de massa de biscoito para botar na assadeira.

— Eu nem queria essa festa, e agora ela me manda limpar o banheiro — sussurro para Kitty. — Por que você fica com o trabalho bom?

— Porque sou mais nova — diz Kitty, sentando no banco em frente à bancada.

Margot se vira para mim.

— Ei, o banheiro precisava de limpeza de qualquer jeito! Além do mais, vai valer a pena. Não fazemos um recital natalino há tanto tempo. — Ela coloca a assadeira cheia de biscoitos no forno. — Pai, preciso que você dê um pulo no mercado daqui a pouco. Acabou o creme azedo, e precisamos de um saco grande de gelo.

— Sim, senhora! — responde papai.

O único que não é posto para trabalhar é Jamie Fox-Pickle, que está cochilando debaixo da árvore de Natal.

Estou usando uma gravata-borboleta xadrez vermelha e verde com camisa branca de botão e saia xadrez vermelha e preta. Li em um blog que misturar estampas xadrez está na moda. Vou até o quarto de Kitty e imploro para ela fazer uma coroa de trança em mim. Ela faz uma careta.

— Isso não é muito sexy.

Eu franzo a testa.

— Como é? Eu não quero ficar sexy! Estou tentando ficar festiva.

— Bem... você parece um garçom escocês, ou talvez uma atendente de bar do Brooklyn.

— O que você sabe sobre atendentes de bar do Brooklyn, Katherine? — pergunto.

Ela me olha com intensidade.

— Dã. Eu assisto HBO.

Hum. Talvez seja preciso colocar uma senha em certos canais na tevê.

Kitty vai até meu armário e pega meu vestido vermelho de tricô com ombros de fora e saia rodada.

— Vista este. Ainda tem cara de Natal, mas você não vai ficar parecendo um elfo.

— Tudo bem, mas vou colocar meu broche de bengala de Natal.

— Pode usar o broche, mas deixe o cabelo solto. Nada de trança. — Faço minha melhor cara triste, mas Kitty balança a cabeça. — Posso enrolar as pontas para dar volume, mas nada de trança.

Ligo o babyliss e me sento no chão com Jamie no colo, e Kitty se senta na cama e divide meu cabelo. Ela parece uma profissional.

— O Josh respondeu se vem à festa? — pergunta ela.

— Não sei.

— E o Peter?

— Ele não vem.

— Por que não?

— Ele não vai poder.

Margot está ao piano tocando "Blue Christmas", e nosso antigo professor de piano, o sr. Choi, está sentado ao lado dela cantando junto. Do outro lado da sala, papai está exibindo um novo cacto para os Shah, os vizinhos que moram no fim da rua, e Kitty e Josh e algumas outras crianças tentam ensinar Jamie a sentar. Estou tomando ponche de cranberry e refrigerante de gengibre e conversando com tia D. sobre o divórcio dela quando chega Peter Kavinsky, usando um suéter verde-musgo com camisa de botão por baixo e segurando uma lata de biscoitos. Eu quase engasgo com o ponche.

Kitty o vê na mesma hora que eu.

— Você veio! — grita.

Ela corre para os braços dele, e Peter coloca a lata de biscoitos de lado, a pega no colo e dá um giro. Quando a coloca no chão, ela o leva pela mão até a mesa, onde estou ocupada reorganizando os biscoitos nos pratos.

— Lara Jean, olha o que o Peter trouxe — diz ela, empurrando-o. Ele me entrega a lata de biscoitos.

— São biscoitos de frutas cristalizadas que minha mãe fez.

— O que você está fazendo aqui? — sussurro, irritada.

— Sua irmã me convidou. — Ele faz um gesto com a cabeça na direção de Kitty, que voltou correndo, de forma bem conveniente, até o cachorro. Josh está de pé agora, olhando para nós com a testa franzida. — Nós precisamos conversar.

Então agora ele quer conversar. Bem, tarde demais.

— Não temos nada para conversar.

Peter me segura pelo cotovelo, e eu tento me soltar dele, mas não consigo. Ele me leva para a cozinha.

— Quero que você invente uma desculpa para a Kitty e vá embora — digo. — E pode levar seus biscoitos de frutas cristalizadas.

— Primeiro me diga por que está com tanta raiva de mim.

— Porque sim! — explodo. — Todo mundo está falando que transamos no ofurô e que sou uma piranha, e você nem liga!

— Eu falei para os caras que era mentira!

— Falou? Você falou que só nos beijamos e mais nada? — Peter hesita, e eu continuo: — Ou disse: "Pessoal, não transamos no ofurô", acompanhado de uma piscadela?

Peter me olha com irritação.

Para todos os garotos que já amei

299

— Eu mereço um pouco mais de crédito, Covey.

— Você não presta, Kavinsky — diz uma voz.

Eu me viro. Lá está Josh, parado na porta, olhando com raiva para Peter.

— É sua culpa as pessoas estarem falando essas merdas sobre a Lara Jean. — Josh balança a cabeça com nojo. — Ela nunca faria aquilo.

— Fale baixo — sussurro, olhando ao redor.

Isso não pode estar acontecendo agora. Em um recital natalino, com todas as pessoas que conheço desde pequena na sala ao lado.

O queixo de Peter treme.

— Essa conversa é particular, Josh. É entre mim e a minha namorada. Por que você não vai jogar World of Warcraft? Ou que tal ver tevê? Tenho certeza de que uma maratona de *Senhor dos Anéis* deve estar passando em algum lugar.

— Vai se ferrar, Kavinsky — diz Josh.

Eu tomo um susto. Josh olha para mim.

— Lara Jean, é exatamente disso que estou tentando protegê-la. Ele não merece você. Só está puxando você para baixo.

Ao meu lado, Peter fica rígido.

— Cara, se toca! Ela não gosta mais de você. Acabou. Parte pra outra.

— Você não faz ideia do que está falando — diz Josh.

— Não estou nem aí. Ela me contou que você tentou dar um beijo nela. Se fizer isso de novo, vou quebrar a sua cara.

Josh dá uma gargalhada curta.

— Quero só ver.

Pânico começa a crescer no meu peito quando Peter anda na direção de Josh com determinação. Seguro o braço dele.

— Pare com isso!

É nessa hora que a vejo. Margot, um pouco atrás de Josh, com a mão na boca. A música do piano parou, o mundo parou de girar, porque Margot ouviu tudo.

— Não é verdade, é? Por favor, me diz que não é verdade.

Eu abro e fecho a boca. Não preciso dizer nada porque ela já sabe a resposta. Margot, que me conhece tão bem.

— Como você *pôde?* — pergunta ela, com a voz trêmula.

A dor em seus olhos me faz querer morrer. Nunca vi essa expressão nos olhos dela antes.

— Margot — Josh começa a dizer, e ela balança a cabeça e recua.

— Vá embora — diz ela, a voz falhando. Em seguida, olha para mim. — Você é minha *irmã*. A pessoa em quem mais confio no mundo.

— Gogo, espera…

Mas ela já saiu. Escuto seus passos subindo as escadas. Ouço a porta do quarto dela ser fechada sem bater.

E caio no choro.

— Sinto muito — diz Josh para mim, com tristeza. — É tudo culpa minha.

Ele sai pela porta dos fundos.

Peter se aproxima para me abraçar, mas eu o impeço.

— Você poderia apenas… ir embora?

Dor e surpresa surgem no rosto dele.

— Claro, eu posso ir embora — diz ele, e sai da cozinha.

Vou para o banheiro mais próximo, me sento no vaso e choro. Alguém bate à porta, e eu paro de chorar e grito:

— Só um minuto.

A voz alegre da sra. Shah responde:

— Desculpe, querida.

Ouço os passos dela se afastando.

Eu me levanto e jogo água fria no rosto. Meus olhos ainda estão vermelhos e inchados. Molho uma toalha de mão na pia e a passo no rosto. Minha mãe fazia isso comigo quando eu estava doente. Colocava um paninho molhado frio na minha testa e trocava por um novo quando não estava mais frio. Eu queria que minha mãe estivesse aqui.

★ ★ ★

Para todos os garotos que já amei

Quando volto para a festa, o sr. Choi está sentado ao piano tocando "Have Yourself a Merry Little Christmas", e a sra. Rothschild encurralou meu pai no sofá. Ela está bebendo bastante champanhe, e ele está com uma expressão levemente assustada. Assim que me vê, meu pai levanta do sofá e se aproxima de mim.

— Ah, graças a Deus — diz ele. — Onde está a Gogo? Ainda não fizemos nosso número.

— Ela não está se sentindo muito bem.

— Hum. Vou ver como Margot está.

— Acho que ela só quer ficar sozinha.

Papai franze a testa.

— Ela e o Josh brigaram? Ele já foi embora.

Eu engulo em seco.

— Talvez. Vou falar com ela.

Ele me dá um tapinha no ombro.

— Você é uma boa irmã, querida.

Eu forço um sorriso.

— Obrigada, pai.

Subo a escada, e a porta do quarto de Margot está trancada.

— Margot, posso entrar?

Nenhuma resposta.

— Por favor, deixe eu explicar...

Silêncio.

— Sinto muito, Margot, é sério. Por favor, fala comigo.

Eu me sento encostada à porta e começo a chorar. Minha irmã mais velha sabe como me magoar. Silêncio e distância são o pior castigo que ela podia me dar.

69

Antes de nossa mãe morrer, Margot e eu éramos inimigas. Brigávamos o tempo todo, e o principal motivo era porque eu sempre estragava alguma coisa dela: um jogo, ou um brinquedo.

Margot tinha uma boneca chamada Rochelle. Rochelle tinha cabelo castanho sedoso e usava óculos, como Margot. Mamãe e papai deram a ela no aniversário de sete anos. Rochelle era a única boneca de Margot. Ela a adorava. Eu me lembro de implorar para Margot me deixar segurá-la só por um segundo, mas Margot sempre dizia não. Então uma vez peguei gripe e fiquei em casa enquanto ela foi para a escola. Entrei escondida no quarto dela e peguei Rochelle. Brinquei com ela a tarde inteira, fingi que Rochelle e eu éramos melhores amigas. Coloquei na cabeça que a cara de Rochelle era muito sem graça e que ela ficaria melhor de batom. Seria um favor para Margot se eu deixasse Rochelle ainda mais bonita. Peguei um dos batons de mamãe na gaveta do banheiro e passei nos lábios dela. Na mesma hora, percebi que foi um erro. Eu borrei tudo, e Rochelle ficou parecendo um palhaço, nada sofisticada. Então, tentei limpar o batom com pasta de dente, mas só fiz parecer que ela estava com alguma doença na boca. Eu me escondi debaixo do cobertor até Margot voltar para casa. Ela gritou quando viu o estado de Rochelle.

Depois que nossa mãe morreu, tivemos que mudar. Todos ganharam novos papéis. Margot e eu não vivíamos mais em pé de guerra porque entendemos que tínhamos que cuidar de Kitty. "Cuidem da sua irmã", ela sempre dizia. Quando ainda estava viva, fazíamos isso contra a vontade. Depois que ela se foi, passamos a fazer porque queríamos.

★ ★ ★

Dias se passam, mas Margot ainda finge que não me vê e só fala comigo quando necessário. Kitty nos observa com olhos preocupados. Papai está perdido e pergunta o que está acontecendo, mas não me pressiona para obter a resposta.

Há um muro entre nós agora, e consigo senti-la se afastando de mim cada vez mais. Irmãs deveriam brigar e fazer as pazes porque são irmãs, e irmãs sempre encontram o caminho de volta uma para a outra. Mas o que mais me assusta é que talvez isso não aconteça com a gente.

70

DO LADO DE FORA, A NEVE CAI EM FLOCOS QUE PARECEM ALGODÃO.
O jardim está começando a parecer uma plantação de algodão. Espero que neve sem parar durante o dia e a noite. Espero que vire uma tempestade de neve.

Ouço alguém batendo à minha porta.

Levanto a cabeça do travesseiro.

— Pode entrar.

Meu pai entra e se senta à minha escrivaninha.

— Então — começa ele, coçando o queixo como faz quando está pouco à vontade. — Precisamos conversar.

Meu estômago despenca. Eu me sento e abraço os joelhos.

— A Margot contou?

Meu pai pigarreia.

— Contou. — Eu nem consigo olhar para ele. — Isso é constrangedor. Nunca precisei fazer isso com a Margot, então... — Ele pigarreia de novo. — Era de se esperar que eu seria melhor nisso por ser médico. Só vou dizer que acho você nova demais para estar fazendo sexo, Lara Jean. Acho que você ainda não está pronta. — Ele parece prestes a chorar. — O Peter... ele forçou você de alguma forma?

Posso sentir todo o meu sangue subir para o rosto.

— Pai, nós não fizemos sexo.

Ele assente, mas acho que não acredita em mim.

— Sou seu pai, então é claro que preferiria que você esperasse até ter cinquenta anos, mas... — Ele pigarreia pela terceira vez. — Quero que você se sinta segura. Vou marcar uma consulta com o dr. Hudecz na segunda-feira.

Eu começo a chorar.

— Não preciso de consulta porque não estou fazendo nada! Eu não fiz sexo! Nem no ofurô nem em lugar nenhum. Alguém inventou essa história toda. Você precisa acreditar em mim.

Meu pai está com uma expressão triste no rosto.

— Lara Jean, sei que não é fácil falar sobre isso com seu pai, e não com sua mãe. Eu queria que sua mãe estivesse aqui para nos ajudar neste momento.

— Eu também queria, porque ela acreditaria em mim.

Lágrimas escorrem pelas minhas bochechas. Já é muito ruim que estranhos pensem o pior de mim, mas nunca achei que minha irmã e meu pai fossem acreditar nisso também.

— Desculpe. — Meu pai me abraça. — Sinto muito. Eu acredito. Se você me diz que não está fazendo sexo é porque não está. Só não quero que você cresça rápido demais. Quando olho para você, acho que ainda tem a idade da Kitty. Você é minha garotinha, Lara Jean.

Eu desabo nos braços dele. Não tem lugar mais seguro do que os braços do meu pai.

— Tudo está uma confusão. Você não confia mais em mim, Peter e eu terminamos, a Margot me odeia.

— Eu confio em você. É claro que confio. E é claro que você e a Margot vão fazer as pazes. Ela só ficou preocupada com você. Por isso me procurou.

Não, não foi por isso. Ela estava com raiva. É culpa dela papai ter pensado isso de mim, ainda que por um segundo.

Meu pai levanta meu queixo e seca as lágrimas do meu rosto.

— Você deve gostar muito do Peter, hein?

— Não — digo, fungando. — Talvez. Não sei.

Ele coloca meu cabelo atrás das orelhas.

— Tudo vai dar certo no fim.

Existe um tipo específico de briga que só se pode ter com uma irmã. É o tipo em que se dizem coisas e não dá para voltar atrás. Você diz porque não consegue evitar, porque está com tanta raiva que tudo sobe pela garganta e sai pelos olhos; você está com tanta raiva que não consegue enxergar direito.Vê tudo vermelho.

Assim que meu pai sai e o ouço ir para o quarto dele se aprontar para dormir, entro no quarto de Margot sem nem bater. Margot está na escrivaninha, no laptop. Ela olha para mim, surpresa.

Enquanto seco as lágrimas, eu digo:

— Você pode ficar com raiva de mim o quanto quiser, mas não tinha o direito de ir falar com papai pelas minhas costas.

— Eu não fiz por vingança. — A voz dela está tensa como a corda de um piano. — Fiz porque você claramente não faz ideia do que está fazendo e, se não tomar cuidado, vai acabar se tornando alguma estatística adolescente triste. — Com frieza, como se estivesse falando com uma estranha, Margot continua: — Você mudou, Lara Jean. Sinceramente, nem sei mais quem você é.

— Não, você definitivamente não sabe mais quem eu sou se acha por um segundo sequer que eu faria sexo em um passeio de escola! Em um ofurô, em público? Você não deve me conhecer nem um pouco! — E aí eu lanço a cartada que andei escondendo, a cartada que tenho contra ela. — Não é porque você transou com o Josh que eu vou fazer o mesmo com o Peter.

Margot inspira fundo.

— *Fale baixo.*

Fico feliz por tê-la magoado também.

— Agora que papai já está decepcionado comigo, ele não pode ficar decepcionado com você, não é? — grito.

Eu me viro para voltar para o quarto, e Margot me segue.

— Volte aqui! — grita ela.

— Não! — Tento fechar a porta do quarto na cara dela, mas ela enfia o pé para impedir. — Vá embora!

Eu empurro a porta, mas Margot é mais forte do que eu. Ela força a entrada e tranca a porta. Margot avança na minha direção, e eu recuo. Há uma luz perigosa nos olhos dela. Ela é a honrada, agora. Consigo sentir que estou começando a me encolher, a me acovardar.

Para todos os garotos que já amei

— Como você ficou sabendo que Josh e eu transamos, Lara Jean? Ele mesmo contou, enquanto vocês dois estavam se encontrando pelas minhas costas?

— Nunca fizemos nada pelas suas costas! Não foi assim que tudo aconteceu.

— Então como foi? — pergunta ela.

Um soluço escapa da minha garganta.

— Eu gostei dele primeiro. Gostei dele durante as férias antes do nono ano. Achei... achei que ele gostasse de mim também. Mas aí um dia você disse que vocês estavam namorando, e eu aceitei. Escrevi uma carta de despedida para ele.

O rosto de Margot se contorce em uma expressão de desprezo.

— Você realmente espera que eu sinta pena de você?

— Não. Só estou tentando explicar o que aconteceu. Eu deixei de gostar dele, juro que deixei. Não pensei mais nele dessa forma, mas, depois que você foi embora, percebi que bem no fundo eu ainda tinha sentimentos por ele. E aí, a carta foi enviada e Josh descobriu, então comecei a fingir que estava namorando Peter...

Ela balança a cabeça.

— Para. Não quero mais ouvir. Nem sei do que você está falando agora.

— Josh e eu só nos beijamos uma vez. *Uma*. Foi um grande erro, e eu nem queria! É você que ele ama, não eu.

— Como posso acreditar em qualquer coisa que você diga para mim agora?

— Porque é a verdade. — Tremendo, eu confesso: — Você não faz ideia do poder que tem sobre mim. Do quanto sua opinião é importante. Do quanto eu admiro você.

O rosto de Margot se fecha como um punho, e ela segura as lágrimas.

— Sabe o que a mamãe sempre dizia para mim? — Ela levanta o queixo. — "Cuide das suas irmãs." E foi isso que eu fiz. Eu sempre tentei colocar você e Kitty em primeiro lugar. Você faz alguma ideia do quanto foi difícil ficar longe de vocês? Do quanto me senti sozinha? Eu só queria voltar para casa, mas não podia, porque tenho que ser forte. Tenho que — ela se esforça para tomar ar — ser o bom exemplo. Não posso ser fraca. Tenho que mostrar para vocês como ser corajosa. Porque... porque mamãe não está aqui para fazer isso.

Lágrimas escorrem pelo meu rosto.

— Eu sei. Você não precisa me dizer, Gogo. Sei o quanto você sacrificou por nós.

— Mas aí eu fui embora, e parece que vocês não precisam tanto de mim quanto eu pensava. — A voz dela falha. — Vocês ficaram bem sem mim.

— Só porque você me ensinou tudo! — exclamo.

As lágrimas de Margot finalmente desabam.

— Desculpe — digo, chorando. — Desculpe, Margot.

— Eu *precisava* de você, Lara Jean.

Ela dá um passo na minha direção e eu dou um passo na direção dela e nos abraçamos, chorando, e o alívio que eu sinto é imensurável. Somos irmãs, e não há nada que ela ou eu possamos dizer ou fazer que vá mudar isso.

Nosso pai bate à porta.

— Meninas? Tudo bem aí dentro?

Olhamos uma para a outra e juntas, ao mesmo tempo, dizemos:

— Estamos bem, pai.

71

É VÉSPERA DE ANO-NOVO. NÓS SEMPRE FICAMOS EM CASA NO feriado da véspera de Ano-Novo. Fazemos pipoca e bebemos sidra espumante, e à meia-noite saímos para o quintal e acendemos velas em forma de estrela.

Alguns amigos de Margot da escola deram uma festa em um chalé nas montanhas, e ela disse que não queria ir, que preferia ficar com a gente, mas Kitty e eu a convencemos. Minha esperança é que Josh também vá e eles se entendam, e quem sabe o que pode acontecer. É Ano-Novo, afinal. A noite dos recomeços.

Mandamos papai a uma festa que alguém do hospital está dando. Kitty passou a camisa favorita dele, e eu escolhi a gravata e o empurrei pela porta. Acho que vovó está certa: não é bom ele ficar sozinho.

— Por que você ainda está triste? — pergunta Kitty quando coloco pipoca em uma tigela para nós.

Estamos na cozinha; ela está sentada no banco em frente à bancada com as pernas balançando. O cachorrinho se enroscou como uma centopeia embaixo do banco, olhando para Kitty com olhos esperançosos.

— Você e Margot fizeram as pazes. Que motivo você tem para ficar triste agora?

Estou prestes a negar que esteja triste, mas só suspiro.

— Não sei.

Kitty pega um pouco de pipoca e joga algumas no chão, que Jamie come na mesma hora.

— Como você pode não saber?

— Porque às vezes a gente fica triste e não consegue entender bem por quê.

Kitty inclina a cabeça para o lado.

— TPM?

Eu conto os dias desde minha última menstruação.

— Não. Não é TPM. Não é porque uma garota está triste que tem alguma coisa a ver com TPM.

— Então por quê? — insiste ela.

— Não sei! Talvez eu esteja com saudade de alguém.

— Está com saudade do Peter? Ou do Josh?

Eu hesito.

— Do Peter.

Apesar de tudo, do Peter.

— Ligue para ele, então.

— Não posso.

— Por que não?

Não sei como responder. É tudo tão constrangedor, e quero ser alguém que ela possa admirar. Mas Kitty está esperando com a testinha franzida, e sei que tenho que contar a verdade.

— Era mentira. A coisa toda. Nós nunca ficamos juntos. Ele nunca gostou de mim.

Kitty franze mais a testa.

— O que você quer dizer com foi mentira?

Suspirando, eu respondo:

— Tudo começou com aquelas cartas. Lembra que minha caixa de chapéu sumiu? — Kitty assente. — Tinha umas cartas lá dentro, cartas que escrevi para todos os garotos que já amei. Elas eram particulares, nunca deveriam ter sido enviadas, mas alguém as enviou, e tudo virou uma confusão. Josh recebeu uma, Peter também, e eu me senti tão humilhada... Peter e eu decidimos fingir um namoro para eu não passar vexame com o Josh e o Peter poder deixar a ex-namorada com ciúmes, e a história toda fugiu do controle.

Kitty está mordendo o lábio inferior com nervosismo.

— Lara Jean... se eu contar uma coisa, você promete que não vai ficar com raiva?

Para todos os garotos que já amei   311

— O quê? Conte logo.

— Promete primeiro.

— Tudo bem, prometo que não vou ficar com raiva.

Sinto arrepios na espinha.

— Fui eu que mandei as cartas — diz Kitty em um só fôlego.

— *O quê?*

— Você prometeu que não ia ficar com raiva!

— O quê? — grito de novo, mas não tão alto. — Kitty, como você pôde fazer isso comigo?

Ela deixa a cabeça pender.

— Porque eu estava com raiva. Você ficou me provocando dizendo que eu gostava do Josh; disse que ia dar o nome dele para o meu cachorro. Fiquei com muita raiva. Aí, quando você estava dormindo... eu entrei no seu quarto, roubei a caixa de chapéu, li todas as suas cartas e as enviei pelo correio. Eu me arrependi logo depois, mas era tarde demais.

— Como você sabia sobre as cartas?!

Ela semicerra os olhos para mim.

— Porque eu mexo nas suas coisas às vezes, quando você não está em casa.

Estou prestes a gritar mais com ela, mas lembro que li a carta que Margot recebeu de Josh e mordo a língua.

— Você sabe quantos problemas provocou? Como pôde ter tanta raiva de mim?

— Desculpe — sussurra ela.

Lágrimas se formam nos cantos dos olhos dela, e uma cai como uma gota de chuva. Tenho vontade de abraçá-la, de consolá-la, mas ainda estou muito irritada.

— Tudo bem — digo, com uma voz que diz exatamente o contrário.

Nada disso teria acontecido se ela não tivesse enviado aquelas cartas.

Kitty salta do banco e sobe as escadas, e acho que vai para o quarto chorar sozinha. Sei o que eu tenho que fazer. Tenho que ir consolá-la, perdoá-la de verdade. É minha vez de ser o bom exemplo. De ser a irmã mais velha boa.

Estou prestes a subir quando ela volta correndo para a cozinha. Com minha caixa de chapéu nos braços.

72

QUANDO ÉRAMOS SÓ MARGOT E EU, NOSSA MÃE COMPRAVA TUDO em pares, azul para Margot e rosa para mim. A mesma colcha, o mesmo bichinho de pelúcia ou a mesma cesta de Páscoa com duas cores diferentes. Tudo tinha que ser justo; nós precisávamos comer a mesma quantidade de palitos de cenoura ou batatas fritas ou ter a mesma quantidade de bolas de gude ou borrachas no formato de cupcakes. Só que eu sempre perdia minhas borrachas ou comia a cenoura rápido demais, e então ficava pedindo as de Margot. Às vezes, mamãe a obrigava a dividir, o que até eu percebia que não era justo, obviamente Margot não deveria ser penalizada por comer devagar ou cuidar bem das borrachas. Depois que Kitty nasceu, ela tentou fazer tudo azul, rosa e amarelo, mas é bem mais difícil encontrar uma coisa em três cores diferentes. Além do mais, Kitty era bem mais nova do que nós, e não queríamos os mesmos brinquedos que ela.

A caixa de chapéu azul-petróleo talvez tenha sido o único presente dela que só eu ganhei. Não precisei dividir, era meu e só meu.

Quando a abri, eu esperava encontrar um chapéu, talvez um de palha com a aba dobrada, ou talvez uma boina, mas estava vazia.

— É para o que você considera especial — disse ela. — Você pode guardar todas as suas coisas mais preciosas, favoritas e mais secretas aqui.

— Como o quê? — perguntei.

— O que couber dentro. O que você quiser guardar só para você.

O queixinho pontudo de Kitty treme.

— Eu sinto muito mesmo, Lara Jean.

Quando vejo isso, aquele tremorzinho, não consigo mais sentir raiva. Não consigo, nem um pouco. Vou até ela e a abraço com força.

— Tudo bem — digo, e ela relaxa de alívio. — Pode ficar com a caixa. Guarde todos os seus segredos aí dentro.

Kitty balança a cabeça.

— Não, é sua. Eu não quero. — Ela a empurra na minha direção. — Coloquei algo para você aí dentro.

Eu abro a caixa, e há bilhetes. Bilhetes e mais bilhetes e mais bilhetes. Os bilhetes de Peter. Os bilhetes de Peter que joguei fora.

— Encontrei quando fui esvaziar seu lixo — diz ela, antes de acrescentar rapidamente: — Só li uns dois. E decidi guardar porque percebi que eram importantes.

Toco em um que Peter dobrou em formato de avião.

— Kitty... você sabe que o Peter e eu não vamos voltar, não é?

Kitty pega a tigela de pipoca.

— Leia os bilhetes.

Ela vai para a sala e liga a tevê.

Eu fecho a caixa e a levo comigo para o quarto. Então me sento no chão e espalho os bilhetes à minha volta.

Muitos deles só dizem coisas do tipo *Me encontra no seu armário depois da aula* e *"Pode me emprestar as anotações de química da aula de ontem?"*. Encontro o do Halloween com a teia de aranha e acabo sorrindo. Outro diz: *"Você pode ir para casa de ônibus hoje? Quero fazer uma surpresa para a Kitty indo buscá-la na escola, para ela poder exibir meu carro para as amigas." "Obrigado por ir à venda comigo no fim de semana. Você fez o dia ficar divertido. Te devo uma." "Não se esqueça de trazer o iogurte coreano para mim!" "Se você fizer os biscoitos idiotas de cranberry e chocolate branco do Josh e não os meus de frutas cristalizadas, acabou."* Dou uma gargalhada alta. E depois, o que leio e releio sem parar: *"Você está bonita hoje. Gosto quando você usa azul."*

Nunca recebi uma carta de amor. Mas, ao reler esses bilhetes, um atrás do outro, sinto que recebi. É como... é como se sempre só tivesse existido Peter. Como se todos os que vieram antes dele tivessem apenas me preparado para isso. Acho que agora consigo ver a diferença entre amar alguém de longe e amar de perto. Quando você con-

Para todos os garotos que já amei

vive com a pessoa, vê quem ela é de verdade, e ela também vê você. E Peter me vê. Ele me vê, e eu o vejo.

O amor é assustador; ele se transforma; ele murcha. Faz parte do risco. Não quero mais ter medo. Quero ser corajosa como Margot. Afinal, um novo ano está quase começando.

Perto da meia-noite, pego Kitty, o cachorrinho e as velas. Vestimos casacos grossos, e eu faço Kitty colocar um gorro.

— O Jamie também precisa de um gorro? — pergunta ela.

— Ele não precisa — digo para ela. — Já tem um casaco de pele.

As estrelas brilham aos montes; parecem pedras preciosas a distância. Temos tanta sorte de morarmos perto das montanhas. Parece que estamos mais perto das estrelas. Do céu.

Acendo as velas para nós duas, e Kitty começa a dançar na neve, fazendo um anel de fogo com a dela. Ela está tentando fazer Jamie pular no meio, mas ele nem liga. Só quer fazer xixi pelo jardim. Ainda bem que temos cerca, senão ele faria xixi por todo o quarteirão.

A luz do quarto de Josh está acesa. Eu o vejo na hora em que ele abre a janela.

— Irmãs Song!

— Quer acender uma vela de estrela? — grita Kitty.

— Talvez ano que vem — responde Josh.

Eu olho para ele e balanço a vela, e ele sorri, e tenho a sensação de que está tudo bem entre nós. De uma forma ou de outra, Josh vai fazer parte de nossas vidas. E tenho certeza, uma certeza repentina, de que tudo está exatamente como deveria, que não preciso ter tanto medo de despedidas, porque elas não precisam ser para sempre.

Quando volto para o quarto e visto a camisola de flanela, pego minha caneta especial e meu papel de carta grosso e começo a escrever. Dessa vez, não é uma carta de despedida. Apenas uma simples carta de amor.

Querido Peter...

Agradecimentos

Para todos os meus amores literários:

Para Zareen Jaffery, a mais bela de todas. Acho que você e eu fomos feitas uma para a outra.

Para Justin Chanda, por ter selado o compromisso.

Para todos da S&S, mas principalmente Paul Crichton, Lydia Finn, Sooji Kim, Chrissy Noh, Lucille Rettino, Nicole Russo e Anne Zafian por ser(em) meu(s) caso(s) principal(is). E um olá para Katy Hershberger, estamos prestes a nos conhecer muito bem.

Para Lucy Cummins, deposito flores e corações cobertos de chocolate aos seus pés por toda beleza que você acrescenta aos livros.

Para Adele Griffin, Julie Farkas e Bennett Madison — leitores, escritores, amigos —, sonetos para todos vocês. Fico maravilhada com seus talentos e honrada por ser sua amiga.

Para Siobhan Vivian, minha querida. Se existem almas gêmeas literárias, você é a minha.

E para Emily van Beek, por tudo, sempre.

Todo o meu amor,

Jenny

Conheça a trilogia completa

1ª edição	MAIO DE 2015
reimpressão	JULHO DE 2025
impressão	LIS GRÁFICA
papel de miolo	PÓLEN NATURAL 70 G/M^2
papel de capa	CARTÃO SUPREMO ALTA ALVURA 250 G/M^2
tipografia	GARAMOND